POBL DDOE

POBL DDOE

J. Aelwyn Roberts

GWASG GEE
DINBYCH

ISBN 0 7074 03235

Cyhoeddwyd gyntaf ym Mhrydain gan
Element Books Cyf., Shaftesbury, Swydd Dorset ym 1997.
Teitl gwreiddiol: *Yesterday's People*

Argraffiad Cymraeg cyntaf: 1999
ⓗ y cyfieithiad Cymraeg: J. Aelwyn Roberts 1999

Dymuna'r Cyhoeddwyr gydnabod yn ddiolchgar iawn gymorth
Adrannau Golygyddol a Dylunio Cyngor Llyfrau Cymru.

*First published in Great Britain in 1997 by Element Books Limited,
Shaftesbury, Dorset.*

Argraffwyd a chyhoeddwyd gan:
GWASG GEE, LÔN SWAN, DINBYCH

Diolchiadau

Heblaw am fy nghyfeillion, sydd yn gwybod bron gymaint am y byd tu hwnt ag y maent am y byd yma, fasa 'na ddim llyfr. Iddynt hwy mae'r diolch.

Elwyn Roberts
Mae Elwyn a minnau wedi eistedd gyda'n gilydd mewn llawer i hen dŷ iasoer, hyd oriau mân y bore, yn disgwyl i ryw hen benbwl o ysbryd roi'r gore i'w ddangos ei hun, a dechrau siarad yn synhwyrol â ni.

Chloris Morgan
Fy Nghynghorydd Ysbrydol sydd wedi dysgu mwy i mi am y 'tu hwnt', sydd yn fy nisgwyl cyn bo hir, na'r un Athro Diwinyddiaeth.

Winnie Marshall
Gweinidoges a Brenhines yr Ysbrydegwyr. Mae hi bob amser yn barod i roi dipyn o wellhad i'r hen gorffyn pan fydd yn dechrau brifo; neu fymryn o gyngor pan fydd fy syniadau'n dechrau mynd dros ben llestri.

Dr Dewi Rees
Fy ffrind y meddyg a'r archwiliwr trwyadl. Rhoddodd ei ganiatâd i mi gyhoeddi rhannau maith o'i archwiliad medrus ar 'Brofedigaeth' yn rhad ac am ddim. Ei obaith oedd y byddai ei waith o ryw gymorth i rai mewn galar.

Bruce Laing
Myfyriwr o Goleg Prifysgol Cymru, Bangor. Pan fyddai fy mhrosesydd geiriau'n torri i lawr, neu'n gor-boethi, byddai'n barod i ddod i'r Ficerdy, a'i sgriwdreifar yn ei law, i'w drwsio.

Cynnwys

PENNOD 1

Y Croesi Drosodd

Mae ymweld â siop lyfrau yn hobi sydd yn apelio at bawb, rywsut. Troi i mewn, nid bob amser i brynu, ond i gael gweld a bodio'r llyfrau mwyaf diweddar. Mi fuasai rhywun yn hanner disgwyl gweld ym mhob siop fwyafrif mawr o nofelau, llyfrau rhamant a bywgraffiadau – ond nid felly y mae. Am bob un o'r math yma o lyfr mae gan siop dda oddeutu deg sy'n rhoi cyfarwyddyd ar sut i wneud pethau – llyfrau *DIY*! Mae yna, er enghraifft, nifer o lyfrau ar dyfu rhosod, dwsinau ar sut i goginio efo *wok*, a thoreth ar sut i leddfu cwlwm perfedd, neu *irritable bowel* y Sais. Ond ewch at y siopwr a gofyn iddo, 'Os gwelwch chi'n dda, oes gennych chi lyfr yma ar "Sut i farw"?' Pandemoniwm!

Dydi cyhoeddwyr a gwerthwyr llyfrau ddim wedi sylweddoli pa fath o bobl maent yn ymwneud â nhw. Mi fuaswn i'n dweud nad oes gan nifer fawr o'r bobl sydd yn mynychu eu siopau unrhyw ddiddordeb mewn garddio; llawer hyd yn oed heb ardd – dim ond rhyw bwt o focs ffenest. Ychydig iawn ohonyn nhw hefyd, fuaswn i'n mentro dweud, fuasai'n defnyddio *wok* y Chineaid yn lle'r badell ffrio. Ac rydw i'n berffaith siŵr fod y 0.6% ohonyn nhw sydd yn diodde oddi wrth gwlwm perfedd yn medru lleddfu'r boen ac iro'r cylla yn ddigon effeithiol efo tipyn o *Fybogel* a chroen oren. Y peth nad ydi cyhoeddwyr yn ei sylweddoli ydi fod pob un o'u cwsmeriaid, rhyw ddiwrnod, yn mynd i farw, a bod hyn yn rhywbeth y bydd yn rhaid i bob un ohonynt ei wneud ar eu pennau eu hunain bach. Does 'na ddim practis na rihyrsal cyn ymgymryd â'r weithred yma, ac eto does 'na ddim unrhyw fath o lyfr mewn siop na llyfrgell ar sut i daclo'r joban yma.

Ond na! 'Rydw i'n dweud anwiredd rŵan,' ys dywed hen wreigen o'r pentref yma ar ôl cymhlethu ei ffeithiau dipyn bach.

Mae 'na lyfr ar gael, ond i'r chwilotwr wybod beth i chwilio amdano. Enw'r llyfr yma ydi *The Tibetan Book of the Dead*. Llyfr wedi'i gyfieithu gan ysgolhaig o'r enw Evans-Wentz, a'i gyhoeddi gan yr Oxford University Press. Mae'r llyfr hwn yn rhoi disgrifiad manwl o'r gwahanol brofiadau y bydd yn rhaid i ni i gyd fynd drwyddynt wrth farw. Mae hefyd yn ein dysgu i gadw golwg am y gwahanol gerrig millir a'r arwyddion wrth i ni wneud ein siwrnai olaf o'r byd yma i'r byd tu hwnt i'r llen. Mae hefyd yn disgrifio'r math o deimladau ac emosiynau y bydd i ni eu teimlo, neu y dylem eu teimlo, ar y ffordd. Mae'r wybodaeth sydd ynddo wedi cael ei throsglwyddo ar lafar o genhedlaeth i genhedlaeth, yn Tibet, ers canrifoedd cyn Crist. Yna fe'u cofnodwyd mewn llyfr yn yr wythfed ganrif. Ond fe gymerodd dros ddeuddeg can mlynedd cyn i ni, yn y Gorllewin, ddod i wybod am y cyfoeth oedd tu fewn i'w dudalennau. Fe'i cyfieithwyd rhyw ugain mlynedd yn ôl, a dywed wrthym mor bwysig ydi i ni, bob un ohonom, gael marwolaeth dda. Ac meddai'r llyfr, cyn y gall neb gael marwolaeth dda, mae'n rhaid cael cyfarwyddyd, ac wrth gwrs mae'r cyfarwyddyd yma i'w gael yn y llyfr *The Tibetan Book of the Dead*.

Yn Tibet, pan fo rhywun ar ei wely angau, fe eilw'r teulu am fynach neu offeiriad i ddod i'r tŷ i roi cyfarwyddiadau i'r claf ar yr hyn sydd i ddigwydd. Hyd yn oed ar ôl i rywun farw'n ddisymwth, deil i fod yn rheidrwydd i alw'r mynach i ddarllen i'r corff marw. Fe aiff y darllen ymlaen am ddyddiau, a hyd yn oed yn ystod y gwasanaeth claddu, oherwydd mae'r Bwdistiaid yn credu fod pobl yn dal i allu clywed am ddiwrnodau ar ôl marw. Y clyw, medden nhw, ydi'r gynneddf olaf yn y corff i farw. Wel, meddai rhywun, pa angen sydd am gyfarwyddyd fel hyn os ydi marwolaeth yn rhywbeth sydd yn dod i bob un ohonom? Eitha gwir; ond mae marwolaeth yn fwy na rhywbeth 'sydd yn dod i bob un ohonom'. Mae marwolaeth yn weithred y bydd yn rhaid i bob un ohonom ei chyflawni drosom ein hunain, ac ar ein pennau ein hunain, pan ddaw'r alwad.

Fe ddywed meddygon, nyrsys, gweinidogion yr efengyl, a'r bobl sydd wedi gweld llawer o farwolaethau, fod yna wahaniaeth mawr yn y ffordd mae pobl yn taclo'r weithred yma: rhai yn marw'n dawel urddasol, eraill yn gwneud cawl o'r holl beth. Fel offeiriad, rydw i fy hunan wedi gweld llawer iawn o bobl yn marw: rhai â dim ond ochenaid fach a gwên ar eu hwynebau, eraill yn gweryru yn eu gwlâu, eu breichiau'n chwifio a dychryn yn eu llygaid. Rwy'n cofio unwaith eistedd wrth wely un o'm plwyfolion, hen wraig annwyl oedd wedi rhoi ei bywyd i waith yr Arglwydd. Dyna lle'r oedd hi'n troi a throsi, yn gweiddi ac yn glynu yn nillad y gwely, a'r ofn ofnadwy yna yn ei llygaid. Allwn i ddim deall y peth. Roeddwn i wedi meddwl y buasai hi, o bawb, yn marw'n dawel. Yna fe gofiais; a dyma ddweud wrthi, 'Tawelwch, Catrin fach. Mae Elisabeth a Bryn ar y ffordd yma. Maen nhw *yn* gwybod; wedi cael eu dal ar bont Conwy maen nhw. Mi arhosa i yma efo chi nes dôn nhw.' A'r munud hwnnw dyma'r fam druan yn tawelu. Allai hi ddim ymollwng i farw heb wybod beth oedd wedi digwydd i'w phlant a chael ffarwelio â nhw. Mae'r hyn mae *Llyfr Meirwon Tibet* yn ei ddweud yn eithaf gwir, mae'r clyw yn dal yn fyw yn yr hen gorffyn am ddyddiau ar ôl i'r galon a phopeth arall farw. Peidied neb ag ofni rhoi neges o gariad i un annwyl sydd yn gorwedd ar wely angau. Fel mae'n digwydd, fe gyrhaeddodd Elisabeth a Bryn mewn pryd, ond rydw i'n credu pe baen nhw wedi methu, a bod eu mam wedi marw cyn iddynt gyrraedd, y buaswn wedi ceisio eu perswadio i sibrwd yn ei chlust, 'Sori, Mam! Cael ein dal yn y traffig ar yr hen bont Conwy 'na ddaru ni.'

Ac yma, wrth gwrs, mae gan y cwestiynydd hawl i ofyn cwestiwn arall: 'Sut gall neb sydd heb brofi angau ei hun ddysgu eraill sut i farw?' Ac mae hwnna'n gwestiwn da.

Pan oeddwn i'n gwneud ymchwil cyn ysgrifennu'r llyfr yma, mi ofynnais i ffrind i mi, sydd yn ysbrydegwraig, beth oedd eu cred nhw, yn yr Eglwys Ysbrydegol, am yr hyn sydd yn digwydd ar ôl marwolaeth. Dyma ddywedodd hi: 'Does ganddon ni ddim cred. Rydyn ni'n gwybod i sicrwydd beth sydd yn digwydd.' A dyma hi'n mynd ymlaen i ddweud eu bod nhw'n derbyn yr wybodaeth yma gan ysbrydion y meirw sydd wedi ein rhagflaenu, a hefyd gan yr ysbrydion arweiniol. Prif waith yr ysbrydion arweiniol, neu'r *spirit guides*, ydi ein dysgu ni, drigolion y ddaear, am y byd tu hwnt i'r llen. Rydw i wedi byw yng nghwmpeini nifer fawr o'r bobl yma sydd yn eu galw eu hunain yn ysbrydegwyr, a dydyn nhw ddim yn rhai sydd yn siarad yn ofer. A phetai hi'n dod i hynny, rydw i fy hunan wedi gweld llawer o bobl ddoe ac wedi siarad â nhw – rhai ohonynt wedi bod yn farw ers blynyddoedd. Mae gen i barch mawr at syniadau'r ysbrydegwyr. Ers dros ddeugain mlynedd y fi, mae'n debyg, ydi'r offeiriad sydd wedi cael ei alw allan fynychaf yng ngogledd Cymru pan fydd pobl yn teimlo eu bod yn cael eu poeni gan fwgan.

Gweithio fel tîm yr ydyn ni, Elwyn Roberts o'r Amwythig a minnau. Mae Elwyn yn ŵr eithriadol o sensitif. Fuasai o ddim yn hoffi i mi ei alw yn gyfryngwr oherwydd mae'r gair 'cyfryngwr' yn perthyn i'r ysbrydegwyr, a tydi Elwyn ddim yn ysbrydegwr. Mae o'n aelod mawr ei barch o'r SPR (*Society for Psychic Research*) ac mae o hefyd yn brifardd yr Eisteddfod Genedlaethol. Gwyddonydd oedd o wrth ei alwedigaeth ac rydw i'n meddwl fod gwyddoniaeth a'r paranormal wedi brwydro dipyn, o dro i dro, ym mynwes Elwyn. Yn ddiweddar mae Elwyn Edwards, Y Bala, wedi ymuno â ni fel cofrestrydd ac ymchwilydd penigamp. Mae yntau'n fardd ac wedi ennill y gadair yn y Genedlaethol. Os gwelwch chi, mewn unrhyw bentref yng Nghymru, hen berson penwyn a dau brifardd o boptu iddo, fe allwch fod yn siŵr fod 'na ryw deulu bach, heb fod ymhell, yn cael ei boeni gan ysbryd.

Heb os nac oni bai, mae gan Elwyn Roberts y ddawn ryfedd yna, y sonnir amdani yn y Beibl, o allu 'gwahaniaethu ysbrydoedd'. Dyma un o'r doniau a roddwyd i'r Eglwys Fore. Mae'r ddawn yma wedi ei phlannu mor gryf yn Elwyn fel pe bai o'n ei alw'i hun yn gyfryngwr, mi fuasai'n rhaid mynd gam ymhellach a'i alw'n 'drawsgyfryngwr', neu'n un o'r bobl brin hynny sydd yn medru galluogi ysbryd dyn marw i'w ddangos ei hun i eraill, drwy ddefnyddio corff y cyfryngwr. Mi fydda i'n cyfeirio at y ffordd y byddwn yn helpu ysbrydion y meirw yn eithaf aml yn y llyfr; felly efallai mai da o beth fyddai i mi ddisgrifio yn y fan yma y ffordd syml sydd gan y tîm o weithio.

Daw'r alwad am help, yn y lle cyntaf, ataf fi – yr offeiriad. Byddaf innau wedyn yn penderfynu pa mor bwysig yw pob galwad. Mae llawer yn alwadau oddi wrth bobl nad ydynt ond eisiau gwybod pwy sydd yn gwneud y sŵn traed yn stompio drwy'r tŷ yn y nos, neu pwy ydi'r hen wreigen fach sydd yn sefyll ar ben y grisiau pan fo aelod o'r teulu'n mynd i'r toiled yn oriau mân y bore. Y cwbl mae'r rhain yn ei gael ydi rhyw sgwrs fach ar sut i ddatrys y broblem eu hunain. Y cyngor y byddaf yn ei roi i bobol sydd â dim ond ysbryd bach go ddiniwed yn byw yn yr un tŷ â nhw ydi dweud wrthynt am ofyn i'r ysbryd pwy ydi o, beth mae o eisiau, ac os nad ydi o eisiau dim byd, gofyn yn garedig iddo beidio â'u poeni rhagor.

Ond, cofiwch chi, mae 'na fath arall o bobl sydd yn gofyn am gymorth. Pobl ydi'r rhain, ac mae yna lawer ohonyn nhw, sydd wirioneddol ofn rhyw ysbryd sydd wedi gwneud ei gartref yn eu tŷ nhw. I lawer o'r bobl yma mae bywyd wedi mynd yn fwrn ac mae oriau'r nos yn hunllef. Ond, yn rhyfedd, mae'r rhain yn gyndyn o ofyn am help, a dydyn nhw ddim ychwaith yn dweud am y peth wrth neb arall – hyd yn oed wrth deulu. Mae'n debyg mai'r rheswm dros hyn ydi bod yna duedd gan lawer i edrych i lawr braidd yn dosturiol ar y creaduriaid bach yma sydd yn dychmygu eu bod yn gweld ysbryd. Mae yna nifer fawr hyd yn oed o weinidogion yr efengyl sydd yn trin y bobl yma fe pe baen nhw dipyn bach yn dw-lali. Ond mae'r rhai hynny ohonom sydd wedi gweithio yn y rhan yma o winllan ein Harglwydd yn gwybod yn iawn nad breuddwydio a hel syniadau mae'r bobl hyn. Mae llawer o'r rhai sydd yn cael eu poeni o ddifrif gan ysbrydion yn dweud fod yr ysbryd yn eu cartref yn medru dod â hen awyrgylch ddiflas, anhapus gydag o. Mae yna nifer wedi dweud wrthyf eu bod yn credu fod eu hysbryd nhw, yn eu tŷ nhw, yn dioddef o iselder ysbryd a'i fod o rywsut yn gallu trosglwyddo'r iselder yma iddynt hwy sydd yn byw yn y tŷ. Mae fy nghyfeillion, sydd dipyn yn seicic, yn dweud fod hyn yn berffaith wir a bod llawer ysbryd yn medru trosglwyddo ei gur pen iddynt hwythau o dro i dro. Mae llawer o'r bobl seicic yma'n dweud hefyd fel y bu iddynt sawl tro fod ar fin prynu tŷ oedd yn ymddangos yn dipyn o fargen, ac yna'n tynnu'n ôl am fod y tŷ yn un ag awyrgylch anhapus iddo.

Felly, pan fo gwir angen, mae'r tîm bob amser yn fodlon helpu. Y fi sydd fel arfer yn gwrando ar yr hanes a chael y ffeithiau, ond fydda i byth, byth, yn dweud yr un gair o'r hyn fydda i wedi ei glywed wrth Elwyn nac unrhyw un arall fydd yn dod i'r tŷ efo mi. Mewn gwirionedd, mae'n well gan Elwyn beidio â gwybod a chael meddwl agored wrth fynd dros drothwy bob tŷ.

Dim ond rhyw bedwar neu bump ohonom sydd yn ymweld â'r tŷ – y ddau Elwyn a finnau a Bridget, fy merch, seicolegwraig sydd hefyd â diddordeb mewn ysbrydion, a'r teulu, wrth gwrs. Mae'n bwysig cael y teulu. Pan fydd ar bobl ofn ysbryd, ofn rhywbeth sydd yn anhysbys iddynt y maent. Ac mae'r ofn hwn yn aml iawn yn achosi i rai newid tŷ yn hytrach na wynebu'r melancolia a'r tristwch sydd mewn llawer tŷ ysbryd. Felly, rhan bwysig o'n gwaith ni ydi dod â'r partïon at ei gilydd. Yn aml iawn, unwaith mae'r 'peth' neu'r 'bwgan' neu'r 'ysbryd aflan' sydd yn eu poeni nhw yn dod i'r amlwg, a'u bod nhw'n cael cyfle i'w weld drostynt eu hunain a sylweddoli mai dim ond un o bobl ddoe ydi'r 'peth' sydd wedi codi cymaint o ofn arnynt, yna mae'r ofn yn cilio. A phan ddônt i weld drostynt eu hunain mai nain, neu fam-gu, neu fodryb Elin eu tad, ydi'r ysbryd yn aml iawn, yna mae'r ofn yn diflannu'n gyfan gwbl. Yn aml iawn, ar ôl i deulu weld a dod i adnabod eu hysbryd, mae'n cael gwahoddiad i aros cyhyd ag y mynno – ond iddo addo byhafio'i hun.

Yn ddiweddar rydyn ni wedi dechrau gweithio dan olau coch: Elwyn yn eistedd ar gadair, bwrdd bach o'i flaen a lamp fach goch yn disgleirio ar ei wyneb. Y gweddill ohonom, yr ymwelwyr a'r teulu, yn cymryd ein llefydd yn hollol naturiol ac yn siarad efo'n gilydd am bopeth dan haul – am bopeth heblaw'r ysbryd. Pwrpas y siarad yma ydi rhoi cyfle i bawb ddod i adnabod ei gilydd ac ymlacio cyn i ddim byd ddigwydd. Ymhen tipyn bydd Elwyn yn dweud, 'Mae yma rywun yn yr ystafell hefo ni. Mae hi dipyn bach yn swil ac yn teimlo'n anghyfforddus wrth weld pobl ddiarth yma.' Elwyn yn siarad eto, ond y tro yma nid efo ni, 'Na, peidiwch â mynd, cariad. Arhoswch efo ni. Dod yma i'ch gweld chi wnes i.'

Yna, mae o yn dweud rhywbeth sydd bob amser yn fy arswydo i ac sydd yn cymryd dipyn o ddewrder: 'Defnyddiwch fy nghorff i. Dowch i mewn i 'nghorff i os ydych chi'n gwybod sut i wneud hynny.'

Mae'r gweddill ohonom, yn enwedig er pan ydym ni wedi dechrau defnyddio'r 'golau coch', yn gallu dweud a ydi'r gwahoddiad yn cael ei dderbyn ai peidio. Fe allwn ni weld wyneb Elwyn yn newid ac yn cymryd ffurf wyneb yr ysbryd, hŷn neu iau nag ef ei hun, pan fydd hyn yn digwydd. Mi rydw i hefyd wedi gweld gwedd Elwyn yn newid dan deimladau cyffrous yr ysbrydion oedd yn cymryd ei gorff o drosodd – hanes y tri phlentyn bach a fu farw o fewn tri mis i'w gilydd a hanes y wraig y bu raid iddi ddal y gannwyll tra oedd y meddyg yn llifio coes ei gŵr i ffwrdd ar fwrdd yn y gegin yn y dyddiau cyn bod clorofform. A thrwy hyn i gyd, y dagrau'n llifo i lawr gruddiau Elwyn druan.

Ar ôl treulio dros ddeugain mlynedd yn trin ysbrydion, yn siarad efo nhw, ac yn eu cynghori, yr hyn sy'n fy synnu i ydi'r nifer fawr ohonyn nhw sydd ar gael. Alla i ddim llai na gwenu pan fydda i'n clywed hanes am ryw 'awdurdod' ar ysbrydion yn mynd i dŷ ac yn dweud wrth y teulu:

'Oes mae yma bresenoldeb. Mi rydw i'n teimlo fod 'na rywun yma.' Rhywun, wir! Bron ym mhob tŷ mae Elwyn a minnau wedi bod ynddo, rydyn ni wedi ffeindio fod 'na nid un ysbryd ond lleng ohonyn nhw. Bron na fuaswn i'n mentro dweud nad oes unrhyw dŷ yn y wlad heb ei ysbryd neu ei ysbrydion. Yn aml iawn rydym wedi dod ar draws tai ac ynddynt grwpiau o ysbrydion o wahanol gyfnodau'n byw yn eithaf hapus efo'i gilydd nes i'r perchennog daearol, y bachan sy'n talu'r morgais, alw ecsorsist i mewn i geisio'u difa. Does dim byd yn rhyfedd yn y ffaith fod ysbrydion o wahanol ganrifoedd yn byw efo'i gilydd fel hyn, oherwydd mae *pobl ddoe* yn byw yn y *presennol tragwyddol* ac nid fel ni lle mae'r presennol a'r gorffennol a'r dyfodol yn llywio'n bywydau. Mae'n rhaid i ni, ddaearolion, wrth wagle o'n cwmpas. Yn wir, mae yna gyfraith sy'n dweud fod yn rhaid i bob un sydd yn gweithio mewn adeilad gael hyn a hyn o lathenni sgwâr iddo'i hun. Ond tydi gwagle neu ofod yn golygu dim i bobl ddoe.

Petasai'n wir mai dim ond un ysbryd ar y tro sydd yn poeni teulu, mi fyddai gwaith Elwyn a minnau'n eithaf hawdd; cael gafael yn y drwgweithredwr ysbrydol a dweud wrtho am fyhafio ei hun neu . . . Ond pan fo Elwyn, neu unrhyw berson sensitif arall, yn torri drwy'r llen gyfyng, yr olygfa sydd yn ei wynebu ydi nid un ysbryd, ond cynifer o bobl ag y gwelwch chi ar stesion Euston ar bnawn Sadwrn. A hyd yn oed ar ôl dod o hyd i'r un rydyn ni'n chwilio amdano, mae hwn ambell waith yn mynd ati i chwarae hen driciau gwirion – cymryd arno ei fod yn swil ac yn y blaen. Mae angen amynedd Job i drin rhai ohonynt. Mae'n anodd esbonio wrth y teulu gartref, ar ôl dychwelyd yn oriau mân y bore, fod yn well bwrw 'mlaen er ei bod hi'n hwyr arnon ni'n cael gafael yn y dyn ochr draw, yn hytrach na gorfod mynd yn ôl y noson wedyn i chwilota amdano eilwaith yn stesion Euston.

Mae pobl hefyd yn tueddu i leoli ysbryd mewn rhyw fangre neilltuol yn y tŷ. 'Yn y fan yma ar ben y grisiau mae o,' medden nhw. Neu 'tu ôl i ddrws y llofft gefn'. Ond tydi hyn ddim yn wir.

Mi rydw i'n cofio mynd i dŷ ysbryd, efo Elwyn, ar bnawn braf o haf. Mynd o un ystafell i'r llall yna, yn un o'r ystafelloedd gwely, Elwyn yn sefyll ac yn rhyw hanner snwffian. 'Ia,' medda fo, 'yn yr ystafell yma mae hi ran fwya o'i hamser, a'i hoff le ydi'r fan yma rhwng y gwely a'r wardrob.' Ac yna, er mawr syndod i mi, dyma fo'n dweud, 'Ond tydi hi ddim yma'r funud yma, chwaith.' 'Mae'n gwestiwn gen ni,' meddai wedyn, 'ydi hi hyd yn oed yn y tŷ y funud yma.' Mae ysbrydion, gallaswn feddwl, yn symud o le i le. Mi alla i dderbyn hyn oherwydd mae'n anodd credu y buasai unrhyw ysbryd yn mynd i'r drafferth o fynd drosodd o un byd i'r llall dim ond er mwyn cael y pleser amheus o gael eistedd ar lawr yr ystafell wely gefn, rhwng y gwely a'r wardrob!

Fe gafodd Elwyn a minnau enghraifft dda o hyn rai blynyddoedd yn ddiweddarach. Mrs Harris, o Ddwyfor, yn ffonio i ddweud fod ganddi broblem. Glöwr oedd ei gŵr ac roedd wedi cael ei dorri i lawr gan glefyd y llwch. Roedd o'n gaeth yn ei wely, i lawr grisiau, ac yn hollol ddibynnol ar y peipiau a'r geriach ocsigen oedd yn llenwi ei ystafell. Roedd iddynt ddwy ferch, Megan a Laura. Roedd Megan, yn groes i ewyllys ei rhieni, wedi priodi rhyw hen garidým o ddyn. Er hyn roedd ei rhieni wedi prynu tŷ iddynt ac wedi eu helpu i'w ddodrefnu. Fe aned dau o blant bach iddynt, ond doedd pethau ddim yn rhy dda rhwng gŵr Megan a'i deulu-yng-nghyfraith. Ar ôl un ffrae fawr roedd o wedi gwahardd Mrs Harris rhag dod dros drothwy ei dŷ byth, ac wedi rhybuddio'i wraig nad oedd i fynd â'r plant i weld eu taid a'u nain.

Felly, ychydig o gysylltiad oedd rhwng y ddau deulu, ar wahân i'r amseroedd pan fyddai Megan a'r plant yn digwydd taro ar ei mam 'ar ddamwain' yn y stryd fawr. Yna fe glywodd ei thad a'i mam fod Megan yn wael. Cymdogion yn dŵad ac yn dweud eu bod wedi clywed fod cancr arni, a'i bod yn edrych yn ddifrifol wael. Mrs Harris wedyn yn mynd ar frys i gynnig help. Y gŵr agorodd y drws iddi, ac fe ddywedodd wrthi'n blwmp ac yn blaen nad oedd arno fo na'i wraig eisiau ei gweld hi na'i hepil, a'i fod o'n berffaith abl i edrych ar ôl ei wraig heb help ganddyn nhw na neb arall. A dyma gau'r drws yn glep yn ei hwyneb.

Bu Megan farw. Yn union ar ôl yr angladd fe logodd ei gŵr dacsi i fynd â'r plant ac yntau i'r stesion ym Mangor a welodd neb byth mohonyn nhw wedyn. Roedd pobl y goets fawr yn dweud fod y tŷ mewn cyflwr difrifol: llestri brwnt yn domen yn y sinc a dillad budron yn domennydd ar y llawr. Roedd yn amlwg, medden nhw, ei fod o wedi mynd fel pe bai'r diafol ei hun wrth ei sodlau, ac wedi mynd i rywle na chlywyd amdano byth wedyn. Rai wythnosau'n ddiweddarach, fe aeth Mrs Harris a'i ffrindiau i glirio'r tŷ gyda'r bwriad o'i roi ar werth.

Yn y cyfamser roedd y ferch arall, Laura, oedd yn byw yn Lerpwl, wedi penderfynu na allai fyw wythnos yn rhagor efo'i gŵr hithau, ac roedd wedi bod yn gweld twrne i dynnu allan bapurau ysgaru. Ysgrifennodd Laura at ei mam i ofyn a oedd tŷ Megan yn dal i fod yn wag ac os ydoedd, tybed a allai ei rentu nes byddai busnes ei hysgariad drosodd. A dyma Mr a Mrs Harris yn cytuno i adael iddi symud i mewn. Ond y noson gyntaf y rhoddodd Laura ei phen ar y glustog dyma sŵn wylo distaw o gyfeiriad troed y gwely, ac yna sŵn griddfan fel pe bai rhywun mewn poen dirfawr. Yn dilyn hyn, llais dyn yn gweiddi a drysau'n dechrau clepian. Ar ôl dwy noson o hyn fe baciodd Laura ei bagiau a ffwrdd â hi i dŷ ei rhieni, oedd heb fod ymhell. Fe roddwyd yr arwydd 'Ar Werth' i fyny unwaith eto ar y tŷ a chyn pen dim fe ddaeth cwpwl bach ifanc i ddweud eu bod yn awyddus i brynu.

Dyma pryd y ffoniodd Mrs Harris fi. Yn sgil y posibilrwydd y byddai rhywun yn mynd i fyw i hen dŷ Megan, roedd hi wedi dechrau meddwl tybed ai ysbryd Megan druan oedd wedi bod yn aflonyddu ar Laura – ceisio dweud wrthi, efallai, am y dioddef a'r anhapusrwydd a ddaethai i'w rhan tra oedd yn byw efo'r bwystfil dyn yna roedd hi wedi ei briodi ac a oedd wedi ffoi ar gymaint o frys ar ôl ei marw? Yn waeth na hynny, meddai Mrs Harris, 'beth pe bai ysbryd y beth fach yn dal yn y tŷ, a'i bod hi'n methu â chroesi i'r byd arall ar ôl cymaint o greulondeb?' Doedd Mrs Harris ddim yn fodlon gwerthu'r tŷ, am bris yn y byd, nes i rywun ei sicrhau fod Megan yn ddiogel.

Fe alwais i weld Mr a Mrs Harris i wneud trefniadau i fwrw noson yn hen dŷ Megan. Pan aeth Mrs Harris i'r cefn i wneud paned o de, dyma'r hen ŵr yn amneidio arna i, o'i wely, ac yn dweud, gan frwydro am ei wynt, 'Nid Megan ydi hi . . . rydw i wedi trio dweud wrthi nad Megan ydi hi. Mae Megan ni yn hapus . . . mae hi'n dod yma i 'ngweld i bob wythnos . . . ac mae'r hen frest yn gwella pan ddaw Megan. Mi fyddwn ni'n dau yn cael sgwrs a dipyn o hwyl – hyd oriau mân y bore. Mae Megan yn hapus rŵan . . . ond alla i byth â pherswadio fy ngwraig druan o hyn.'

Pan ddaeth Elwyn yr wythnos ddilynol, mi ddaru ni gyfarfod yma yn y ficerdy ac yna mynd am y tŷ ysbryd, bob un yn ei gar ei hun: y fi'n mynd gynta ac Elwyn yn dilyn. Roedd Mrs Harris a Laura wedi cerdded o'u tŷ nhw ac wedi cyrraedd o'n blaenau. Y peth cyntaf a wnaeth Elwyn ar ôl mynd i'r tŷ oedd edrych drwy ffenest y gegin.

'Rydw i'n gweld gardd fach,' meddai, 'ac yn yr ardd mae yna laswellt a digonedd o lygaid y dydd a blodau menyn, ac yna yn y canol sgwâr bach wedi ei wneud o grawia chwarel ac mae'r sgwâr bach 'ma yn llawn o gennin Pedr.' Mi edrychais dros ei ysgwydd ond allwn i weld dim ond pwt o lôn darmac a cheir o boptu.

'Wel,' meddai Mrs Harris, 'dwn i ddim sut ydych chi'n gweld gardd. Does 'na ddim gardd yn perthyn i'r tŷ yma ond rydych chi wedi rhoi disgrifiad i'r dim o'n gardd ni adref yn y gwanwyn. Ond nid fel y mae hi rŵan ym mis Awst.'

'Reit,' meddai Elwyn, 'rydw i'n meddwl y newidiwn ni'r cynllun dipyn bach. Rydw i'n credu y basa'n well i ni gyfarfod yn eich tŷ chi, Mrs Harris.' Ac wedyn dyma fo'n sibrwd wrtha i a dweud, 'Ys gwn i a ddaw Megan i lawr efo ni?' Mi gynigiodd y ddau ohonom bàs yn ôl i Laura a'i mam ac fe gymerodd y ddwy eu lle yn sedd ôl car Elwyn. Cyn cychwyn, dyma Elwyn yn weindio ffenest ei gar i lawr a dweud wrtha i. 'Ydi, mae *my lady* am ddod efo ni. Mae hi wedi cymryd ei lle, ac wedi gwneud ei hun yn hollol gyfforddus, yn y sedd flaen wrth f'ochor i fan hyn.' Ac i ffwrdd â ni – y pump ohonom.

Pan gyrhaeddom yn ôl a dweud wrth Mr Harris beth oedd wedi digwydd, fe drodd yr hen fachgen ata i a rhoi rhyw winc fach, cystal â dweud, 'Roeddwn i'n dweud wrthoch chi, on'd oeddwn, nad Megan oedd yno'. Rai wythnosau wedyn fe ddywedodd Elwyn yr un peth. Roedd yna bŵer eithriadol gryf yn hen dŷ Megan, ond nid Megan oedd yn ei achosi.

Fodd bynnag, fe werthwyd y tŷ. Fe symudodd y pâr ifanc i mewn, a hyd y gwn i maen nhw yno o hyd. Mae'n eitha posib nad yw yr un o'r ddau wedi clywed griddfan nac ochenaid na dim byd o'r fath. Ond rydw i'n dweud y stori er mwyn ceisio dangos fod rhai o bobl ddoe, fel rhai o weinidogion yr efengyl, yn symudol.

Mae yna un egwyddor fawr, un ddeddf y Mediaid a'r Persiaid, ynglŷn â'r busnes ysbrydion yma. A dyma hi. Ni all ysbryd o'r tu hwnt ymweld â'r ddaear, na'i ddangos ei hun ar y ddaear, heb yn gyntaf gael help mediwm, neu gyfryngwr, o'r ochr draw, a heb hefyd gael mediwm neu gyfryngwr ar y ddaear i agor y drws iddo. Felly mae'n rhaid fod Laura ei hun yn seicic ac mai hi oedd yr un, yn ddiarwybod iddi ei hun, oedd wedi agor y drws i Megan ddychwelyd i'w thŷ a hi hefyd oedd yr un oedd wedi agor y drws i'r ysbryd dieflig arall, pwy bynnag ydoedd, ddod i mewn. Ac roedd Mr Harris hefyd yn seicic. Y fo oedd yn agor y drws i Megan ddod i'w ystafell bob wythnos i siarad efo fo ac i adael i'w frest druan glirio am gyfnod byr. A dweud y gwir, mi ffeindiais fod pob un, bron, o'r teulu Harris, o ochr eu tad, yn meddu ar bwerau seicic. Mae'r ddawn yma'n aml yn rhedeg mewn teulu. I'r gwangalon, a'r rhai sydd ag ofn gweld bwgan, fe alla i ddweud gyda sicrwydd, os nad ydych chi'n sensitif, neu'n seicig, neu fod ganddoch chi bwerau cyfryngol, y tebygolrwydd ydi yr ewch chi i'ch bedd heb byth weld ysbryd. Dyna'r newydd da. Y newydd drwg ydi fod gwyddonwyr a'u cyfrifiaduron yn dweud fod cynifer ag un o bob pedwar ohonom, heb yn wybod i ni ein hunain, yn ddigon seicic i allu agor y drws i ysbryd ddod i mewn – os bydd iddo guro'n ddigon uchel.

Rydw i'n gwybod mai dim ond cyfran fach iawn sydd gen i o'r ddawn yma o weld neu wahaniaethu ysbrydion ond, am dros ddeugain mlynedd, efo help fy ffrindiau o ysbrydegwyr, rydw i wedi medru gweld llawer enaid oedd yn methu cartrefu yn eu byd newydd, ac wedi siarad efo nhw a'u cynghori. Digwydd hyn oherwydd eu bod yn teimlo fod ganddynt broblemau heb eu setlo ar y ddaear. Rydw i'n hoffi'r ffordd mae ysbrydegwyr yn gallu dweud, 'Nid *credu* fod yna fyd tu hwnt i'r llen rydyn ni. Rydyn ni'n *gwybod* hynny.' Ac mi alla innau bellach ddweud, heb flewyn ar fy nhafod, fy mod innau'n gwybod i sicrwydd fod yna fyd tu hwnt i'r llen. Dyna pam rydw i'n mentro ysgrifennu llyfr ar 'Sut i farw' a dweud wrth eraill yr ychydig bach rydw i wedi ei glywed am yr antur fawr a fydd yn ein hwynebu ni i gyd ryw ddiwrnod.

Rydw i'n cofio fel ddoe sut y dechreuodd y diddordeb mewn ysbrydion. Roeddwn wedi fy mhenodi'n gyfarwyddwr gwaith cymdeithasol i'r esgobaeth. Roedd yr esgob wedi esbonio mai'r prif waith oedd rhedeg gwasanaeth mabwysiadu esgobaeth Bangor a Llanelwy. Roedd o hefyd wedi dweud, pe byddai problemau neilltuol yn codi eu pennau mewn plwyfi, y disgwylid i mi gynnig help. Doeddwn i ddim wedi bod wythnos yn fy swyddfa newydd pan ddaeth yr alwad gyntaf. Gwraig offeiriad o gyfaill i mi – ac roedd mewn panig. Dywedodd fod gŵr a gwraig ifanc wedi galw yn y ficerdy yn gofyn am y rheithor. Roedden nhw wedi dod adref o'u gwaith ym Mangor ac wedi ffeindio na allent agor y drws ffrynt na'r cefn. Roedden nhw wedi edrych drwy ffenest y gegin ac wedi gweld fod rhywun neu rywbeth wedi bod i mewn ac wedi malu'r dodrefn a'r llestri'n deilchion, ac wedi eu gosod yn bentyrrau taclus ar hyd y llawr. Roedd y ddau ddrws ar glo, roedd pob ffenest wedi ei chloi a doedd neb wedi troi'r larwm ymlaen. Roedd yn hawdd gweld o'r ffordd roedd y difrod wedi ei wneud nad gwaith bod dynol ydoedd. Roedd 'na, medden nhw, boltergeist wedi bod yn eu tŷ nhw ac, yn ôl a wyddent, roedd yn dal i fod yno. A dyma benderfynu mynd i ofyn i'r rheithor ddod gyda nhw i'r tŷ. 'Mae David allan yn y pentre yn ymweld,' meddai ei wraig druan. 'Ac rydw i'n gwybod pan ddaw o yn ei ôl a chlywed hanes yr ysbryd y bydd ganddo ofn yn ei galon. Mae ar David ofn hyd yn oed sôn am fwganod. Plis,' meddai hi, 'allwch chi'n helpu ni?' Wel, ar yr achlysur yma bu David a minnau'n lwcus. Yr wythnos honno roeddwn i wedi clywed fod 'na gyfryngwr o Fanceinion wedi dod i ymddeol i sir Fôn ac roedd rhywun wedi dweud fod ganddo lythyr yn yr *Anglesey Mail* yn dweud ei fod o'n dymuno cychwyn cylch i astudio'r paranormal yn sir Fôn – ac roedd yna rif ffôn. Dyma ffonio.

'*Leave it to me, Rev,*' meddai llais o'r pen arall. A, coeliwch chi fi, dyna wnaeth *Rev*, ac yn llawen iawn hefyd.

Ond gwaredigaeth dros dro yn unig oedd hyn. Roedd 'na eraill, ar wahân i David, oedd ag ofn bwganod. Roedd 'na hefyd gymdeithas tai yn cwyno fod 'na ysbryd yn un o'u tai nhw a'i fod yn achosi'r fath ddrewdod fel na allai neb aros ynddo.

Wedi i mi ymddeol, fe es ati i sgwennu llyfr am yr holl ysbrydion roeddwn wedi eu cyfarfod. Teitl y llyfr oedd *The Holy Ghostbuster: a parson's encounters with the paranormal*, (Cyhoeddwyr: Element Books), yn Gymraeg *Yr Anhygoel*. Fy mwriad oedd rhoi rhyw ddisgrifiad o'r math o ysbrydion roeddwn wedi eu cyfarfod, ac wedi siarad efo nhw, dros gyfnod o bron ddeugain mlynedd. Fe soniais yn fy llyfr am yr ysbryd oglau drwg, ysbryd y fam ddibriod, yr ysbryd oedd wedi methu croesi a'r un oedd yn chwarae triciau. Fe'm synnwyd gan y diddordeb a ddangoswyd, a'r ffaith bod fy llyfr bach i yn gwerthu ledled y byd. Fe dderbyniais doreth o lythyrau gan bobl yn diolch i mi am y cysur roedden nhw wedi ei gael o'i ddarllen. Roedd llawer o'r rhain yn bobl oedd yn mynychu tai addoliad yn selog, llawer ohonynt yn edmygu fy newrder yn siarad yn blaen am faterion fel hyn. Yr argraff a gefais oedd fod nifer fawr o bobl wedi dod i'r casgliad fod y cwestiwn 'beth fydd yn digwydd ar ôl marwolaeth' yn gwestiwn na ddylid ei ofyn, yn rhyw fath o *no go area* i'r Cristion. Fe ges i'r teimlad hefyd fod llawer o leygwyr wedi dod i dybio fod offeiriaid a gweinidogion braidd yn flin wrth y rhai oedd yn mynnu codi cnecs wrth sôn am bethau fel hyn. Digon i bobl wybod fod eu hanwyliaid yn 'Gorffwys mewn hedd' ac i'r plant wybod fod eu nain 'Efo Iesu Grist yn y nefoedd'. Dyma'r math o bethau oedd yn cael eu dweud yn y llythyrau a dderbyniais:

Fe hoffwn i weld pob aelod o synodau a sasiynau eglwysi a chapeli yn cael eu gorfodi i ddarllen y llyfr yma.

J. B., Manceinion

Diolch am rannu eich profiadau efo ni. Peth dewr i'w wneud a chithau'n dal i fod yn gysylltiedig â'r eglwys.

L. T., Harpenden

Rwy'n teimlo 'mod i wedi cael fy arwain ar hyd llwybr a ddaw â goleuni maes o law.

J. B., Strathclyde

Tydw i ddim yn meddwl i mi erioed fwynhau darllen llyfr cymaint â'ch cyfrol chi. Nid yn unig mae wedi rhoi pleser o ran ei ddarllen, mae hefyd wedi dod â chysur mawr wrth fy nysgu i gredu fod 'na rywbeth i edrych ymlaen ato yn y diwedd – a dim i'w ofni.

J. W., West Midlands

Da chi, ysgrifennwch un arall. Nid am fwganod y tro yma ond am rywbeth sydd yn fwy pwysig o lawer – am y Nefoedd.

N.H., Dulyn

Fel roedd y llythyrau yn dod i mewn roeddwn i'n mynd i deimlo'n fwy a mwy euog. Pan benderfynais sgwennu yr *Holy Ghostbuster*, ddaru mi ddim meddwl amdano fel llyfr i roi cysur. Meddwl amdano roeddwn i fel rhyw gatalog o'r gwahanol ysbrydion roeddwn i wedi eu cyfarfod. A rŵan dyma fi'n derbyn bwndeli o lythyrau gan bobl yn dweud y fath gysur roedden nhw wedi ei gael o ddarllen fy llyfr, a bod y llyfr wedi llenwi bwlch ysbrydol yn eu bywydau. Ddaru mi ddim sylweddoli fod cynifer o bobl, llawer ohonynt yn addolwyr selog, mewn cynifer o benbleth ac yn pendroni dros y cwestiwn yma – beth fyddai'n dod ohonynt pan ddeuai'r alwad.

Mae hyn yn beth rhyfedd i'w ddweud, a fuaswn i ddim yn beio neb am ofyn, 'Pa fath berson plwy ydi un sydd yn gallu gwasanaethu am bron hanner can mlynedd heb sylweddoli mor ddryslyd ac aneffeithiol ydi dysgeidiaeth ei eglwys ar y syniad o'r byd tu hwnt i'r bedd?' Rwy'n derbyn hynna, ond mi hoffwn i liniaru'r bai dipyn bach trwy gael dweud peth fel hyn. Fe dreuliais i bron ddeugain mlynedd yn ficer ar blwyf bychan yn cynnwys un eglwys. Bob Sul arferwn bregethu i gynulleidfa oedd yn fwy proffesiynol na'r mwyafrif. Doedd o'n ddim cael cynifer â phedwar cyfreithiwr ac un bargyfreithiwr, tri athro coleg, prif arolygydd yr heddlu, ledi o deitl a thras, a llu o athrawon yn y gynulleidfa ar fore Sul. Pan oedd un o'r rhain eisiau gwybod rhywbeth am y ffydd, neu ddogma'r eglwys, nid gofyn i mi am ateb yr oedd. Prynu llyfr fyddai'r rhain a chwilio am yr ateb drostynt eu hunain. O ddydd Llun hyd ddydd Gwener roeddwn yn fy swyddfa ym Mangor yn delio efo rhieni a oedd eisiau mabwysiadu, a mamau dibriod, ac yn ddiweddarach efo rhai oedd yn cam-drin alcohol a chyffuriau eraill. Beth sydd yn

22

digwydd y munud yma oedd yr unig beth yr oedd fy 'nghynulleidfa ganol wythnos' am wybod amdano ac nid beth oedd yn mynd i ddigwydd ar ôl marw.

Hefyd roeddwn i fy hunan wedi troi gymaint yng nghwmpeini'r bobl yma oedd yn dweud eu bod nhw'n gwybod beth fyddai'n digwydd ar ôl marw, fel fy mod wedi dod i ryw hanner credu fod pawb yn gwybod. Yr adwaith i'm llyfr wnaeth i mi sylweddoli'r gagendor mawr oedd yna ym mywyd ysbrydol cynifer o bobl, a'r awydd oedd yn bod am ragor o wybodaeth ac ymhle i'w gael. Dyna pam y penderfynais sgwennu'r llyfr yma – *Pobl Ddoe*.

PENNOD 2

Marwolaeth yn y Ficerdy

Mae yna ddigon o siarad a sgwennu a dal pen rheswm wedi bod am beth sydd yn digwydd i ni ar ôl i ni farw. Ond does yna fawr o bwynt mewn siarad a dadlau am beth fel hyn. Mae gofyn i rywun wneud rhywbeth. Felly ymunwch â fi, yfory, i ddarllen colofn marwolaethau fy hoff bapur newydd – *Liverpool Daily Post*. Efallai y cawn weld rhywbeth fel hyn:

> ROBERTS, Aelwyn (y Parchedig), yn 79 oed. Yn sydyn yn ei gartref yn Llandegai. Gŵr, tad a thaid cariadus. Cyn-ficer y plwyf. Ei gorff i'w amlosgi fel paratoad at ei gladdu ym mynwent Eglwys Llandegai ar ddyddiad i'w hysbysu yn nes ymlaen.

A dyna ni. Yn union fel mae gwyddonwyr a meddygon yn chwistrellu gwahanol gyffuriau i'w cyrff er mwyn cael gweld y canlyniadau, dyma finnau, cyn-ficer Llandegai, yn gwneud i mi fy hun farw, gan obeithio y caf finnau weld beth sydd yn digwydd i greadur fel fi ar ôl iddo farw. Ac mae croeso i unrhyw un a fynno ymuno â mi, y tu ôl i'r soffa yn y fan yma, i gael gweld beth a ddigwydda i gorff sydd wedi marw'n sydyn ac sydd yn gorwedd ar ei hyd ar y carped yn y fan acw.

Mi fuaswn i'n disgwyl y buasai gan feddyg, neu ymchwilydd meddygol, ryw fath o syniad beth i'w ddisgwyl ar ôl cymryd dôs go drwm o gyffuriau. Mi faswn i hefyd yn disgwyl y buasai gan berson plwyf profiadol syniad go lew beth fuasai'n digwydd ar ôl dod o hyd i gorff marw mewn ystafell yn y tŷ, o leiaf hyd ddiwrnod y cynhebrwng.

Y meddyg sy'n cael ei alw gyntaf. Mae'n dod i mewn ac yn edrych, yn rhoi ei law ar y gwddw, clep ar y bag bach du a rhyw fwmian, 'Wel, ia, hym, y galon wyddoch chi. Chafodd o ddim poen, diolch am hynny.' Mi ffeindiwch chi nad ydi hyd yn oed y

24

meddyg yn hollol gartrefol mewn tŷ angau. Mae o'n rhyw deimlo fod yna rywbeth y dylid ei ddweud. Ac felly mae o'n rhoi ebychiad bach arall cyn ffarwelio. 'Hen fachgen eithaf dymunol. Mi roeddwn i'n reit hoff o'r hen ficer.'

Cofiwch chi, y corff cnawdol ar y carped yn y fan acw roedd o'n ei archwilio. Roeddwn i'n sefyll trwy'r amser tu ôl i'r soffa yn y fan yma. Welodd y meddyg mohonof i. Mi ddaru mi hyd yn oed fynd ato a bloeddio yn ei glust, 'Bore da, doc,' ond chlywodd o mohonof i. Yna fe'i gwelais yn gwisgo'i wyneb cynhebrwng, fel y bydd pob doctor yn y sefyllfa yma, ac yn rhoi'r gipolwg fach 'na tua'r nen, fel mae pob un ohonyn nhw'n ei wneud cyn torri'r newydd i'r teulu fod rhywun wedi marw. Clirio'r gwddw dipyn bach wedyn cyn dweud, 'Wel, mae'n ddrwg gen i, ond mae gen i ofn nad oes dim byd allwn ni ei neud rhagor i'r hen ficer.' Llygad i'r nen unwaith eto cyn dweud yr un fformwla, 'Mi fasan ni [meddygon y Medical Hall ydi'r 'ni' yma] . . . mi fasan ni, fel chithau, wedi hoffi ei weld yn byw am flynyddoedd rhagor. Ond dyna ni. Mae yna bwerau uwch ac mae'n rhaid i ninnau dderbyn . . .' Yr hyn mae o'n ei feddwl ydi, peidiwch â gweld bai arnom ni yn y practis. Mi rydyn ni, chwarae teg i ni, wedi'i gadw fo mewn iechyd bach eitha teidi nes ei fod o ymhell dros oedran yr addewid. A'r ddau godiad llygaid bach 'na tua'r nen? Wel, awgrym oedd hynna fod yna Bŵer Uwch na hyd yn oed bŵer meddyg. Ac os ydi'r teulu eisiau gweld bai, yna beied 'Y Fo yn y nefoedd' ac nid 'Ni yn y Medical Hall'.

Roeddwn i'n ysu am gael dweud wrtho, 'Does dim angen ymddiheuro, doctor bach. Rydw i, Aelwyn, yn dal i fod yma. Yr hen gorffyn oeddwn i'n arfer trigo ynddo rydach chi wedi bod yn edrych arno.' Ond doedd 'na ddim pwynt. Fuasai o ddim wedi clywed. Mae o wedi gadael rŵan a mynd â'i fag bach du efo fo. Ond mae gan fy nheulu i dipyn o broblem. Beth, yn enw popeth, mae rhywun i'w wneud pan fo ganddyn nhw gorff dyn marw yn gorwedd ar y carped yn y gegin? Rhaid i mi ddweud fy mod i fy hun wedi croesi drosodd yn weddol rwydd, 'Dim problem,' chwedl pobl. Ond mae fy nheulu druan mewn penbleth. Mae gen i biti drostynt. Mae 'na banig yn y ficerdy. Choelia i byth nad oes un ohonynt yn crio; wel, nid yn crio efallai, ond yn edrych yn eithaf digalon a phryderus. Fe hoffwn allu dweud wrthyn nhw am beidio â theimlo'n ddigalon drosof

25

fi, fy mod i'n iawn. Eu cynghori hefyd i ffonio'r ficer oherwydd mewn amgylchiadau fel hyn, 'It's good to talk,' fel y dywed yr hen foi ar y teledu.

Ac os nad ydi hyn yn bosib, oherwydd erbyn heddiw mae mwyafrif mawr o bobl nad oes ganddynt na ficer na gweinidog i siarad hefo fo, mae gan bawb bron ei dwrne ei hun, neu ei weithwraig gymdeithasol ei hun, ond dim gweinidog yr efengyl – os felly, y peth fuaswn i'n ei awgrymu fuasai ffonio'r trefnydd angladdau. Gellir dod o hyd i hwn drwy edrych yn y Tudalennau Melyn. Unwaith y derbynia'r gŵr yma'r alwad, mae o fel rheol yn dod ar frys. Mae papurau newydd a chylchgronau dros y blynyddoedd wedi ceisio dilorni'r trefnydd angladdau, gan ddweud mai gŵr diegwyddor ydi o sy'n codi tâl afresymol am ei lafur. Eraill yn hanner awgrymu ei fod o'r math o ddyn sydd yn manteisio ar bobl mewn profedigaeth. Ond i'r gwrthwyneb. Dyma ichi ddyn sydd yn gwybod popeth sydd i'w wybod am angau a chladdedigaeth, ac sydd hefyd yn meddu ar ddegau o awgrymiadau bach sut i leddfu poen galar ac i wneud y gwasanaeth claddu ei hun yn haws ei ddioddef. Mae hwn yn adnabod hogia'r amlosgfa wrth eu henwau. Mae o'n gwybod ble i ddod o hyd i gopi o 'Ar lan Iorddonen ddofn' ac mai Crimond ydi'r dôn sydd yn mynd ar y geiriau 'Yr Arglwydd yw fy mugail'. Ac i goroni popeth, fe all y gŵr yma un ai wneud arch, neu ddod o hyd i un, mewn un o dri math o goedyn, a hynny o fewn ychydig oriau. A diolch i'r Duw Mawr, mae'r dyn yma hyd yn oed yn gwybod sut i olchi'r corff a'i orwedd yn yr arch. (Hyn i gyd tra bod y teulu'n yfed cwpanaid o de yn yr ystafell nesaf.) Fe alla i eich sicrhau y bydd y gŵr yma, oedd funudau yn ôl yn ddim ond rhif ffôn yn y Tudalennau Melyn, o fewn ychydig amser, yn cael ei ystyried yn ffrind, os nad yn un o'r teulu. Y fo sydd yn cysylltu â'r person ac yn dod o hyd i'r dyn torri beddau; y fo sydd yn geirio'r hysbysiad i golofn marwolaethau'r *Daily Post*. Mae o'n 'morol am y blodau ac yn cyfarfod teulu o bell yn y stesion. Mae'r dyn yma'n gwneud pob peth. Mi fuaswn i'n dweud fod rhywun fuasai'n gwrthod talu bil y trefnydd angladdau, neu hyd yn oed yn grwgnach wrth ei dalu, yn debyg i ŵr a gafodd drawsblannu aren ac a oedd yn gwrthod talu bil ei lawfeddyg cyn gynted ag y daethai'n rhydd o'i ddialysis. Dyna i chi rywbeth arall sydd yn neis am y trefnydd angladdau: tydi o byth yn sôn am farw a marwolaeth. Sôn mae o bob amser am 'basio trosodd' ac am 'y cyfaill sydd wedi ein gadael' neu wedi 'cau ei lygaid'.

Ac eto, yn wahanol iawn i swydd y torrwr beddau, neu'r *sexton* yn yr eglwys, tydi swydd trefnu angladdau ddim yn hen swydd. Hyd at ddechrau'r rhyfel yn 1939 roedd pob teulu bron yn trefnu eu hangladdau'u hunain. Rwy'n cofio hen ffrind i mi, sy'n byw yn Llanllechid, yn sôn am yr angladd mwyaf roedd o'n ei gofio yn Nyffryn Ogwen. Angladd Owen Caerau yn 1956 oedd hwn. Chwarelwr oedd Owen ac roedd wedi bod ar un adeg yn gweithio yng Nghaerau yn y De. Dyna pam roedd o wedi cael yr enw Owen Caerau. Hen lanc dibriod oedd o, yn byw gartref efo'i fam. Does yna ddim amheuaeth nad oedd gan farwolaeth a chladdedigaeth ryw atyniad rhyfedd i'r dyn yma. Pan glywai gan ei fam ar ôl dod adref o'r chwarel fod rhywun wedi marw, âi Owen ar ôl ei ginio chwarel i roi ei siwt *second best* amdano. Yna âi i ymweld â'r teulu oedd mewn profedigaeth. Cyn gadael y tŷ, arferai Owen bob amser gynnig ei gymwynas o drefnu'r angladd i'r teulu. Ac fe dderbynnid ei gynnig yn ddiolchgar iawn bob amser. Fyddai Owen byth yn gofyn tâl. Doedd o ddim hyd yn oed yn gofyn am ei dreuliau. Roedd o'n trefnu'r cwbl, ac yn aml iawn yn gallu cael gwell prisiau nag y buasai'r teulu eu hunain wedi eu cael. Arferai Owen ofyn am amcangyfrif o bris yr arch gan dri saer a chan ddyn yr hers ac ambell waith, hyd yn oed, gan y torrwr beddau. Lle roedd tlodi, a dim arian i dalu am geir i gludo'r teulu, arferai Owen fynd o gwmpas i ofyn i ffrindiau a chymdogion wneud lle yn eu ceir nhw i gario'r prif alarwyr.

Pan ddeuai diwrnod yr angladd – pnawn Sadwrn os oedd yn bosib, er mwyn arbed i bobl golli hanner stem o'r chwarel – fe welech Owen yn dod drwy'r pentref wedi ei wisgo fel tywysog: siwt o felfed du a brêd sidan, tei sidan du a hances boced o sidan gwyn garlwm ym mhoced ei frest. Byddai ffon yn ei law bob amser – ffon o ddraenen ddu a charn arian arni.

Arferai Owen gyrraedd y tŷ hanner awr cyn amser y cynhebrwng. Ei waith cyntaf oedd cyfarfod y teulu o bell, oedd wedi cyrraedd efo trên neu fws, a gofyn iddynt a oeddynt yn dymuno gweld y corff cyn iddo roi gorchymyn i'r saer sgriwio am y tro olaf. Fuasai'r un gweinidog yn beiddio galw'r teulu i weddi heb yn gyntaf gael yr arwydd gan Owen.

Ar ddiwedd y gwasanaeth codi corff yn y tŷ, Owen fyddai'r

cyntaf i ymuno â'r dorf y tu allan. Byddai pob un â'i lygad ar yr arwydd a roid gan y ffon garn arian er mwyn gweld sawl rhes oedd yr angladd i'w gymryd, dwy res ynteu pedair. Ambell waith, mewn angladdau mawr, byddai'r ffon yn arwyddocáu rhengoedd o wyth.

Byddai meistr y seremonïau wedyn yn cymryd ei le ar ben yr orymdaith i'r eglwys. Pan âi angladd heibio i gwnstabl y pentref yn sefyll ar ochr y ffordd, fe welid carn arian y ffon yn codi rhyw fymryn bach, ac ar yr arwydd fe welid y swyddog yn clician ei sodlau ac yn saliwtio nes y byddai ceir y teulu wedi mynd heibio. Ambell waith deuai ffurel y ffon i lawr dan odre cap plentyn ysgol a fyddai dipyn yn anfoesgar, a'i godi oddi ar ei ben cyn ei ostwng yn ddestlus wrth ei draed. Chwech yn cario ar ysgwyddau; Owen yn galw'r newid; pob un o'r cerddwyr yn cael ei dro cyn cyrraedd drws yr eglwys, a hyn heb i'r orymdaith hyd yn oed orfod arafu.

Pan fu farw Owen Caerau yn 1956, fe drodd y dyffryn i gyd allan i'w gladdu. Prin oedd yna deulu nad oedd yn ei ddyled. Dyma'r cyfle i dalu'n ôl yn y ffordd y buasai Owen wedi ei dymuno. Roedd yna esgob a chadeirydd sasiwn y Methodistiaid yn gwasanaethu yn angladd Owen Caerau.

Ond dyna ddigon o sôn am yr hen ddyddiau. Mae olynydd proffesiynol Owen Caerau yn y ficerdy y munud yma. Roeddwn i wedi gadael rhyw awgrym bach neu ddau i'r teulu gogyfer â'm claddu! Roeddwn wedi gofyn, os oedd hynny'n bosib, i'm corff gael mynd i'r amlosgfa gyntaf ac wedyn i'r eglwys. Meddwl roeddwn i y buasai'n haws dod â'r llwch i'r eglwys ar ddydd yr angladd na halio'r hen gorffyn truan o le i le. A hefyd, a bod yn onest, ddaru mi erioed allu dygymod â'r syniad o amlosgfa'r cyngor sir fel lle crefyddol, nac fel lle i gladdu'r marw. I mi, lle oedd hwn lle'r oedd gweithwyr y cyngor sir yn cael eu talu am droi cyrff marw yn llwch a thrwy hyn hwyluso dipyn ar y gwaith o gladdu. Mae'r dynion sydd yn gweithio yn yr amlosgfa yn gallu dod â'r arch a'i chynnwys i lawr i gyn lleied ag yr aiff i mewn i gist hanner troedfedd sgwâr. Rydw i'n sylweddoli rŵan fy mod wedi bod yn teimlo dipyn yn anniddig â'r ffordd roedd y dynion yma'n gweithio – bob amser wedi eu gwisgo mewn siwtiau du, pob un ohonynt yn bowio at ei ganol wrth basio'r cataffalc, neu'r man y rhoir yr arch i orffwys yn y capel, fel pe bai'n allor gysegredig. Mewn rhai amlosgfeydd fe welir y gweithwyr yn gwisgo gynau neu gasogau duon fel y rhai a wisgir gan weinidogion yr efengyl. Roedd hyn, i mi, fel pe bai'r gweithwyr yma'n ceisio cymryd arnynt eu hunain eu bod yr hyn nad oeddynt. Mi fydd yn ddiddorol gweld, o'r fangre newydd 'ma, a ydyn nhw'n dal i ymgrymu i'r cataffalc hyd yn oed pan nad oes neb yn y capel i'w gweld nhw a hefyd a ydynt yn llosgi'r corff, yn y ffwrn i lawr y grisiau, yn eu siwtiau a'u teis du, ynteu a ydynt yn gwisgo oferôls i wneud gwaith mor ymarferol â hyn. Mae'n cymryd awr go dda cyn i'r fflamau ddifrodi'r corff, a hyd yn oed ar ôl hyn mae yna dalpiau o esgyrn y glun a'r pen-gliniau'n aros. Rhaid torri'r rhain cyn eu rhoi yn y blwch efo gweddill y llwch.

Y pryder ar ôl marw, yn enwedig marw sydyn, ydi sut i dorri'r newydd i wahanol aelodau'r teulu. Sut, er enghraifft, i ddweud wrth y plant fod eu taid wedi marw. Ond, coeliwch fi, does dim angen pryderu cyn belled ag y mae plant a hen bobl yn y cwestiwn. Mae plant a hen bobl yn medru derbyn y syniad o farw a marwolaeth yn hollol naturiol. Does dim angen na chredo eglwys na chynghorwyr y gwasanaethau cymdeithasol ar blentyn. Rydw i'n cofio Patric, ŵyr bach i mi, pan gollodd ei daid, tad ei dad. Roedd Patric yn bedair oed pan fu farw ei daid, ac ymhen rhyw awr ar ôl clywed am ei farw roedd o'n esbonio i mi beth oedd y sefyllfa newydd. Duw, medda fo, oedd yr un oedd yn coginio'r prydau bwyd i gyd yn y nefoedd ac Iesu Grist oedd yr un oedd yn dosbarthu'r bwydydd yma i'r holl drigolion. Yn ôl Patric, roedd ei daid o wedi cael y swydd o helpu Iesu Grist efo'r gwaith dosbarthu 'ma. Ac yn yr hwyr, eto yn ôl Patric, roedd Taid Lloegr ac Iesu Grist yn cysgu efo'i gilydd mewn *bunk beds* mewn ystafell fach ar ei phen ei hun yn y nefoedd! Dyna i chi syniad plentyn am y byd tu hwnt i'r llen. Mae'n rhaid i mi gyfaddef fy mod i'n ei chael yn anodd derbyn fel gwirionedd yr hyn roedd Patric yn ei ddweud. O'r miliynau o bobl sydd wedi 'ymadael â'r fuchedd hon' mae'n rhyfedd gen i feddwl mai taid Patric oedd yr un a ddewiswyd fel prif gynorthwywr Iesu Grist. Peidied neb â'm camddeall; roedd fy nghyd-daid yn hen fachgen hollol ddymunol, ond dydw i ddim yn meddwl ei fod o'n perthyn i na chapel nac eglwys. Ond doedd hyn ddim o bwys i Patric. Roedd o wedi bod yn *smasher* o daid. Mae hefyd yn anodd gen i gredu fod angen y coginio mawr yma ar gyfer cyrff ysbrydol. Ond dyna ni, dyna ddywedodd Patric ar ôl clywed bod ei daid wedi marw. A'r peth rhyfedd ydi hyn, er fy mod i'n gwybod nad ydi'r hyn mae o'n ei ddweud yn gwneud synnwyr, alla i ddim profi ei fod o'n anghywir.

Mae prawf a phrofi yn bethau rhyfedd iawn. Ar hyd y canrifoedd mae dynion a merched sanctaidd eu buchedd wedi treulio'u bywydau yn ceisio perswadio eraill i roi eu bywydau i Dduw. Ond does yr un ohonyn nhw wedi medru profi ei fodolaeth. Maen nhw'n gwybod ei fod O yna. Maen nhw wedi siarad ag O. Maen nhw wedi gwrando arno Fo. Mae rhai ohonynt yn dweud eu bod nhw wedi ei weld O. Ond does yna'r un ohonynt erioed wedi medru PROFI ei fodolaeth i eraill. Does yna ddim Darwin, nac Einstein, na Thomas à Kempis all godi ar ei draed mewn unrhyw ystafell ddarlithio a sgwennu ar y bwrdd du fformiwla prawf bodolaeth Duw.

Tydw i ddim yn meddwl i mi erioed gael trafferth credu yn y syniad fod y bydysawd wedi ei greu gan ryw fod uwch. Mae eraill yn galw'r bod uwch yma yn Jehofa, ac eraill yn Alah. Rydw i wedi dod i'w adnabod fel 'Fy nhad nefol'. Ac eto, dydw i erioed wedi medru profi fod y Duw yma yn bod ac mai y fo a greodd y byd.

Ond does yna ddim yn unochrog yn hyn. Mae'r anghrediniwr hefyd yn cael yr un drafferth. Does yna ddim Duw, medda fo. Ond pan ofynnir iddo ddangos sut y crëwyd y byd os nad gan Dduw, ei ateb ydi fod y byd wedi dod i fod ar ôl ffrwydrad nwy aruthrol yn y gwagleoedd. Mae'r anghrediniwr hyd yn oed yn gallu dangos y creithiau a wnaeth y ffrwydrad aruthrol yma. Ond all yr un ohonynt brofi nac esbonio pwy neu beth, cyn y ffrwydrad, a greodd y nwy a achosodd y ffrwydrad.

Felly tydw i, o fewn tudalennau'r llyfr yma nac unrhyw lyfr arall, ddim yn mynd i allu profi fod yna fywyd ar ôl marwolaeth. Y cwbl alla i ei wneud ydi dangos fod yna fwy na digon o resymau dros gredu fod 'na fywyd ar ôl y bywyd hwn a bod hwnnw'n fywyd a phwrpas iddo.

Rydw i'n byw ar ffiniau Parc Cenedlaethol Eryri. Mewn cilfachau ar y Carneddau, y Glyder fach a Thryfan, mae yna nifer fawr o flodau bychain yn blodeuo bob blwyddyn. Mae rhai o'r rhain yn blodeuo ac yn gwywo heb erioed gael eu gweld gan lygaid dyn. Os ydi hi'n bosib siarad â blodau ar ôl marw, efallai y caf ofyn i'r blodau bach yma, 'Flodau bach, pa bwrpas sydd i chi yn y bydysawd? Efallai y caf glywed yr ateb, 'rydym ni yma, syr, fel un rheswm bach arall dros gredu yn y Duw a'n creodd'.

Un arall a oedd yn byw ar drothwy cynefin y blodau bach oedd Owen Caerau. Doedd ar Owen ddim angen eu tystiolaeth. Roedd Owen yn credu, heb gysgod tröedigaeth, fod eneidiau'r rhai yr oedd o'n eu claddu ym mynwent eglwys Llanllechid i gyd yn mynd i'r nefoedd. Credai hefyd y byddai eneidiau'r bobl ddrwg – y lladron a'r llofruddion roedd o'n darllen amdanynt yn y *Liverpool Weekly Post* – yn mynd i uffern. Arferai Owen roi ei ben yn ei ddwy law, mynd i lawr ar ei ddau ben-glin, a chau ei lygaid yn dynn fel plentyn bach, pan âi'r ficer drwy'r gwasanaethau yn yr eglwys.

> Yn ffydd Crist a chan gredu fod ein brawd yn nwylo Duw, rydym yn cyflwyno ei gorff i'r ddaear sef daear i'r ddaear, pridd i'r pridd a lludw i'r lludw mewn gwir ddiogel obaith o'r atgyfodiad i fywyd tragwyddol.

Er nad oedd y ficer yn dweud yn union yn ei weddi ai gobaith fod y corff i atgyfodi neu fod yr enaid i atgyfodi neu ynteu fod y corff a'r enaid i atgyfodi, roedd Owen yn hoffi credu ei fod yn golygu atgyfodiad y corff a'r enaid. Wedi'r cwbwl, wrth iddo draddodi'r corff i'r ddaear roedd o'n dweud y geiriau hyn: *'Gan hynny yr ydym yn rhoddi ei gorff ef i'r ddaear . . .'*

Roedd Owen yn cofio'r diwrnod pan oedd wedi mynd at y ficer i ddweud y buasai'n hoffi rhoi ei wasanaeth i'r plwyf fel trefnydd angladdau, ac fel roedd y ficer wedi mynd ag o i'r eglwys i ddangos iddo sut i ymddwyn. 'Owen,' dywedodd yr hen ficer, 'wrth ddwyn y corff i mewn i'r eglwys rhaid gofalu ei fod yn cael ei osod â'r traed tua'r allor. Cyn mynd allan, rhaid troi'r arch fel bydd y marw'n mynd allan a'i draed yn gyntaf. A rhaid bob amser,' meddai'r hen ŵr, 'rhaid bob amser ofalu wrth gladdu fod y traed i'r dwyrain.' Doedd y ficer ddim wedi dweud mewn cynifer o eiriau, a doedd Owen ddim wedi gofyn, ond roedd o'n hapus yn ei feddwl fod yna reswm tu ôl i hyn i gyd. Roedd y pethau yma i gyd yn cael eu gwneud fel pan ddelai Dydd y Farn y gallai pob un a gladdwyd ym mynwent eglwys y Santes Llechid godi ar ei draed o'r bedd ac wynebu'r dwyrain o'r lle y deuai'r Arglwydd Iesu Grist i farnu'r byw a'r meirw. Ac nid rhyw arferiad plwyfol oedd yr arferiad yma o gladdu â'r traed i'r dwyrain. Dyma rywbeth oedd yn cael ei wneud, ac sydd yn cael ei wneud o hyd, drwy'r byd Cristnogol.

Chwarelwr oedd Owen ac mi fuasai'n gwybod am arferiad arall oedd yn bodoli ym Mlaenau Ffestiniog, ardal chwarelyddol arall, ryw 30 milltir i ffwrdd.

Yma, pe byddai ,i chwarelwr golli coes neu fraich mewn damwain chwarel, ac roedd hyn yn digwydd yn lled aml, fe gleddid y goes neu'r fraich mewn bedd bach ym mynwent yr eglwys ac fe ddodid llechen ar y bedd a llythrennau cyntaf enw ei pherchennog arni. Yna, pan ddeuai'r amser, gellid rhoi'r goes a'i pherchennog i orffwys yn yr un bedd. A doedd 'na neb byw ym Mlaenau Ffestiniog yr adeg yma oedd angen offeiriad i esbonio pam. Pwrpas hyn oedd galluogi i Wil Bach Tŷ'r Ysgol, ar ddydd ofnadwy yr Atgyfodiad, sefyll yn gyflawn gerbron ei Greawdwr. Dim ond ffŵl fuasai'n buddsoddi arian i gael amlosgfa yn y Blaenau yn y dyddiau hynny. Roedd o'n ormod gofyn i neb gredu y gallai corff atgyfodi o focs o lwch lludw. Roedd pobl yn credu yn atgyfodiad y corff yn ogystal ag atgyfodiad yr enaid, ac roedd yna emynau i brofi hyn – un yn neilltuol, sef emyn 575 yn *Hymns Ancient and Modern* (1916). Emyn a ysgrifennwyd gan Mrs Alexander oedd hwn, sef awdures yr emyn prydferth mae yna gymaint o ganu arno o hyd, '*All things bright and beautiful*':

Dyma Emyn 575:

Within the churchyard, side by side,
Are many long low graves;
And some have stones set over them,
On some the green grass waves.

Full many a little Christian child,
Woman, and man lies there;
And as we pass near them every time
When we go in to prayer.

They cannot hear our footsteps come,
They do not see us pass;
They cannot feel the warm bright sun
That shines upon the grass.

They do not hear when the great bell
Is ringing overhead:
They cannot rise to come to Church
With us, for they are dead.

But we believe a day shall come
When all the dead will rise,
When they who sleep down in the grave
Will open again their eyes.

Ond waeth heb â beio Mrs Alexander druan. Atgyfodiad y cnawd oedd diwinyddiaeth ei dydd. Dyma'r ddysgeidiaeth a roddwyd i lawr ac sydd yn aros o hyd yng nghredoau Eglwys Loegr, Eglwys Rufain ac Eglwys Uniongred y Dwyrain. Mae i'r eglwysi hyn dri chredo fel sail eu dysgeidiaeth: Credo'r Apostolion, Credo Nicea a Chredo Sant Athanasius. Ac mae'r credoau hyn yn cael eu hadrodd yn y gwasanaethau bob Sul. Credo Sant Athanasius efallai ydi'r mwyaf pendant ei ddysgeidiaeth:

> Pwy bynnag a fynno fod yn gadwedig: o flaen dim rhaid iddo gynnal y ffydd Gatholig . . . Ac ar ei ddyfodiad [yr Arglwydd Iesu] y cyfyd pob dyn yn eu cyrff eu hunain ac a roddant gyfrif am eu gweithredoedd priod. A'r rhai a wnaethant ddaioni a ânt i'r bywyd tragwyddol; a'r rhai a wnaethant ddrwg i'r tân tragwyddol . . .

Ac yna mae'r credo yn darfod yn ddigon ffwr-bwt efo'r geiriau:

> Hon yw y ffydd Gatholig: yr hon pwy bynnag a'r nis cretto yn ffyddlon, ni all efe fod yn gadwedig.

Does dim pwrpas hel esgus fod y credoau hyn yn gannoedd o flynyddoedd oed a 'mod i'n dyfynnu o *Lyfr Gweddi Gyffredin* 1662. Mae'r credoau yma'n dal i gael eu defnyddio yn litwrgi'r eglwys heddiw. Sul y Drindod 1988 roeddwn i, a thua deugain o Gristnogion eraill, yn adrodd Credo Sant Athanasius yn gyhoeddus yn eglwys Tegai, Llandegai. Mae'r peth yn swnio mor afresymol. Rhofio hanner tunnell o bridd ar ben y corff neu ei losgi nes ei fod yn llwch mân ac yna dweud ar goedd ein bod ni i gyd ryw ddydd i godi drachefn yn ein cyrff.

Ond efallai nad ydi rhesymeg a diwinyddiaeth ddim yn mynd law yn llaw. Mae'r eglwys weithiau braidd yn afresymol yn ei daliadau. Welwch chi byth flodyn yn addurno eglwys yn y Grawys (deugain dydd cyn y Pasg). Dydw i ddim yn meddwl fod yna gyfraith yn erbyn cael blodau i addurno'r eglwys yn ystod y cyfnod yma. Rhyw fath o draddodiad rhyfedd ydi o. 'Dim blodau i fod yn y Grawys.' Ac eto dyma'r union gyfnod, Mawrth ac Ebrill, pan fo'r Hollalluog ei hun yn afradlon efo'i flodau: blodau'r eira, lili'r Pasg, cennin Pedr a briallu'n gwneud bonansa o flodau. Mae bron fel pe bai'r esgobion yn dweud: 'Fe gaiff yr Hollalluog wneud fel y myn yn ei ddarn Ef ei Hun, ond tu fewn i'n heglwysi ni, mae'r gorchymyn yn dal o hyd, "Dim blodau yn y Grawys".'

A dyna beth arall sydd yn hollol afresymol yn fy marn i. Mae gan bob un o'r eglwysi Catholig drwy'r byd groes ar yr allor fel rhan o'i dodrefn. Arwyddocâd hyn ydi fod ein ffydd wedi ei selio 'ar y Crist, yr Hwn a groeshoeliwyd'. Drwy'r Adfent, ar y Nadolig, yn ystod y Grawys, ar y Sulgwyn a Sul y Drindod, mae'r groes yn aros, yn ei lle, ar yr allor i atgoffa'r addolwr am aberth Mab Duw ar y groes. Ond, sylwch chi, rywbryd cyn dydd Gwener y Groglith daw rhywun a chymryd y groes oddi ar yr allor a'i rhoi mewn cwpwrdd yn y festri, neu fe welwch fod y ficer wedi rhoi sach fach o felfed piws dros y groes fel na all neb ei gweld. Am 364 o ddyddiau yn y flwyddyn mae'r groes yn cymryd ei lle yn urddasol ar allorau ein heglwysi. Ar ddydd Gwener y Groglith, dydd coffadwriaeth y croeshoeliad, mae'r groes yn cael ei rhoi yn y cwpwrdd yn y festri neu mae'r ficer yn rhoi mwgwd drosti rhag i neb ei gweld! Tybed ai'r un math o ddryswch meddwl sydd yn achosi i ysgolheigion yr eglwys ddal i ofyn i ni yn y gynulleidfa dystio ar goedd yn ystod y gwasanaeth, ein bod yn credu y 'cyfyd pob dyn yn eu cyrff eu hunain'. Efallai, cofiwch chi, mai'r hyn maen nhw'n ei olygu ydi y bydd i bob un ohonom godi yn ei gorff ysbrydol newydd, ac nid yn yr hen gorff crinclyd, crychlyd fel yr un sydd yn yr arch yn y fan acw.

Ond rydw i'n berffaith siŵr o un peth. Ddaru'r un esgob nac offeiriad ddweud hyn wrth Owen Caerau amser maith yn ôl. Nac wrthyf innau chwaith, pe bai hi'n dod i hynny.

PENNOD 3

'Myfi, Aelwyn'

Yn y cyfamser, yn ôl â ni i'r ficerdy. Mae hi bellach yn dri diwrnod er pan fûm i farw. Does 'na ddim llawer wedi digwydd yn ystod y tridiau diwetha 'ma. Mae fy nghorff cnawdol yma o hyd er, diolch am hynny, mae wedi ei roi mewn arch erbyn hyn yn hytrach na'i fod yn gorwedd ar y carped lle y bûm i farw. Ac eto, beth ydyn ni'n ei olygu pan fyddwn ni'n dweud 'fy nghorff cnawdol'? Mi fuasai fferyllydd yn rhoi ateb pendant i'r cwestiwn yma, gan ddweud wrthym beth yn union ydi cyfansoddiad cemegol corff dynol sy'n pwyso tua 154 pwys (70kg) fel yr un yn yr arch yn y fan acw.

Defnydd	%	Cilogramau
Dŵr	70	49
Braster	15	10.5
Protein	12	8.4
Carbohydradau	0.5	0.35
Eraill	2.5	1.75

A beth arall ydyn ni'n ei wybod am y corff 'ma? Yn yr hen ddyddiau, mi fyddai Nain yn arfer ateb y cwestiwn, 'Faint ydi'ch oed chi, Mam-gu?' drwy ddweud, 'Rydw i'r un oed â 'nhafod ac ychydig hŷn na 'nannedd'. Ond tydi hyn ddim yn wir rhagor. Mae gwyddonwyr yn medru profi fod corff pob un ohonom yn newid bob saith mlynedd. Mae pob un o'r miliynau o gelloedd bach sydd yn y corff yn marw ar ôl saith mlynedd, ac mae celloedd newydd yn tyfu i gymryd eu lle. Felly tydi'r corff cemegol, yn yr arch yn y fan acw, ddim yn 79 oed fel roeddwn i wedi meddwl ei fod o – tydi o ddim ond rhyw saith oed ar y mwyaf.

Mi rydw i, Aelwyn, wedi treulio allan nifer o gyrff yn ystod fy mywyd ar y ddaear. Aelwyn Model 11, neu efallai Model 12, ydi'r un acw. Ac felly rydw i wedi defnyddio tua deuddeg o wahanol galonnau, 24 o arennau a rhyw ddwsin o wahanol feddyliau. Ac nid rhyw hen lol ydi hyn. Does gen i ddim syniad sut mae gwyddonwyr yn profi'r newid corff yma. Ond does dim angen gwyddonwyr i brofi i neb ohonom ein bod yn cael gwared o gelloedd y croen, bod y croen yn marw ac yn ei adnewyddu ei hun. Rydyn ni'n taflu celloedd ein croen i bob cornel o'r tŷ ac yna'n eu sugno i fyny ym mag yr Hoover, neu'r Electrolux, a'u cludo i'r domen. Beth mae hyn yn olygu, ynte? Wel, ga i ei roi o fel hyn. Fe fu i mi raddio o goleg Dewi Sant, Llanbedr Pont Steffan, yn 1940. Cyn y graddio roedd yn rhaid sefyll arholiadau mewn nifer o wahanol bynciau. Darllen nifer fawr o lyfrau a chofio eu cynnwys. Cymaint o gofio fel bod fy meddwl druan yn brifo am ddiwrnodau wedyn. Ond mae gwyddonwyr heddiw yn fy sicrhau i nad y meddwl sydd yn yr arch yn y fan acw a ddefnyddiais pan oeddwn yn fyfyriwr 21 oed. Dim ond yn ystod y saith mlynedd diwethaf mae'r meddwl sydd yn yr arch wedi bod gen i.

Rydw i'n cofio wedyn am fy nyddiau ysgol ym Mlaenau Ffestiniog. Doedd 'na ddim pwll nofio yn y Blaenau bryd hynny. I'r Pwll Du yn y Ceunant Sych y bydden ni'n mynd i nofio. Y pleser, a'r gamp, oedd cael deifio o wahanol uchder i'r pwll oddi tanom ac yna nofio am y lan. Roedd hyd yn oed y rhai nad oedd yn medru nofio yn eu bwrw eu hunain o dop y graig i'r llyn gan ddisgwyl y byddai digon o egni yn y naid i'w cario'n ddiogel i'r lan. Un o'r rhai hynny oedd Edi; doedd Edi ddim yn medru nofio, ond roedd o'n goblyn am neidio o ben y graig i'r pwll. Un pnawn fe fethodd Edi â chyrraedd y lan a bu raid i minnau neidio i mewn a'i dynnu ychydig lathenni i ddiogelwch. Fe achubais fywyd Edi y pnawn hwnnw. Ond mae'r coesau ifanc a'm hyrddiodd i'r llyn y pnawn hwnnw wedi mynd ers llawer blwyddyn. Mae'r dwylo a gydiodd yng ngwallt Edi i'w lusgo i'r lan wedi mynd. Does a wnelo'r hen gorff olaf 'ma oedd gen i ddim byd ag achub Edi rhag boddi. Ac eto, mae un peth yn berffaith sicr. Myfi, Aelwyn, a neb arall ddaru achub Edi rhag boddi y pnawn braf hwnnw yng Ngheunant Sych dros drigain mlynedd yn ôl. Mi fedra i deimlo'r oerni yn fy nghorff ar ôl dod allan o'r dŵr hyd heddiw, ac mi alla i gofio o hyd fel roedd Edi a finnau'n crynu ac yn edrych yn syn ar ein gilydd ar lan y llyn.

Beth, felly, sydd yna yn yr arch yn y fan acw? Wel! Rydyn ni'n edrych ar gorff cemegol Aelwyn. Yn ystod 79 o flynyddoedd mae'r celloedd bach ynddo wedi bod yn graddol newid ac adnewyddu eu hunain. Roeddwn wedi sylwi yn ystod y blynyddoedd olaf 'ma nad oedd y celloedd newydd o gystal ansawdd rywsut â'r hen rai. Ffordd arall o ddweud fy mod i, yn ddiweddar, wedi mynd i deimlo f'oed.

Wel, nawr 'te. 'Myfi, Aelwyn' oedd yr un ddaru basio'r arholiadau sawl blwyddyn yn ôl. 'Myfi, Aelwyn' hefyd oedd yr un ddaru dynnu Edi gerfydd ei wallt o'r Pwll Du. Ond doedd gan y corffyn sydd yn yr arch yn y fan acw ddim byd o gwbl i'w wneud â hyn. Dyma mae'r gwyddonwyr yn ei ddweud. Mae hwn yn syniad eithaf rhyfedd. Rydw i, Aelwyn, wedi bod o gwmpas ac yn gwneud pob math o wahanol bethau – ond trwy wahanol gyrff; rhyw ddwsin o wahanol gyrff, medden nhw.

Rydw i'n cofio dechrau dysgu syms yn yr ysgol ac yn ceisio tynnu saith allan o chwech. Yn Saesneg yr oedd y gwersi i gyd, ac felly ninnau i gyd yn cydadrodd, '7 *from* 6 *won't go*'. Yr athrawes yn ein dysgu fod yn rhaid benthyca 10 mewn sefyllfa fel hon. Ninnau wedyn, ar dop ein lleisiau'n llafarganu'n hapus, '7 *from* 16 *leaves* 9'. A dyna'r broblem drosodd. Wel na, dim ond hanner drosodd, oherwydd roedd yr athrawes wedyn yn ein rhybuddio fod rhaid talu'r 10 yn ôl cyn mynd ymlaen efo'r sỳm. Rwyf yn sôn am hyn oherwydd rydym ninnau yn ein rhesymeg wedi dod i'r un sefyllfa o '*won't go*' a '*borrow ten*' yma. Cyn rhesymu 'mhellach mae'n rhaid i ninnau gymryd yn ganiataol, neu fenthyca'r syniad, fod yna 'myfi' neu 'ego' neu 'bersonoliaeth' neu 'enaid' yn trigo yn ein gwahanol gyrff o'r dydd y'n ganed. Does yr un ohonom wedi gweld y 'myfi' yma. Tydi cyllell y llawfeddyg erioed wedi dod ar ei draws. Ond, yr argian fawr, rydyn ni wedi treulio oriau o'n hamser yn sôn amdano ac yn ei frolio: 'Y Fi wnaeth y peth yma, a Fi wnaeth y peth arall. Mi ddaru mi basio fy arholiadau, ac mi ddaru mi achub dyn rhag boddi.' Y fi, y fi, y fi . . . y fi . . . fawr yn aml iawn.

Rwyf fi, Aelwyn, wedi bod yn edrych drwy lygaid yr hen gorff marw acw am dros 79 o flynyddoedd – gwahanol lygaid, ddau ddwsin ohonynt, ond yr un Aelwyn. Rwyf fi, Aelwyn, wedi gwrando trwy glustiau'r corff acw ar y pethau mae pobl eraill yn eu dweud – gwahanol glustiau, ond yr un Aelwyn yn gwrando. Rwyf 'fi, Aelwyn' hefyd wedi defnyddio meddwl y corff acw i ysgrifennu nifer fawr o bregethau a sgriptiau i'r BBC ac HTV – bron i ddeuddeg o feddyliau, ond yr un Aelwyn. Ond roeddwn i'n gwneud mwy nag edrych drwy'r llygaid a gwrando drwy'r clustiau, ac ysgrifennu pregethau a sgriptiau efo'r meddyliau. Myfi, Aelwyn, oedd yr un a gyfarwyddodd y llygaid i weld y pethau roeddwn am iddynt eu gweld. Myfi, Aelwyn, ddysgodd y clustiau i wrando ar y math o bethau roeddwn am iddynt eu clywed. Myfi, Aelwyn, ddaru hefyd gyfaddasu a thiwnio'r gwahanol feddyliau i barchu a chadw nifer o ddaliadau, syniadau a chredoau yr oeddwn i eisiau eu parchu a'u cadw yn fy mywyd.

Felly mae ganddon ni, y rhai sy'n gwylio tu ôl i'r soffa yn y fan yma a finnau, ddau beth i wylio amdanynt. Rydyn ni eisiau gweld beth sydd yn mynd i ddigwydd i'r corpws cemegol yn y fan acw ac rydyn ni hefyd eisiau gwybod beth sydd yn mynd i ddigwydd i 'Myfi, Aelwyn', sydd newydd ddod allan ohono.

Mae 'na symudiadau yn y tŷ 'ma heddiw, rhyw deimlad fel pe bai rhywbeth ar ddigwydd. Taswn i wedi marw yn Iddew neu yn Fwslim, mi fuasai'r angladd wedi cael ei gynnal yr un diwrnod ag y bûm i farw. Ond mae'r Bwdistiaid yn wahanol. Maen nhw'n credu fod yr enaid yn dod yn ôl i'r ddaear dro ar ôl tro mewn corff gwahanol (ailymgnawdoliad – *reincarnation*). Felly, tydi'r Bwdist ddim ar ryw frys mawr i gael gwared â'r hen gorff. Gwell, yn ei dyb o, rhoi digon o gyfle i'r enaid newid o'r hen gorff i'r newydd cyn difa'r hen. Roedd yr Eglwys Forè hefyd yn credu mewn ailymgnawdoliad hyd Gyngor Caer Gystennin yn y flwyddyn 553. Mae'n rhyfedd meddwl fod yr Eglwys Gristnogol wedi dysgu a chredu fod o leiaf rai ohonom, ar ôl marw, yn dod yn ôl i'r hen ddaear yma dro ar ôl tro mewn gwahanol gyrff.

Mae yna sôn a siarad wedi bod, ac yn parhau i fod, am uno'r eglwysi a'r enwadau, ond ychydig sydd yn digwydd. Mae'r syniad o uno yn ymddangos yn gam aruthrol fawr i grefyddwyr. Ac etó, pan ddygir fy nghorff i'r amlosgfa, y geiriau a ddywed yr offeiriad wrth ei gyflwyno fydd:

Marwolion ydym, o bridd y ddaear,
Ac i'r pridd y dychwelwn.

Y geiriau a ddywed *mullah*'r Muslim ar lan y bedd ydi:

O'r pridd y'th crëwyd,
Ac i'r pridd y dychweli.

Eciwmeniaeth, ddwedsoch chi?

Mi fuasai'r rabi Iddewig wedi gwneud popeth yn ei allu i gael claddu fy nghorff cyn machlud haul. Ond nid am fod yr Iddew yn credu fod yr hen gorff cnawdol wedi dod i ben ei siwrnai. Tydi'r Iddewon ddim yn ffafrio amlosgi. Mae yna ryw deimlad y dylid trin yr hen gorff efo dipyn o barch oherwydd efallai, pwy a ŵyr, y bydd ei angen unwaith eto yn y byd tu hwnt. Mae 'na lawer o wafflo'n digwydd yma hefyd. Petawn i'n Iddew neu yn Fwslim, rydw i'n siŵr y byddwn yr un mor anhapus efo'u syniadau nhw ynghylch yr hyn sydd yn fy nisgwyl ag yr ydw i o syniadau fy eglwys fy hunan.

Mae cred yr Hindwiaid, fel y Bwdistiaid, yn hollol syml. Ar ôl marw, medden nhw, rydyn ni'n cael rhyw orffwys bach ac yna'n cymryd corff gwahanol, yn union fel cymryd siwt wahanol o'r wardrob, a dod yn ôl i'r ddaear yn fabi a dechrau bywyd newydd sbon, un bywyd ar ôl y llall – weithiau'n ddyn ac weithiau'n fenyw. Mae'r mwyaf eithafol o'r Hindwiaid yn credu y gall bod dynol ddod yn ôl weithiau fel pryf genwair neu lygoden fawr. Hawdd dirnad, felly, nad ydi tynged y corff cnawdol o fawr ddiddordeb i'r rhai sydd yn credu mewn ailymgnawdoliad. Os oes corff newydd ar gael ar gyfer pob siwrnai, tydi o fawr o bwys beth sy'n digwydd i'r hen un. Mi fuasai'r rhai mwyaf eithafol yn dweud y buasai corff pryf cop go lysti neu falwen efo cragen go gryf iddi o fwy o werth i'r rhai sydd wedi byw bywyd o bechod yn eu taith ddiwethaf.

I ddilynwyr Bwda, rhywbeth i leygwyr ei drefnu ydi angladd. Fe ddysgodd Bwda ei fynachod nad eu gwaith nhw oedd claddu corff y marw. Gwaith aelodau'r teulu oedd hyn, yn ôl Bwda. Fe ddaw'r mynach i mewn i dŷ angladd a dweud rhyw weddi fach neu ddwy, a derbyn ei fwyd offrwm gan y teulu cyn dychwelyd yn ôl i'w fynachdy. Ond mae yna un weithred ymarferol na all neb ond mynach ei chyflawni. Y fo sydd yn rhoi'r flanced fach gotwm wen dros y corff. Y gred ydi fod corff pob dyn marw wedi ei halogi gan bechod ac mai'r unig un a all buro'r llygredd yma ydi'r mynach a'i flanced wen. Edrychid ar y flanced fel math o sbwng oedd yn gallu sugno pob pechod iddi ei hun. A mynach oedd yr unig un a allai gyffwrdd â'r flanced halogedig heb ei halogi ei hun.

Ac mae yma beth arall sydd yn ddiddorol. Mae'n rhaid i hyd yn oed y mynach fod yn ofalus rhag cyffwrdd y corff. Yn ôl y Bwdist, ambell waith fe gymer ddyddiau lawer i'r 'corff bar-do', i'r 'Myfi, Aelwyn', ymadael â'r corff cnawdol. Ar ôl i'r mynach ymadael, y teulu fydd yn gyfrifol am y trefniadau o hynny ymlaen. Y nhw fydd yn golchi'r corff ac yna yn ei blygu nes bod y pen rhwng y ddau ben-glin, neu yn yr un ffurf â babi yng nghroth ei fam. Yna, wedi gwasgu'r corff yn un rholyn crwn fe'i clymir yn dynn efo rubanau yn y siâp rhyfedd yma. Yna daw'r trefnydd angladdau cyflogedig i'r tŷ, a'i waith o fydd cario'r hen gorff marw yma ar ei gefn yr holl ffordd i'r gladdfa. Beth, tybed, fuasai Owen Caerau, Llanllechid, yn ei ddweud pe bai o wedi dod i glywed am y fath arferiad?

Roedd yna, ac y mae yna o hyd, sawl math o gladdu yn Nhibet. Claddu mewn dŵr ydi tynged y cardotyn a'r tlawd. Mae'n debyg am mai hon ydi'r ffordd fwyaf didrafferth: clymu pwysau wrth y traed a thaflu'r gweddillion i'r afon neu i'r môr. Mae yna hefyd gladdu mewn bedd yn y ddaear, fel y byddwn ni'n ei arfer yn y wlad hon. Ond dim ond gwahangleifion a'r rhai oedd yn dioddef oddi wrth glefyd a haint oedd yn cael eu claddu mewn bedd yn y ddaear. Petawn i'n fynach Bwdaidd, ac nid yn offeiriad yn yr Eglwys yng Nghymru, yna fe fuaswn yn cael fy amlosgi. Mynachod, offeiriaid, llywodraethwyr a'r mawrion oedd yn cael eu hamlosgi. Ond y Dalai Lamas a'r Tashi Lamas, penaethiaid y ffydd, sydd yn cael yr angladdau mwyaf urddasol. Mae cyrff y dynion yma yn cael eu mymïo fel y gwneir yn yr Aifft. Ar ôl iro'r corff â phob math o olew a pherlysiau, eir ymlaen i'w beintio a'i liwio cyn ei osod i orffwys yn ei arch mewn gwisg o sidan. Mae cyrff nifer o'r cyn-Lamas yn cael eu harddangos o hyd ym Mhalas Po Ta yn Lhasa. Fel yna, yn ôl *Llyfr Meirwon Tibet*, y cleddid y tlodion a'r gwahanglwyfus, yr offeiriaid a'r uchelwyr a phrif barchedigion ac arweinwyr crefydd. Ond mae gŵr cyffredin y wlad, 'Joe Bloggs' Tibet, yn cael angladd hollol

40

farbaraidd. Mae sôn am yr angladd yma yn ddigon i godi gwallt y pen. Mae'r dyn cyffredin yn cael angladd wybrennol (*sky burial*). Fe gludir corff y creadur yma gan ei deulu i ben mynydd uchel. Yma bydd y teulu'n cynnau tân bychan ac yn taflu bageidiau o haidd arno. Fe ddaw arogl yr haidd yn crasu yn y tân â channoedd o gigfrain o bob cyfeiriad. Yna, coeliwch neu beidio, fe gymer aelodau'r teulu gyllell bob un a thorri talpiau o gnawd y corff marw a'u rhoi o'r neilltu. Yn dilyn hyn, fe gymerir meini a dyrnu esgyrn y corff yn friwsion; yna cymysgir y briwsion â'r haidd sydd wedi ei grasu a bwydo'r cigfrain â'r gymysgedd. Ar ôl i'r adar fwyta'r esgyrn, pob tamaid ohonynt, fe roddir y cnawd iddynt i'w fwyta. Y syniad, wrth gwrs, ydi hyn. Pe bai'r corff cyfan wedi ei roi i'r adar, yna buasent yn bwyta'r cnawd ac yn gadael yr esgyrn. Ond wrth roi'r esgyrn iddynt yn gyntaf roedd y Tibetiaid yn gwneud yn siŵr fod pob briwsionyn o'r corff yn cael ei ddifa. Roedd o gysur mawr i'r teulu wybod nad oedd yr un briwsionyn lleiaf o gorff eu hanwylyd yn aros ar ôl y gladdedigaeth ryfedd hon.

Mae'r syniad o ddifa pob briwsionyn yn ddiddorol. Roedd yna adeg pan oedd gennym ni yng Nghymru syniad tebyg. Rydw i'n cofio, rai blynyddoedd yn ôl, gwraig mewn tipyn o oed, oedd yn byw yn y Waunfawr, Gwynedd, yn dangos i mi garreg lefn a gwastad ar lan afon. Hon, meddai hi, oedd y garreg, yn ôl ei thaid, lle'r arferai'r plwyfolion adael teisennau i'r 'bwytawr pechodau'.

Tan tua chanol y ddeunawfed ganrif, roedd gan bob pentref ei fwytawr pechodau ei hun. Dynion gwyllt, hagr a budr yr olwg oedd y rhain. Roeddynt yn byw mewn hofelau yn y coed, ymhell o bobman. Ac eto roeddynt yn cynnig gwasanaeth arbennig iawn i bawb, tlawd a chyfoethog, oedd yn byw yn y pentref.

Flynyddoedd ynghynt roedd Martin Luther wedi rhybuddio pobl i beidio â gweddïo dros y meirw ac i beidio â goleuo cannwyll dros y meirw na dweud offeren drostynt. Ofergoeledd Eglwys Rufain oedd yn peri i'r pethau hynny fod, meddai Martin Luther. Ni, Gymry, oedd y rhai olaf ym Mhrydain i dorri i ffwrdd oddi wrth y Pab, ac ar ôl gwneud hynny yn ei gweld yn anodd bwrw galar ar ôl un annwyl, heb gannwyll na gweddi nac offeren. I lenwi bwlch fel hwn, efallai, y daeth y syniad o 'fwytawr pechodau'.

Pan fyddai tad, neu benteulu, ar ei wely angau, anfonid y mab hynaf ar frys i dŷ'r wraig gwneud teisennau a gofyn iddi wneud

41

'teisen farw' ar frys. Roedd y wraig yn gwybod, os mai teisen i'r bwytawr oedd hon i fod, y byddai'r teulu'n disgwyl iddi fod yn deisen gyfoethog, wedi ei gwneud o flawd gwyn ac yn llawn o ffrwythau a wyau. Rhoddid y deisen hon yn syth o'r popty ar frest noeth yr un oedd yn gorwedd ar ei wely angau. Ar ôl iddo farw, cludid y deisen i'r man arferol – yn y Waunfawr aed â hi a'i rhoi ar y garreg ar lan yr afon. Y gred oedd fod pechodau dyn yn gallu dianc o'r corff i'r deisen ym munudau olaf marwolaeth. Rhyfedd meddwl fod y deisen hon yn cyflawni'r un gwaith yng Nghymru ag yr oedd blanced bach wen y mynach ar frest y marw yng ngwlad Tibet.

Yn yr hen ddyddiau, pan fyddai rhywun farw, arferai'r clochydd roi cnul ar y gloch i dorri'r newydd i'r cyhoedd: tair tonc a saib i ddyn; dwy donc a saib i fenyw, a thonc a saib i blentyn. Roedd y cnul yma ar gloch yr eglwys yn fiwsig hefyd i glustiau'r bwytawr pechodau yn y Waunfawr, yn union fel perarogl y crasu haidd i'r cigfrain yng ngwlad Tibet. Ar ôl pob cnul roedd y bwytawr yn gwybod y byddai teisen flasus yn disgwyl amdano ar y garreg ar lan yr afon.

Y diwrnod ar ôl y marw fe welid aelodau'r teulu galar yn troedio unwaith eto tua'r garreg. Os oedd y deisen wedi ei bwyta bob tamaid, heb friwsionyn ar ôl, yna fe fyddai gorfoledd ymysg y teulu. Golygai hyn fod holl bechodau'r tad wedi eu bwrw allan ohono i gorff y bwytawr, cyn iddo groesi i'r gwynfyd – pechodau meirwon anghydffurfiol, gwlad y menig gwynion, yn ffoi i deisen y bwytawr; pechodau'r meirwon yn Nhibet yn cael eu sugno i flanced wen y mynach neu eu bwyta gan gigfrain yn gymysg â haidd rhost. Y ddau deulu bach, yng Nghymru ac yn Nhibet, yn gorfoleddu yn y ffaith fod y bwyta wedi bod yn fwyta llwyr. Mae rhai pobl yn dweud mai o gyfeiriad India a Thibet rydyn ni'r Cymry'n hanu. Efallai ein bod ni wedi dod â rhai o'r hen arferion hyn efo ni.

Ond hen gorffyn person plwyf, a aned ym Mlaenau Ffestiniog, ydi'r un yn y fan acw. Mi fydd yn dechrau drewi os na ddaw rhywun i'w gladdu cyn bo hir. Mae popeth pydredig yn y diwedd yn dychwelyd i'r ddaear.

Pridd wyt ti ac i'r pridd y dychweli,
I'r llwch y disgyn pawb ohonom ni.

42

Pe bai angen profi dywediad fel hyn, nid oes raid ond gofyn i ddosbarth Bioleg 3B. Mi fuasai'r disgyblion yn gwybod sut i ddod o hyd i lyffantod a malwod a llygod wedi marw. Os rhoddir y cyrff bychain hyn ar iard yr ysgol, fe welir eu bod yn lleihau bob dydd nes yn y diwedd ddiflannu o'r golwg. Mi fuasai'r athrawes yn esbonio fod gan natur ei phryfetach ei hun, sydd yn 'morol am gladdu popeth marw, ac sydd yn sugno popeth pydredig drwy eu cyrff eu hunain yn ôl i'r ddaear.

Ond prawf, medden ni eto. Sut mae profi peth fel hyn? Dydw i ddim yn meddwl am funud y byddai unrhyw farnwr mewn llys barn yn fodlon derbyn ffrwyth archwiliad 3B. Rwy'n credu y byddai ar farnwr angen rhagor o dystiolaeth cyn derbyn fel ffaith fod marwolaeth yn rhoi terfyn ar yr hen gorffyn ac nad ydi'r corff yn ddim ond rhyw beirianwaith i'w ddefnyddio yn y byd yma yn unig.

Mae yna lawer o bobl wybodus sydd yn dal i gredu yn atgyfodiad y cnawd. Mae pob un o'r sipsiwn sydd yn byw yn ein pentref ni yn credu yn atgyfodiad y cnawd. Fuasai'r un ohonynt yn breuddwydio am fynd â chorff perthynas i'r amlosgfa. Maen nhw'n fodlon llosgi carafán a buddiannau tad neu fam, ond fuasen nhw ddim yn llosgi eu cyrff. Claddu'r corff yn barchus mae'r sipsi. Ac mae gen i ryw syniad, rhyw amheuaeth fach, fod yna ambell bapur pumpunt neu ddecpunt, a hefyd ambell gyllell boced a phwt o linyn, wedi cael eu cuddio yn nhroed yr arch cyn iddi gael ei sgriwio am y tro olaf.

Felly, pwy ddylem ei goelio? Y sipsiwn sydd yn dweud na ddylem ni losgi'r corff, ond yn hytrach ei gladdu'n ofalus, oherwydd ar Ddydd y Farn fe fydd ei angen arnom unwaith eto. Ynteu ydyn ni i goelio'r hyn mae Dosbarth 3B Bioleg yn ei ddweud – fod y corff yn troi yn y diwedd yn llwch y ddaear fel mae cyrff llyffantod a malwod a llygod bach yn troi'n llwch? Dwn i ddim. Rydw i, fodd bynnag, wedi gweld a siarad ag ysbrydion yr ymadawedig ac roedd ganddyn nhw gyrff: cyrff oedd yn gymwys yr un peth â'r cyrff oedd ganddyn nhw pan oedden nhw'n byw ar y ddaear. Sawl gwaith rydyn ni wedi clywed pobl yn dweud, 'Fe agorais fy llygaid a dyna lle roedd fy nhad yn sefyll wrth droed fy ngwely ac yn gwenu,' neu 'Mi deimlais fod rhywun yn yr ystafell ac wedi i mi droi fy mhen fe welais Mam yn eistedd yn y gadair gyferbyn â mi fel roedd hi'n arfer ei wneud erstalwm. "Paid ti â phoeni am y rhent, Meg fach," meddai hi. "Mi wnaiff dy dad a finnau forol am y rhent".'

Pa fath bynnag o gorff ydi'r corff sydd gennym ar ôl marw, mae'n amlwg i mi ei fod yn hynod debyg i'r hen gorff daearol, sydd wedi ei gladdu yn y fynwent.

Felly rydw i am ddweud wrth hogiau 3B, efo'u llygod a'u llyffantod, efallai'n wir eu bod nhw'n iawn wrth ddweud fod popeth cnawdol yn dychwelyd i'r ddaear, ond mae yna hefyd ddigon o le i gredu y byddaf 'fi, Aelwyn', cyn bo hir, yn etifeddu corff newydd – tebyg, ond ifancach, a mwy golygus yr olwg, na'r hen un fan acw. Ac ni wnaiff y corffyn newydd yma ddim pydru – fe bery hwn hyd dragwyddoldeb.

PENNOD 4

Habeus Corpus

Pan fo plentyn bach yn ofni mynd i ystafell dywyll ar ei ben ei hun, fe welwch y tad ambell waith yn mynd gydag o. Y ddau wedyn yn procio yn y fan yma a'r fan arall ac yn edrych o dan y gwely ac yn y cypyrddau. Yna'r ddau'n cysuro'i gilydd, 'Na, does dim byd yna, dim byd i'w ofni.' Ond yn y tai mae Elwyn Roberts a minnau'n ymweld â nhw, mae'r stori'n dra gwahanol. Rydyn ni, bron bob tro, yn canfod fod rhywbeth yno. Rhaid penderfynu wedyn ydi o'n rhywbeth y dylem ni ei ofni ai peidio. Bob tro mae'n rhaid mentro efo gweddi ar wefus a'r llaw yn barod i wneud arwydd y groes.

Rwy'n cofio ymweld â fferm fechan, cartref cwpwl bach oedd newydd briodi. Rai wythnosau cyn y Nadolig roedd y ddau wedi cael eu deffro yn y nos gan sŵn crafu dan y gwely. Ar y dechrau, roedden nhw'n meddwl mai llygoden oedd yno. Ond wythnos union cyn y Nadolig fe deimlodd y gŵr ddillad ei ran ef o'r gwely'n cael eu tynnu oddi arno, a phan agorodd ei lygaid fe welodd yr wyneb mwyaf dychrynllyd yn crechwenu arno. Ar y noson oerllyd hon fe redodd y cwpwl bach, yn eu dillad nos, hanner milltir i dŷ eu cymydog agosaf. Roeddent yn benderfynol nad oedd yr un ohonynt byth eto'n mynd i roi troed dros drothwy eu tŷ ofnadwy. Ond fe ddaethant yn eu holau, wythnos union ar ôl y Nadolig, ac Elwyn a minnau'n gwmpeini i warchod drostynt. Pan oeddem i gyd yn eistedd yn y gegin, fe ddechreuodd Elwyn ddweud: 'Rydw i'n ei gweld; hen wreigan fach bert yr olwg ydi hi. Mae'r lliw ar ei gruddiau yn dangos ei bod yn un sydd wedi arfer byw a gweithio yn yr awyr agored. Clocs sydd ganddi ar ei thraed ac mae ganddi ffedog neu farclod sachliain, sydd bron yn wyn, dros ei gwisg o felfed du.' Yna fe roddodd y cwpwl bach ifanc ryw ebychiad mwyaf digri ac fe drois innau i edrych arnynt. Roedd y ddau'n edrych a'u cegau'n

45

llydan agored, ac yn pwyntio i gyfeiriad Elwyn. Ac yna, bron efo'i gilydd, dyma nhw'n dweud, 'Rydyn ninnau'n ei gweld hi, yn y fan acw wrth gadair Elwyn.' Ac mi welais innau hi hefyd. Roedd hi'n sefyll o'n blaenau a gwên ddireidus ar ei hwyneb. Doedd hi'n ddim byd tebyg i'r anghenfil roedd y cwpwl ifanc wedi ei ddisgrifio i ni. Hen wraig siriol a glandeg oedd hon. Fe siaradodd efo ni am amser maith. Dywedodd wrthym mai hi oedd tenant olaf y fferm ac fel y bu iddi ailbriodi ar ôl colli ei gŵr. I'r capel roedd hi'n mynd, meddai hi – dair gwaith bob Sul, ond roedd yn gas gan ei henaid yr eglwys esgobol ac roedd yn dilorni'r person plwyf. Roedd yn amlwg bod hon yn wraig oedd wedi byw drwy gyfnod chwerw datgysylltu'r eglwys yn amser Lloyd George. Fe ofynnais iddi beth oedd ei henw. 'Hannah,' meddai. Yna fe ofynnais ymhle'r oedd hi wedi ei chladdu a dyma hi'n cyfeirio efo'i phen a dweud, 'Yn y fynwent fan acw.'

Y diwrnod wedyn fe alwais i weld cwpwl oedd wedi byw yn y pentref am dros bedwar ugain mlynedd. 'Pwy oedd y tenant olaf i ffarmio Hendre Bach?' gofynnais. 'William a Hannah Roberts,' meddent hwythau fel bwled. Dyma fi'n gofyn wedyn ai gwraig weddol fechan, brydferth yr olwg, llygaid llawn direidi, gwallt melyn a gruddiau coch fel afal, yn gwisgo clocs a ffedog o sach-liain, oedd Hannah. Roedd y ddau wedi dotio fy mod yn gallu ei disgrifio mor fanwl. Gofyn iddynt wedyn a oedd hi'n aelod o'r eglwys. Na, meddent hwythau. Capel mawr dros ei phen a'i chlustiau oedd Hannah. Mynychai'r moddion dair gwaith bob Sul, ac roedd yn gas gan ei henaid y person plwyf, meddent. Arferai Hannah alw enwau ar ôl y person pan welai o ar y stryd.

Roedd y cwpwl hefyd yn gallu cadarnhau'r hyn roedd Hannah wedi ei ddweud eisoes, sef mai yn y fynwent dros y ffordd roedd hi wedi cael ei chladdu. Y diwrnod hwnnw fe sefais i wrth fedd Hannah Roberts. Roedd ei henw wedi ei dorri ar y garreg fedd, ac roedd yr ysgrif ar y garreg yn datgan ei bod wedi ei chladdu ers deugain mlynedd. Ond waeth gen i pa un, heb unrhyw amheuaeth yn y byd, hon oedd yr un Hannah Roberts yr oeddwn i ac Elwyn yn siarad efo hi neithiwr.

Yr hyn yr wyf yn ceisio ei ddweud ydi fod Elwyn, y noson honno, wedi medru galluogi'r cwpwl ifanc oedd yn byw yn y tŷ i weld Hannah â'u llygaid eu hunain. Fe gawsant weld nad rhyw anghenfil milain ydoedd, ond hen wreigen fach eitha siriol oedd wedi bod yn byw yn y tŷ ac yn ffermio'r tir sawl blwyddyn cyn geni yr un o'r ddau ohonynt hwy. Wedi iddynt gael siarad â hi a dod i'w hadnabod yn well, roeddynt am i Elwyn ddweud wrthi fod croeso iddi aros yn eu tŷ nhw cyhyd ag yr oedd yn dymuno.

Rwy'n cofio hefyd fod mewn tŷ ysbryd efo Winnie Marshall. Ysbrydegwraig ydi Winnie. Mae hi'n weinidog efo'r ysbrydegwyr ac mae ganddi'r ddawn o iacháu a hefyd o weld i'r dyfodol neu broffwydo. Dyma wraig y mae'n bleser ei chael wrth law pan fo ambell ysbryd yn teimlo fel mynd dros ben llestri. Rydw i'n ei chofio hi'n dweud ar un achlysur:

'Rydw i'n gweld gwraig ac mae'n hynod o gloff. O, na,' meddai wedyn. 'Nid cloffni mohono, mae gan y greadures fach yma'r droed glwb mwyaf hagr rydw i wedi ei weld yn fy mywyd.'

Ac meddai gwraig y tŷ mewn llais bach distaw, 'Modryb Sara ydi hi. Modryb fy ngŵr. Fe gollodd y gŵr ei fam pan oedd o'n blentyn ac fe gafodd ei fagu gan ei fodryb Sara, chwaer ei fam. Hi oedd yr unig fam a gafodd y gŵr ac roedd ganddi droed glwb andros o fawr. Yma efo ni roedd hi'n byw y blynyddoedd diwethaf ac yma yn ein tŷ ni y bu hi farw.'

'Wel, fy nghariad i,' meddai Winnie wrthi hithau. 'Mi allaf eich sicrhau fod Modryb Sara'n dal i ryw hanner gwneud ei chartref efo chi o hyd.'

Mae'r profiad o droi yng nghwmpeini pobl fel Elwyn a Winnie, y bobl yma sydd yn gweld ysbrydion y meirw, ac yn siarad mor ddi-lol â hwy, wedi fy ngwneud innau fel nad ydw i ddim mymryn o ofn marw. Mewn gwirionedd, mi fyddaf o dro i dro yn meddwl am farw fel rhywbeth digon cyffrous i'w wneud – bron iawn fel her. Ac eto, mae'n rhaid cyfaddef fy mod innau hefyd yn dweud fel Awstin Sant, 'Ond nid heddiw, plîs, Arglwydd.'

Ond mwyaf yn y byd rydw i'n dod i wybod am y pethau rhyfedd yma sydd yn mynd ymlaen o'n cwmpas, mwyaf y problemau. Mae'n ddirgelwch i mi, er enghraifft, pam roedd Modryb Sara druan yn gorfod dal i lusgo ei throed glwb bum mlynedd ar ôl pasio drosodd i'r byd arall. A pham roedd hen wreigan fach siriol fel Hannah Roberts yn dal i fod mor enllibus yn erbyn y person plwyf druan ddeugain mlynedd ar ôl i'r ddau ohonynt groesi. Hefyd mae Elwyn a minnau, sawl tro, wedi gweld ysbrydion yn ymddangos ar wahanol adegau mewn gwahanol ddillad ac mewn gwahanol gyfnodau o'u bywyd. Un tro daethom ar draws merch ifanc yn eistedd gyda'i chariad yn yr ardd. Roedd y ddau newydd ddyweddïo ac yn ffarwelio dros dro am ei fod ef, oedd yn filwr, yn cael ei anfon i'r India. Wythnosau'n ddiweddarach, pan aethom i'r un tŷ, fe welsom yr un ysbryd unwaith eto, ond y tro hwn roedd hi'n hen wraig. Fe ddangosodd ei llaw i ni a phwyntio i ddangos nad oedd yn gwisgo modrwy briodas. Pan aethom i chwilio cofrestri catrawd capten ifanc yr ardd, fe gawsom ei fod, tra oedd yn yr India, wedi ei gael yn euog o ryw drosedd ac wedi ei daflu allan o'r fyddin dan anfri. Roeddem yn gwybod eisoes mai hen gyrnol wedi ymddeol oedd tad y ferch, ac felly nid anodd gweld pam na ddaeth y swyddog a oedd dan waradwydd yn ôl i'r Bala i hawlio llaw yr un roedd o wedi dyweddïo â hi yn yr ardd.

Mae'n berffaith amlwg i mi fod ysbrydion, neu eneidiau'r ymadawedig, sydd yn ailymddangos ar y ddaear yn gwneud hynny bob amser wedi eu gwisgo'n barchus mewn cyrff tebyg i'r rhai a wisgid ganddynt pan oeddynt ar y ddaear a hefyd gyrff sydd wedi eu gwisgo neu eu gorchuddio â math o ddillad fel y dillad a wisgid ganddynt ar y ddaear. Mae'n amlwg fod y meirw yr un mor anawyddus i sefyll yn noeth mewn cwmni ag yr ydym ninnau, ddaearolion. Fe wisgir y corff er mwyn i ni, sydd ar y ddaear, allu gwybod ysbryd pwy sydd yn ymweld â ni. Mae'r corff hwn, sydd yn cael ei wisgo er hwylustod i ni, yn edrych yn union fel y corff roeddem ni'n ei gofio ar y ddaear. Roedd Modryb Sara mor awyddus i wneud yn siŵr fod ei theulu daearol yn ei hadnabod fel ei bod yn fodlon hyd yn oed sodro'r hen droed glwb yn ei hôl, i wneud yn siŵr. Ond er fod y cyrff ysbrydol hyn yn edrych mor debyg i'r hen gyrff ac wedi eu gwisgo mewn dillad tebyg i ddillad yr hen gyrff mae yna, serch hynny, wahaniaeth aruthrol rhwng y corff presennol a chorff y dyfodol. Mae corff y dyfodol yn mynd drwy ddrysau heb eu hagor, yn cerdded drwy furiau carreg heb gael anaf ac yn diflannu fel y mynno.

Mae Sant Paul, yn ei draethawd bendigedig ar yr atgyfodiad (I Corinthiaid 15: 40-49), yn sôn am y ddau fath o gorff – y corff daearol a'r corff ysbrydol. Ac yna aiff ymlaen i ddangos y gwahaniaeth mawr sydd rhyngddynt. Sut gellir diffinio'r gwahaniaeth rhyfedd hwn? A ydi'r ddau gorff, efallai, mor wahanol ag ydi'r bara a'r gwin ar yr allor yn y Cymun Bendigaid, yn wahanol i'r bara a'r gwin sydd ar y bwrdd cinio yn y gegin? Mae Eglwysi Catholig y byd yn dysgu fod yr Iesu'n bresennol ym mara a gwin yr offeren. Dysg Eglwys Loegr fod yr Iesu yn wirioneddol bresennol yn yr elfennau santaidd. Yr enw a roir ar y ddysgeidiaeth hon ydi Dysgeidiaeth y Gwir Bresenoldeb (*Doctrine of the Real Presence*). Yr enw a rydd Eglwys Uniongred y Dwyrain ar yr offeren ydi 'Y dirgelwch' ac maent yn pwysleisio fod y rhai sydd yn derbyn yr elfennau sanctaidd yn y Dirgelwch Sanctaidd yn derbyn iddynt eu hunain gorff a gwaed yr Arglwydd Iesu Grist. Mae Eglwys Rufain yn mynd gam ymhellach ac yn ceisio esbonio'r dirgelwch sut mae'r cyfnewidiad yn digwydd. I wneud hyn, mae ei hysgolheigion yn defnyddio dadl Aristoteles. Fe ddywed Aristoteles fod mater yn cynnwys dwy elfen, sef nodweddion (*accidents*) a sylwedd (*substance*). Nodweddion pob mater ydi'r hyn y gall synnwyr ei ddirnad. Nodweddion bara yw ei liw, ei flas, ei ysgafnder a'i oglau. Nodweddion gwin yw ei hylifedd, ei liw, ei flas a'i oglau. Sylwedd ydi'r hyn sydd yn rhoi crynswth i fater – ac eto, ni ellir ei weld, ei glywed, ei deimlo na'i ogleuo. Yn ôl dysgeidiaeth Eglwys Rufain mae nodweddion y bara a'r gwin yn yr offeren yn aros yn nodweddion bara a gwin; mae iddynt yr un blas â bara a gwin; maent yn ogleuo fel bara a gwin; does dim newid wedi bod yn nodweddion y bara a'r gwin yn ystod y cysegru. Ond, meddai'r ysgolheigion, mae sylwedd y bara yn newid i fod yn sylwedd corff Crist, ac mae sylwedd y gwin yn ystod y cysegru yn newid yn sylwedd gwaed Crist. Mae'r hyn a eilw Eglwys Rufain yn draws-sylweddoliad (*transubstantiation*) yn digwydd yn ystod y cysegru yn y Cymun Bendigaid.

Tybed ai rhywbeth tebyg i hyn sydd yn digwydd i'r corff ar ôl marwolaeth? Ydi'r corff daearol, tybed, yn glynu wrth y nodweddion oedd ganddo ar y ddaear ond bod y sylwedd yn newid? Mi fuasai hyn yn rhyw hanner esbonio pam mae'r corff ysbrydol yn edrych yn debyg i'r corff daearol ond bod y corff hwnnw'n gallu diflannu'n ddidrafferth drwy ddrysau a muriau. All Sant Paul ddim dirnad ysbryd heb fod iddo gorff (I Corinthiaid 15).

Y mae yna gorff anianol ac y mae yna gorff ysbrydol. Corff

anianol yw'r un sydd yn cael ei gladdu, ond corff ysbrydol ydi'r corff atgyfodedig. Corff hyll a gwantan ydi'r corff a gleddir, ond mae'r corff atgyfodedig yn brydferth a chryf.

Mae yna rai, ar hyd yr oesoedd, sydd wedi haeru nad rhywbeth sydd yn cael ei roi i ni yn gyfnewid am ein corff daearol ydi'r un nefol. Mae'r bobl hyn yn honni ein bod ni i gyd yn mynd trwy fywyd wedi ein gwisgo â dau gorff: y corff daearol a'r corff ysbrydol. Y cwbl yr ydym yn ei wneud wrth farw ydi rhoi heibio'r un daearol a pharhau yn yr un ysbrydol, sydd yn llawer ysgafnach a haws ei drin, yn harddach ac yn gryfach. Mae'r syniad yma o wisgo dau gorff ar hyd ein bywyd yn dwyn ar gof imi yr hen gardotwyr fyddai'n begera o bentref i bentref erstalwm. Mi fyddai nifer dda o'r rhain yn gwisgo dwy gôt fawr, hyd yn oed yn yr haf. Roeddent yn gwybod y deuai'r ail gôt yn ddefnyddiol iawn pan ddeuai oerni'r gaeaf. Mae rhai ysbrydegwyr hyd yn oed yn credu ein bod ni, drwy gydol ein bywyd ar y ddaear, wedi ein gwisgo mewn saith gwahanol gorff neu gragen: un i'n cario drwy fywyd ar y ddaear a'r chwech arall i'w defnyddio yn y chwe stad arall sydd i ddilyn cyn y bydd inni gyrraedd perffeithrwydd.

Ond mae'n ymddangos i mi mai barn gyffredinol crefyddwyr y byd ydi y byddaf 'fi, Aelwyn' yn cael fy ngwisgo mewn corff ysbrydol yn lle yr hen un digri yr olwg arno sydd yn y gornel yn y fan acw. Rydw i'n cymryd cysur o eiriau Sant Paul oherwydd mae o'n dweud y bydd y corff ysbrydol y byddaf yn ei gael yn dipyn mwy glandeg na'r un sydd yn y fan acw, yr un y dylai'r teulu 'ma fod wedi ei gladdu erbyn hyn.

Rwyf yn berffaith hapus fod eneidiau llawer o'r ymadawedig yn gallu dod yn ôl i'r ddaear. Rydw i wedi gweld nifer ohonynt ac wedi siarad â nhw, ac wedi adnabod rhai ohonynt fel pobl yr oeddwn i'n eu cofio pan oeddynt yn fyw ar y ddaear. Mewn gwirionedd, does dim byd yn newydd yn y syniad yma. Yn 1920, ddwy flynedd ar ôl y Rhyfel Mawr oedd wedi gweld cymaint o ladd a chynifer o farwolaethau, fe benderfynodd Cynhadledd Lambeth ethol comisiwn i edrych i mewn i ddaliadau'r ysbrydegwyr oedd yn hawlio eu bod yn derbyn negeseuon o'r byd arall. Etholwyd dau archesgob, 30 o esgobion a nifer fawr o athrawon ac ysgolheigion colegau'r wlad i eistedd ar y comisiwn. Mae'n wir fod eu hadroddiad yn un o'r adroddiadau mwyaf anniddorol a sych a ysgrifennwyd erioed, ond o leiaf mae'r aelodau'n cytuno i ddweud:

> Yn wir, mae'n bosib ein bod ar drothwy gwyddor newydd a fydd yn cadarnhau'r syniad o fyd tu hwnt i'r byd presennol . . . hefyd nid oes pall na diwedd ar y ffyrdd mae Duw yn eu defnyddio i beri i ddyn sylweddoli ei ysbrydolrwydd.

PENNOD 5

Y 'Tu Hwnt' yn ôl y Beibl

Beth mae'r Beibl yn ei ddweud sydd yn digwydd i ni ar ôl i ni farw? Wel, yn rhyfedd ddigon, ychydig iawn. Ychydig iawn, iawn o adnodau yn y Testament Newydd sydd yn sôn am y byd arall, ac mae gen i ryw syniad fod hyd yn oed y rhain wedi cael eu gwyrdroi a'u cymryd allan o'u cyd-destun.

Yr esiampl a roir i ni amlaf ydi dameg yr Arglwydd Iesu am Lasarus a'r gŵr cyfoethog. Lasarus, yr hen drempyn tlawd, yn gorwedd yn ei ddoluriau tu allan i ffenest tŷ'r gŵr cyfoethog oedd yn byw yn foethus ac yn taflu'r crystiau a'r sbarion bwyd allan drwy'r ffenest. Yr hen gardotyn druan yn eu dal ac yn eu sglaffio. Y ddau wedyn yn marw a'r gŵr cyfoethog, oedd wedi cael bywyd mor foethus ar y ddaear, yn ei gael ei hun mewn lle anghysurus o boeth. Oddi yno mae'n codi ei olygon ac yn gweld Lasarus yn eistedd yn hapus braf yng nghôl y tad Abraham. 'O, fy nhad Abraham,' meddai'r gŵr cyfoethog, 'tybed a faset ti'n anfon y cardotyn sydd yn dy gôl i ymofyn diod bach o ddŵr i mi. Rydw i ar dân yn y lle yma.' Ac mae'r tad Abraham yn ateb gan ddweud, 'Na, mae'n ddrwg gen i, ond tydi hynny ddim yn bosib, oherwydd mae yna agendor mawr rhyngom ni yn y fan yna a chithau i lawr yna.' Ac mae Abraham yn ei gwneud yn berffaith glir fod y gagendor yma yn un na ellir ei groesi. 'Wel, os felly,' meddai'r gŵr cyfoethog, 'tybed a allet ti anfon yr hen drempyn yn ôl i'r ddaear? Mae gen i bump o frodyr ar y ddaear ac mi faswn yn hoffi iddynt hwy gael eu rhybuddio am y lle yma.' Ond, 'Na,' meddai Abraham unwaith eto, 'mae gan dy frodyr y proffwydi i'w rhybuddio nhw. Fe ddylai hyn fod yn ddigon. Does dim angen neb oddi yma.'

Mae'r enwadau i gyd yn hoff iawn o ailadrodd y stori hon mewn pregethau, yn yr Ysgol Sul ac mewn seiadau wrth geisio sôn am y byd tu hwnt. Y rheswm dros hynny, mae'n debyg, yw nad oes fawr ddim arall ar gael ar y testun yma, ac efallai bod diwinyddwyr yn gweld fod yma rywbeth a rydd goel i'r hyn a eilw'r Sais yn ddysgeidiaeth '*pie in the sky*', sef adfyd yn y byd hwn, gwynfyd yn y nesaf – syniad defnyddiol iawn pan gofiwn fod yna fwy o lawer o foliau gwag yn y byd heddiw nag sydd o foliau llawn. Rhoddwyd pwyslais mawr ar hyd y blynyddoedd ar y gagendor yma na ellir ei groesi. Pan oedd diwinyddion eisiau codi dipyn o ofn ar bobl y seddau, roedd y gagendor yma yn erfyn eitha effeithiol ac yn arwain yn naturiol at y syniad o ddamnedigaeth dragwyddol.

Pan fyddaf i, offeiriad yn yr Eglwys yng Nghymru, yn cyhoeddi nad wyf yn credu yn y syniad o nefoedd ac uffern fel moddion gan y tad nefol i wobrwyo a chosbi ei blant, mae llawer o'r ffyddloniaid yn synnu. 'Beth am Dives,' medden nhw, 'yr hen ŵr cas, hunanol yna? Mae'r Beibl yn dweud iddo ei gael ei hun mewn lle mor boeth fel y byddai hyd yn oed ddiferyn o ddŵr oer ar ei dafod yn wledd. A beth am Lasarus?' medden nhw wedyn, 'y cardotyn bach tlawd oedd yn gorfod cystadlu â'r cŵn am yr hen grystiau sychion roedd y dyn yma yn eu taflu drwy'i ffenest. Fe gafodd ef ei wynfyd ym mynwes y tad Abraham.'

Fedrais i erioed edrych ar y ddameg yn y goleuni hwn. I mi, dyn cyfoethog a gâi bleser o'i gyfoeth oedd Dives, a chwarae teg iddo, does dim yn y byd o'i le yn hyn. Ddaru'r Arglwydd Iesu erioed gondemnio neb am fod yn gyfoethog. Yn wir, mae yna sawl hanes iddo ef, a'i ddisgyblion, fynychu tai pobl gyfoethog a mwynhau gwledda efo nhw. Ac i mi, mae'r darlun a rydd yr efengyl o Lasarus yn ddisgrifiad o ryw greadur llipa, di-asgwrn-cefn. Doedd o ddim, hyd y gwelwn i, yn ddall nac yn gripil, a does dim i ddangos ei fod yn anabl i wneud diwrnod gonest o waith. Ond na, mae o'n berffaith hapus yn torheulo'r tu allan i ffenest ystafell ginio'r gŵr cyfoethog yma a derbyn y bwydydd yr oedd o yn eu taflu allan a'r oglau da oedd yn dod gyda nhw. Mae'n debyg pe bai unrhyw hen drempyn arall wedi ceisio cymryd ei le o dan y ffenest y buasai wedi cwffio at waed i hawlio'i le yn ôl. Na! Tydw i ddim yn gweld Dives fel dyn oedd mor ddrwg fel ei fod o'n haeddu damnedigaeth dragwyddol yn uffern, nac ychwaith yn gweld Lasarus fel rhyw sant difrycheulyd ac yn sicr nid fel un oedd yn haeddu'r fraint, a'r clod, o gael treulio gweddill ei ddyddiau ym mynwes wresog y tad Abraham.

Tydw i ddim yn meddwl am funud fod yr Arglwydd Iesu'n meddwl am y byd tu hwnt i'r llen, na'r hyn oedd i ddigwydd i'r un ohonom ar ôl marw, pan oedd yn traddodi'r ddameg fach hyfryd yma. Ei neges yma yn sicr i chi oedd: 'Peidiwch â gadael iddi fynd yn rhy hwyr cyn meddwl am yr hyn sydd i ddigwydd ar ôl y bywyd yma. Meddyliwch am yr hyn fydd yn digwydd rŵan tra byddwch ar y ddaear. Chwenychwch iachawdwriaeth yn awr, nid ar ôl ichi farw.' Dyma'r neges sydd i'w chael dro ar ôl tro yn y Testament Newydd.

Os ydym am dderbyn yr esboniad poblogaidd o'r ddameg fel disgrifiad o'r hyn fydd yn digwydd ar Ddydd y Farn, mae o'n ddigon i droi dyn yn Hindŵ. Yr hyn a ddywedir ydyw: os bydd i ddyn, tra bydd ar y ddaear, fod yn fodlon ar fywyd o gnoi crystiau sychion – ac eistedd ar ei ben-ôl y tu allan i ffenest dyn arall – yna fe all ddisgwyl gwobr yn y bywyd nesaf. A'r wobr honno – y *jackpot* fel petai – ydi cael treulio gweddill oes, a hyd dragwyddoldeb, ym mynwes Abraham. Duw a'n gwaredo! Pan oeddwn i'n blentyn, roedd hyd yn oed y genod bach oedd yn yr un dosbarth â mi wedi gweld drwy ffoliineb y fath ddysgeidiaeth. Roedden nhw'n arfer sgipio i'r rhigwm:

> Mary Anne has gone to rest
> Safely now on Abram's breast,
> Which is very nice for Mary Anne
> But not so good for Abraham.

Alla i ddim ychwaith ddygymod â'r syniad fod 'na ryw agendor mawr rhyngom ni a'r rhai sydd wedi ein rhagflaenu. Chafodd Moses ac Elias ddim llawer o drafferth croesi, a dod o hyd i'w ffordd i Fynydd y Gweddnewidiad i siarad â'r Arglwydd Iesu. Mae hyd yn oed y comisiwn o esgobion ac ysgolheigion a apwyntiwyd gan yr Archesgob Lang yn 1938 yn gallu mentro dweud: 'Rydym ni wedi dod i'r casgliad ei bod yn ffaith fod ysbrydion y meirw yn gallu cyfathrachu â'r rhai sydd yn byw ar y ddaear.'

Mae'r holl brofiadau rydw i wedi eu cael wedi cadarnhau fy nghred mai llen denau, denau, sydd rhyngom ni a'r rhai tu hwnt ac nid gagendor mawr na all unrhyw un fyth ei groesi.

Dro yn ôl fe gawsom ni, bobl trin ysbrydion, alwad gan ffermwr a'i wraig, Steffan a Hilda, cwpwl oedd yn cael eu poeni, nid gan un, ond gan leng o ysbrydion. Fe aethom i'w cartref ac esbonio iddynt sut roedden ni'n gweithio. Aeth Elwyn Roberts i'w gornel tu ôl i'w lamp fach goch ac fe ddechreuodd y gweddill ohonom sgwrsio'n hollol gyffredinol. Roedd Hilda a Steffan braidd yn swil, yn teimlo dipyn bach o embaras, efallai, wrth weld pobl ddieithr yn dod a chymryd eu cartref drosodd ac ychydig yn bryderus, ac ofnus hefyd efallai, am yr hyn oedd i ddigwydd. Ond roedd hon i fod yn noson fythgofiadwy. Roedd yna bob mathau o gymeriadau fel pe baen nhw'n ciwio yr ochr draw i aros eu tro i ddod i'r gegin am sgwrs efo ni. Y cyntaf i ddod i mewn a meddiannu corff Elwyn oedd gŵr a roddodd ei enw fel Richard Owen. O edrych ar wyneb Elwyn roedden ni'n gallu barnu ei fod yn ŵr oedrannus iawn – fe ddywedodd wrthym yn ddiweddarach ei fod yn 86 oed. Roedd gan Richard glamp o fwstás gwyn – mwstás, a dweud y gwir, oedd yn gweddu i Elwyn. Roedd gwên hapus ar wyneb Richard ac roedd yn amlwg ei fod yn edrych ymlaen at gael bod yn ein cwmni. Er mwyn cadw pethau i fynd, fe ofynnais i Steffan faint o ddefaid oedd o yn eu cadw. Hanner cant a dwy, meddai Steffan. Yna, trwy enau Elwyn, dyma'r hen Richard, oedd yn amlwg wedi ffermio yma flynyddoedd o'i flaen, yn dweud, 'naw deg a phedair'. Dal i deimlo dipyn yn anghyfforddus oedd Hilda a Steffan. Eisiau ymadael â'r ysbrydion oedden nhw ac nid dal pen rheswm efo nhw. Yr ymwelydd nesaf oedd person plwyf Richard Owen, wedi dod i edrych sut oedd Richard. Ar ôl ein gweld ni i gyd yn y tŷ, roedd yn fodlon iawn ymuno efo ni yn y sgwrsio. Fe ddywedodd wrthym fod ei fab yn y coleg yn Rhydychen a'i fod yn dod yn ei flaen yn dda yno. Dywedodd hefyd ei fod yn arfer dod o dro i dro i edrych sut oedd yr hen Richard Owen. Doedd o ddim yn ymddangos fel pe bai wedi ei synnu o gwbl wrth weld Richard yn ymgomio'n rhadlon efo nifer o ddaearolion fel ni.

Yna, yn sydyn, dyma Richard a'i berson plwyf yn diflannu. Mae'n beth rhyfedd, ond fel yna mae ysbrydion yn ymddwyn. Pan fyddan nhw wedi cael digon ac yn dechrau diflasu, maen nhw'n mynd yn ôl i'w byd eu hunain heb na 'Nos da,' na 'Wela i chi' na hyd yn oed 'Ta, ta,' – dim ond codi a mynd. Dwn i ddim pam, os nad ydynt fel Sinderela yn gorfod bod yn eu holau erbyn rhyw amser arbennig. Ond mae'r syniad yma o godi a mynd yn rhywbeth sydd yn werth ei efelychu. Rydyn ni, ddaearolion, yn treulio llawer o'n hamser yn rhyw din-droi am hydion ar ôl dweud ein bod ni'n bwriadu codi'n traed a mynd.

Beth bynnag i chi, ymhen dim amser dyma ni i gyd yn sylweddoli fod yna gymeriad newydd wedi dod i mewn i'r ystafell. Roedd yn amlwg fod hwn yn ysbryd tra gwahanol i'r lleill. Roedd o'n fwy o 'ddyn byw' nag o ysbryd. Fe gerddodd i mewn yn llond ei groen (os gall rhywun ddweud fod ysbryd yn llond ei groen) ac yn feiddgar i'r cylch bach golau coch. Y peth cyntaf a dynnodd fy sylw oedd ei ddwylo. Roedd ei ddwylo'n fawr fel dau ben rhaw, ac roedd ganddo arferiad rhyfedd o droi cledr ei law i fyny ac i lawr fel petasai eisiau tynnu sylw at y dwylo anferth yma. Fe eisteddodd i lawr yn y cylch gan roi'r ddwy law fawr yma i orffwys, un ar bob pen-glin. Ac yna dyma'r sioe go iawn yn dechrau. Steffan y ffermwr, oedd hyd yn hyn wedi bod yn eitha tawedog, yn gollwng ei afael yn llaw ei wraig ac yn neidio ar ei draed. 'Wel, myn diawl,' medda fo, 'Bill Ramson. Be gythraul wyt ti'n ei wneud yma, Bill? Croeso i ti, boi. Sut wyt ti'n dod 'mlaen yr ochor draw 'na heb dy botel wisgi, Bill?' Ac yna, dyma'r ateb yn dod drwy enau Elwyn, 'O! Ol reit!' ond heb lawer o frwdfrydedd. Rydw i wedi meddwl llawer am ei ymadrodd. Ar ôl clywed cymaint sôn am baradwys fel lle hyfryd a hapus, clywed Bill Ramson yn dweud mewn llais digon fflat mai dim ond 'Ol reit' oedd hi yno. Ond fe ddaethom i ddeall nad oedd ond rhyw fis neu ddau ers pan fu i Bill groesi. Roedd hyn yn peri i ddyn feddwl fod gwneud *cold turkey* ym mharadwys yr un mor anodd ag ydi gwneud *cold turkey* ar y ddaear!

Steffan wedyn yn troi at ei wraig ac yn dweud wrthi, 'Edrych, Hilda. Bill, dy dad. Wyt ti'n ei weld o?' 'Ydw,' meddai Hilda'n ddistaw. 'Rydw i'n ei weld o.'

'Wel, diawl, dŵad rywbeth wrtho – "Helô" neu rywbeth,' meddai Steffan. 'Helô, Dad,' meddai Hilda. Ac yna fe welsom un o'r dwylo mawr yn cael ei hestyn tuag at Hilda. Elwyn wedyn yn dweud, 'Rydw i'n meddwl y basa'ch tad yn licio cydio yn eich llaw.' Ag ufudd-dod plentyn, dyma Hilda'n cydio yn y llaw roedd ei thad yn ei benthyca gan Elwyn. A dyma'r ddau yn torri allan i wylo'n ddistaw bach.

Ar ddiwedd y noson fe ofynnodd Bridget, fy merch, i Hilda, 'Pan oeddech chi'n gafael yn y llaw, llaw pwy oeddech chi'n cydio ynddi? Llaw eich tad, ynteu llaw Elwyn?'

'Llaw 'nhad,' atebodd Hilda, heb unrhyw betruster.

Fe ddywedodd Steffan wrthym wedyn nad oedd ond ychydig wythnosau er pan fu farw ei dad-yng-nghyfraith. 'Y dwylo ddaru mi adnabod gyntaf,' meddai. 'Roedd gan Bill andros o ddwylo mawr ac roedd o bob amser yn eu chwifio nhw o gwmpas. Pan welais i'r ddwy gledr llaw yna'n troi i fyny ac i lawr, mi wyddwn na allai fod yn neb ond Bill Ramson.' Dyn go galed oedd Bill wedi bod yn ei fywyd – meddwyn, ac un a oedd hefyd wedi medru bod yn eitha cas a chreulon tuag at ei wraig a'i blant. Fe ddaeth clywed hyn â llewyrch o gysur i'r rhai ohonom oedd wedi clywed Bill yn disgrifio paradwys fel 'Ol reit'. Os oedd Bill Ransom, dyn y botel, yn gallu dweud ei bod hi'n 'Ol reit' iddo fo yr ochr draw, mi roedd yna lewyrch bach o obaith i'r gweddill ohonom!

Rydw i'n siŵr o un peth: fod y pictiwr ohonom ni yn eistedd yng nghwmni Bill Ramson, a'i glywed o'n ateb ei fab-yng-nghyfraith a dweud ei bod hi'n 'ol reit' yr ochr draw, hyd yn oed heb wisgi, yn bictiwr hapusach o dipyn na'r un a roir yn esboniad y diwinyddion o ddameg Lasarus a'r gŵr cyfoethog.

Mae yna stori arall yn y Beibl sydd yn rhoi rhyw gipolwg fach i ni ar y bywyd tu hwnt. Mae hyn yn digwydd pan oedd yr Arglwydd Iesu ar y groes, ac un o'r lladron oedd yn cael ei groeshoelio efo fo yn troi ato a dweud, 'Iesu, cofia fi pan ddoi i'th deyrnas.' (Luc 23:42) Yn ôl y traddodiad, Dismas oedd enw'r dyn yma a ddisgrifir gan ddiwinyddion fel 'y lleidr edifeiriol'. Mae'n werth sylwi mai dyma'r unig gymeriad yn y Testament Newydd sydd yn ddigon powld i alw'r Arglwydd Iesu wrth ei enw cyntaf. 'Iesu,' meddai, 'cofia fi pan ddoi i'th deyrnas.' Mae pawb arall, hyd yn oed y disgyblion, yn ei alw yn 'Arglwydd', 'Meistr' neu 'Raboni'. Mae rhai wedi awgrymu fod y ddau – Iesu a Dismas – yn adnabod ei gilydd cyn y cyfarfyddiad yma ar y groes. Dywed rhai efallai i'r ddau dyfu i fyny yn yr un pentref ac i'r ddau freuddwydio am greu teyrnas newydd ar y ddaear: Dismas yn breuddwydio am deyrnas rydd rhag gorthrwm y Rhufeiniaid a'r Iesu'n breuddwydio am deyrnas nefoedd tŷ ei Dad. Ac ar Golgotha dyma ni'n cael Dismas yn troi at ei hen ffrind ac yn dweud, 'Methiant fu fy nheyrnas i. Dyro i mi ran, Iesu, yn y deyrnas honno roeddet ti'n sôn amdani pan oeddem ni'n blant.' Yna mae'r Iesu yn dweud wrtho: 'Heddiw byddi gyda mi ym mharadwys.'

Y peth pwysig i sylwi arno yn y stori ydi fod yr Iesu'n dweud 'Gyda mi ym mharadwys', ac nid 'Gyda mi yn y nefoedd'. Does yna ddim awgrym fod i'r un o'r ddau – Dismas na'r Arglwydd Iesu – fynd i'r nefoedd. Does yna ddim awgrym ychwaith y dylai'r lleidr fod wedi mynd ar ei ben i uffern. Cred ac addewid Crist oedd y byddai Dismas y lleidr a mab Duw, ill dau, yn eu cael eu hunain yn yr un lle – ym mharadwys neu mewn rhyw fan aros – y munud y byddai iddynt gau eu llygaid yn y byd hwn. Dyma hefyd mae eneidiau'r meirw yn ei ddweud wrth Elwyn a minnau.

Yr hen Richard Owen a'i fwstás gwyn, y person plwyf oedd mor falch o'i fab yn Rhydychen, a Bill Ramson, boi'r botel wisgi – o'r un lle roedden nhw i gyd yn dŵad i siarad â ni yng nghegin y fferm.

Y stori o'r Testament Newydd y byddaf yn hoff o'i dyfynnu pan fydd pobl yn fy nghyhuddo fy mod yn pechu wrth ymwneud ag ysbrydion ydi hanes gweddnewidiad yr Arglwydd Iesu. Mae yna bobl – ychydig, drwy drugaredd – sydd yn mynd yn wallgof pan glywant fi'n sôn am ysbrydion y meirw. Mi rydw i wedi cymryd rhan mewn rhaglenni *'phone in'* ar y pwnc hwn ar bron bob gorsaf radio drwy Brydain gyfan. Yn ystod y rhaglenni hyn mae'r ymosod rhyfedd yma'n digwydd. Yn aml iawn gweinidog efengylaidd neu un o'r brodyr sydd yn eu galw eu hunain yn *'born again Christians'* sydd yn ymosod arnaf. Y cwestiwn maent yn ei ofyn ydi: Pam ydw i, sydd yn fy ngalw fy hun yn 'ŵr Duw yn galw allan ysbrydion a minnau'n gwybod ei fod yn dweud yn y Beibl na ddylid galw'r meirw. Yna mae ganddynt ribidirês o adnodau o'r hen Destament i brofi eu pwynt.

Fe ddywedodd un gweinidog ar y radio ei fod yn credu fy mod yn dweud celwydd wrth honni fy mod i wedi gweld yr ysbrydion a 'mod i'n defnyddio fy ngholer gron i geisio cyfiawnhau fy nghelwydd.

Fy ateb i ydi nad ydw i, wrth siarad efo ysbryd a mwynhau cwmni ysbryd, yn gwneud dim nad oedd yr Arglwydd Iesu wedi ei wneud o'm blaen. Pan oedd yr Iesu wedi blino ac arno angen seibiant bach, fe aeth i ben mynydd, a mynd â thri o'i ddisgyblion gydag o:

> Ac ar ôl chwe diwrnod y cymerodd yr Iesu Pedr, ac Iago, ac Ioan ei frawd, ac a'u dug hwy i fynydd uchel o'r neilltu. A

gweddnewidiwyd ef ger eu bron hwy: a'i wyneb a ddisgleiriodd fel yr haul, a'i ddillad oedd cyn wynned â'r goleuni. Ac wele, Moses ac Elias a ymddangosodd iddynt, yn ymddiddan ag ef.

Gan ein bod yn gwybod fod Moses ac Elias wedi marw ers dros fil o flynyddoedd cyn i hyn ddigwydd, rhaid derbyn nad Moses ac Elias oedd ar y mynydd yn ymddiddan ag Iesu Grist ond yn hytrach ysbryd Moses ac ysbryd Elias. Fe ddaeth y ddau ysbryd hyn â chymaint o bleser a hapusrwydd fel nad oedd Pedr eisiau symud o'r fan:

A Phedr a atebodd ac a ddywedodd wrth yr Iesu, 'O Arglwydd, da yw i ni fod yma: os ewyllysi, gwnawn yma dair pabell; un i ti, ac un i Moses, ac un i Elias.'

Mathew 17

Ond yr hyn sydd yn fy mlino i fwyaf ydi fod y bobl hyn yn mynd ymlaen i ddweud nad ysbrydion mae Elwyn a finnau yn eu gweld ond y diafol. Mae'r diafol, medden nhw, yn gallu dynwared ysbrydion pobl eraill er mwyn ein twyllo. Iddynt hwy, y diafol ydi pob ysbryd. Tybed fuasai'r bobl yma'n fodlon dweud wrth y ddau ddisgybl ar y ffordd i Emaus nad yr Iesu welson nhw yn 'nhoriad y bara' ar fore'r Pasg cyntaf, ond y diafol yn cymryd arno mai y fo oedd Iesu Grist, er mwyn eu twyllo fod Mab Duw wedi atgyfodi o'r bedd? A beth am y pum cant a welodd yr Iesu ar ôl ei atgyfodiad? Beth welson nhw mewn gwirionedd? Y diafol?

Ond dyna ni. Mae yna un enghraifft o'r Arglwydd Iesu'n sôn â phendantrwydd am y byd arall. Tydi o ddim, yn y fan yma, yn siarad mewn dameg. Mae o'n paratoi ei ddisgyblion ar gyfer ei esgyniad neu ei ddyrchafael ac yn dweud wrthynt mewn geiriau plaen, hawdd eu deall, beth sydd ar fin digwydd:

Na thralloder eich calon: yr ydych yn credu yn Nuw, credwch ynof finnau hefyd.

Ac yna yr adnodau hyn:

Yn nhŷ fy Nhad y mae llawer o drigfannau: a phe amgen, mi a ddywedaswn i chwi. Yr wyf fi yn myned i baratoi lle i chwi. Ac os myfi a af, ac a baratoaf le i chwi, mi a ddeuaf drachefn, ac a'ch cymeraf chi ataf fy hun; fel lle yr wyf fi, y byddoch chwithau hefyd.

Ioan 14

Gallasech feddwl y buasai'r ·geiriau hyn a ynganwyd gan yr Iesu noswyl ei farwolaeth yn cael blaenoriaeth yng ngwasanaeth claddu'r gwahanol eglwysi. Ond na; does yna ddim sôn amdanynt. Yn *Llyfr Gweddi Gyffredin* 1662 mae'r geiriau o Lyfr Job, 'ac er ar ôl fy nghroen i bryfed ddifetha'r corff hwn' yn cael y flaenoriaeth. Mae geiriau'r Iesu, fodd bynnag, yn cael eu lle yng Ngwasanaeth Claddu Diwygiedig yr Eglwys yng Nghymru, 1974. Ond hyd yn oed yma nid ydynt wedi cael yr hyn y byddai pobl y BBC yn ei alw yn 'brif slot'. Yn ôl y cyfarwyddiadau, mae geiriau'r Iesu i gael eu darllen gan yr offeiriad wrth iddo arwain y corff allan o'r eglwys i'r fynwent ac felly bob amser yn cael eu boddi gan sŵn sgriffian traed y rhai sy'n cario'r arch a sŵn y gynulleidfa'n codi ar eu traed ac yn hel eu pethau at ei gilydd i ddilyn y corff i'r fynwent.

Petasai Bwda wedi yngan y geiriau hyn o eiddo'r Iesu, yna fe allech fod yn sicr y buasent wedi eu cerfio ar furiau'r temlau a'u brodio ar wisgoedd y mynaich.

Oherwydd dyma sut y mae dilynwyr Bwda yn meddwl am y byd arall – lle prysur fel rhyw gyffordd fawr lle mae gwahanol lwybrau'n cyfarfod a lle mae gwahanol siwrneiau'n cael eu cynllunio, lle mewn gwirionedd 'lle mae llawer o drigfannau'.

Nid yw'n rhyfeddod o gwbl fod yr ysbrydegwyr, sydd eisoes wedi benthyca cymaint o'u credoau oddi wrth grefyddau mawr y byd, wedi dewis yr adnod hon fel arwyddair eu cred. Mae'r maen a wrthodwyd gan yr Eglwys Anglicanaidd wedi dod yn ben conglfaen eglwys yr ysbrydegwyr.

PENNOD 6

Y Geiriau Anghysurus

Rwy'n sicr nad oes gan esgobion syniad sut mae pobl y seddau'n meddwl. Mae gen i bellach hawl i ddweud, 'fel yr ydym *ni*, bobl y seddau, yn meddwl a'r cwestiynau yr hoffem *ni* gael ateb iddynt,' oherwydd er pan fu i mi ymddeol, ddeng mlynedd yn ôl, rydw innau'n un o bobl y seddau. (Ac os ca' i ddweud, alla i ddim meddwl am le mwy anghyfforddus i eistedd ar fore Sul na sêt capel neu eglwys. Fel offeiriad roedd gen i bob amser ddigon o le i 'nghoesau yn y ddarllenfa wrth arwain y Foreol Weddi, a hefyd yn y sedilia wrth weinyddu'r Cymun Bendigaid. Ond druan ohonof rŵan ar ôl dod i eistedd i'r llawr.) Ond rydw i'n siŵr o un peth, er mor anghysurus y seddau yn yr eglwys, pe bai person neu weinidog yn hysbysu, yn ei gylchgrawn plwyf, ei fod yn bwriadu pregethu, ac ateb cwestiynau, am yr hyn sydd yn digwydd ar ôl marwolaeth, y byddai iddo gael eglwys lawn. Mi fuasai pobl hyd yn oed yn anghofio mileinrwydd seddau ei eglwys.

Mae'n debyg mai'r ddau gwestiwn sydd yn achosi'r pryder mwyaf yw: 'Beth sy'n digwydd i ni ar ôl marwolaeth?' a 'Pam mae Duw cariad yn caniatáu i bobl ddioddef?' Mae'r ddau gwestiwn yma'n perthyn yn agos i'w gilydd. Mae'n eitha posib mai oherwydd ein bod yn gweld cymaint o ddioddef yma ar y ddaear, a bod arnom ofn i'r hen gwpan chwerw ddod i'n rhan ninnau, yr ydym mor awyddus i gael rhyw wybodaeth am yr hyn sydd yn ein disgwyl yn y byd nesaf. Ai rhagor o ddioddef? Ai mwy o bryderon?

Mae'r rhain yn gwestiynau da. Pam, mewn gwirionedd, mae Duw yn caniatáu cymaint o ddioddef yn y byd? – y lladd mawr sydd wedi bod ym Mosnia, y newyn difrifol sydd yn codi ei ben yn y Swdán a rhannau eraill o'r byd, yr holl afiechydon poenus, llawer ohonynt allan o gyrraedd meddyginiaeth, plant bach yn

61

marw o gancr. Pam plant bach na wnaethant ddrwg i neb a llawer ohonynt yn marw mewn poen? A Duw yn ei nefoedd yn edrych ar yr holl anhapusrwydd – ac yn gwneud dim.

Mae rhai pobl yn dweud nad oes a wnelo hyn ddim â ni. 'Nid ein ffyrdd ni,' medden nhw, 'ydi ffyrdd Duw. Rhaid bodloni yn y byd hwn ar edrych trwy ddrych. Fe gawn yr ateb yn llawnder amser'. Ond rydw i, a miloedd tebyg i mi, eisiau gwybod rŵan, yn enwedig os ydi'r ateb eisoes i'w gael yn Llyfr y Bywyd. Yn wir, mae'r ateb i'r ddau gwestiwn mawr yr ydym yn eu gofyn i'w gael yn llyfr olaf y Beibl, yn Llyfr y Datguddiad:

> A bu rhyfel yn y nef: Michael a'i angylion a ryfelasant yn erbyn y ddraig, a'r ddraig a ryfelodd a'i hangylion hithau. Ac ni orfuant; a'u lle hwynt nis cafwyd mwyach yn y nef. A bwriwyd allan y ddraig fawr, yr hon a elwir Diafol a Satan, yr hwn sydd yn twyllo'r holl fyd: efe a fwriwyd allan i'r ddaear a'i angylion a fwriwyd allan gyd ag ef.
>
> Datguddiad 12: 7-9

> Yr hwn sydd ganddo ddeall, bwried rifedi y bwystfil: canys rhifedi dyn ydyw; a'i rifedi ef yw, chwe chant a thri ugain a chwech.
>
> Datguddiad 13: 18

Ydi hynna'n gymorth? Tybed a allwn ni, yng ngoleuni'r geiriau hyn, gynnig ateb i'n dau gwestiwn a dweud rhywbeth fel hyn: 'Chi sydd yn gofyn pam mae Duw yn caniatáu dioddef ar y ddaear, ydych chi ddim wedi clywed fod yna ryfel rhwng Duw a'r Diafol? Enillodd Duw'r frwydr gyntaf, fe wthiwyd y Diafol o'r nefoedd a'i orfodi i wneud ei gartref yma ar y ddaear. Mae nifer fawr o frwydrau eraill wedi eu cynnal rhwng da a drwg er y frwydr gyntaf honno. Ofer fuasai gobeithio mai Duw a enillodd bob un ohonynt. Mae i'r Diafol hefyd ei fuddugoliaeth.'

Ac oherwydd bod y Diafol yma, yn ein plith, ac yn dal i frwydro dros ddrygioni, mae'r Beibl yn ein rhybuddio i fod yn ofalus:

> Byddwch sobr, gwyliwch: oblegid y mae eich gwrthwynebwr diafol, megis llew rhuadwy, yn rhodio oddi amgylch, gan geisio y neb a all o ei lyncu.
>
> I Pedr 5: 8

Mae Sant Paul, dro ar ôl tro, yn disgrifio'r gelyn hwnnw sydd yn gyfrifol am yr holl ddioddef, yr holl lygredd sydd ar y ddaear:

Oblegid nid yw ein hymdrech ni yn erbyn gwaed a chnawd, ond yn erbyn tywysogaethau, yn erbyn awdurdodau, yn erbyn bydol-lywiawdwyr tywyllwch y byd hwn, yn erbyn drygau ysbrydol yn y nefolion leoedd.

Ephesiaid 6:12

Mae'r rhyfel hwn rhwng daioni a drygioni yn mynd ymlaen er dechreuad amser. Rydw i'n cofio flynyddoedd yn ôl pan ddaeth y ffilm *The Exorcist* i Fangor, daeth nifer o bobl ifanc oedd wedi cael eu cynhyrfu gan y ffilm i'm gweld mewn panig. Ar ôl gweld y ffilm, oedd yn dangos sut roedd y diafol wedi cymryd drosodd bersonoliaeth merch fach, roedd rhai ohonynt wedi dechrau credu eu bod hwythau hefyd yn cael eu cymryd drosodd gan y diafol. Aeth Bridget, fy merch, i weld y ffilm. Fe geisiais ei pherswadio i beidio, ond 'yr hen a ŵyr a'r ifanc a dybia' oedd hi. Rydw i'n ei chofio'n dod adre o'r sinema a disgrifio'r ofn a'r arswyd roedd hi wedi eu teimlo wrth edrych ar y sgrin. Roedd grym drygioni mor gryf yn y ffilm fel mai'r unig ffordd y gallai hi ddal i edrych ar y sgrin oedd trwy ei hatgoffa ei hun drosodd a throsodd fod yna Dduw. Drwy'r amser roedd hi'n ei chael ei hun yn dweud yn ddistaw wrthi ei hun, 'Diolch fod 'na Dduw. Diolch fod 'na Dduw'. Roedd hi wedi ei magu ar aelwyd Gristnogol ac yn gwybod, ym mha fodd bynnag y byddai'r ffilm ffugiol yma'n diweddu, mai y Duw Dad Hollalluog oedd yn ennill y rhyfel ar ddiwedd y dydd yn y byd iawn.

Ond lle bo rhyfel, does dim gwahaniaeth pwy sydd yn ennill yn y diwedd, mae nifer fawr yn cael eu lladd a'u clwyfo: *casualties*. Mae rhai ohonom, oedd yn byw yn y trefi mawr yn ystod y rhyfel diwethaf, yn gwybod yn dda am y *casualties* hyn. Am gyfnod maith fe ddeuai ton ar ôl ton o awyrennau'r Almaen dros Birmingham am 11 o'r gloch bob nos a gollwng eu bomiau'n gawodydd ar y ddinas. Yn y bore gellid gweld eu hôl: strydoedd cyfan wedi eu chwalu, dwsinau o bobl y ddinas wedi eu lladd neu eu clwyfo. Tra oedd hyn yn digwydd, roedd ein milwyr ni'n brwydro yn erbyn y gelyn ar y Cyfandir, yn Affrica ac India a Burma. Nid milwyr oedd y rhai a glwyfwyd ac a laddwyd ar strydoedd Birmingham, Llundain a Chaerdydd. Merched a phlant a hen bobl oedd y rhai a laddwyd ac a glwyfwyd ar ein strydoedd. A dyma sydd yn bwysig – nid oherwydd eu bod yn bobl ddrwg y cawson nhw eu lladd a'u clwyfo. Roedd y da a'r drwg yn dioddef effeithiau rhyfel. Doedd y dioddefaint ddim yn gysylltiedig â bod yn dda neu'n ddrwg.

Ac fel yna y byddaf yn ceisio esbonio, i mi fy hun, bethau fel cancr a chlefyd Alzheimer, plant bach yn marw yn y crud a'r pethau ofnadwy eraill hynny yr ydym yn tueddu i feio Duw amdanynt. Shrapnel sydd yn llifo o fomiau'r rhyfel sydd yn mynd ymlaen yn yr uchel leoedd rhwng y Da a'r Drwg sydd yn achosi poen a dioddefaint. Mae'r Arglwydd Iesu'n sôn yn aml am deyrnas nefoedd fel y lle neu'r stad honno a all ddod â llawenydd a thangnefedd i'n bywydau. Ond ddaw y deyrnas ddim hyd nes bydd y Rhyfel rhwng y Da a'r Drwg wedi dod i ben. Mae Duw felly yn ein hannog i weddïo am ddyfodiad y deyrnas hon, 'Deled dy deyrnas. Gwneler dy ewyllys.' Pan ddaw'r deyrnas, fe fyddwn yn gwybod fod pwerau drygioni wedi eu gorchfygu. Fe fydd y rhyfel wedi dod i ben, ac ni fydd na chancr, na chlefyd Alzheimer, na babanod yn marw yn y crud; fydd yna ddim *casualties* unwaith y daw y rhyfel yma i ben.

Ond gwylied neb rhag meddwl mai cymeriad cyhyrog, cynffonnog o wlad ffug ydi'r diafol. Gwylied neb rhag ei roi yn yr un categori â Santa Clôs a thylwyth teg y dannedd. Mae'r diafol mor real ag yw Duw. Mae hefyd yn ffiaidd, yn greulon ac yn ddidrugaredd. Mae'n rhyfela i ddileu teyrnas nefoedd; a'i ryfel ef sydd yn peri i ni, ddaearolion, ddioddef. Sant Paul ydi'r arbenigwr ar y rhyfel ysbrydol hwn. Mae o'n ein rhybuddio i beidio â sefyll yn llonydd, a'n cegau'n agored, yn syllu tua'r nefoedd a gwneud dim. Mae Sant Paul, fel yr Arglwydd Kitchener ar ddechrau'r ugeinfed ganrif, yn pwyntio atom yn ei epistolau ac yn dweud: 'Arfogwch eich hunain. Mae ar Dduw eich eisiau.'

> Gwisgwch holl arfogaeth Duw, fel y galloch sefyll yn erbyn cynllwynion diafol . . . Uwch law pob dim, wedi cymryd tarian y ffydd, â'r hon y gellwch ddiffoddi holl bicellau tanllyd y fall.

Mae gan gyfryngwyr a phobl sensitif eu ffyrdd eu hunain o weithio. Rydw i wedi gwylio rhai o'r bobl ddawnus hyn wrth eu gwaith yn gwrando ar y curiadau sydd yn dod iddynt o'r tu hwnt i'r llen. Maent hefyd yn gwybod am y peryglon. Maent bob amser yn falch o gael sgwrsio â phobl ddoe sydd wedi picio'n ôl i'r ddaear. Ond mae pob cyfryngwr yn gwybod fod yn rhaid bod yn hynod ofalus wrth fentro i'r gagendor. Mae pob cyfryngwr rydw i wedi ei gyfarfod yn derbyn geiriau'r Epistol yn hollol lythrennol:

Byddwch sobr, gwyliwch: oblegid y mae eich gwrthwynebwr diafol, megis llew rhuadwy, yn rhodio oddi amgylch, gan geisio y neb a allo ei lyncu.

I Pedr 5: 8

Mae'r bobl hyn yn gwybod o brofiad fod ysbrydion aflan yn gymysg ag ysbrydion pobl ddoe yn hofran yn y gagendor sydd rhyngom. Mae yna wahaniaeth: eneidiau ein hanwyliaid sydd wedi ein rhagflaenu i'r byd tu hwnt yw ysbrydion; gweision y diafol ydi'r ysbrydion aflan. Ysbrydion ydi'r rhain na fuont erioed yn fodau dynol. Dro ar ôl tro ar y radio, ac ar y teledu, mi rydw i wedi ceisio rhybuddio pobl ifanc, myfyrwyr yn neilltuol, i fod yn wyliadwrus ac i gadw i ffwrdd oddi wrth fyrddau Ouija a phethau tebyg. Nid tegan ar gyfer noson wlyb ydi bwrdd Ouija. Rydw i'n gwybod hynny oherwydd i mi orfod delio droeon â phobl ifanc oedd wedi cael eu dychryn hyd at ffitiau ar ôl gwrando ar y llais anghywir o'r gagendor. Ddwy noson ar ôl ei gilydd cefais fy ngalw ar y ffôn gan ddwy ferch o wahanol rannau o'r wlad oedd wedi cysylltu'n ddamweiniol ag ysbrydion aflan wrth chware efo byrddau Ouija. Alla i ddim disgrifio'r ofn oedd yn eu lleisiau ar y ffôn. Bu i ni adrodd ac ailadrodd Gweddi'r Arglwydd dro ar ôl tro ar ôl tro ar y ffôn hyd nes i ni fod yn berffaith sicr fod yr aflendid a'r budreddi wedi ymadael o'u cartrefi.

Ond sôn yr oeddem am y rhyfel yn y nefoedd. Mae'r rhyfel sydd yn mynd ymlaen yn yr Eglwys Anglicanaidd yn rhyfel tra gwahanol. Yn y *Sunday Express*, Mawrth 1995, y darllenais am y rhyfel hwn, sydd yn ymwneud â'r byd tu hwnt ac sydd hefyd yn ymwneud â'r rhyfel ysbrydol rydym newydd fod yn sôn amdano.

Bron gan mlynedd yn ôl, bu i'r Canon Scott Holland, canon yn Eglwys Gadeiriol Sant Paul, ysgrifennu soned am y byd a ddaw:

Death is nothing at all,
I have only slipped away into the next room.
Call me by my own familiar name.
Speak to me in the easy way which you always used.
I am I, you are you;
Whatever we were to each other, that we are still.
Put no difference in your tone.
Wear no false air of solemnity or sorrow.
Laugh as we always laughed at the little jokes we enjoyed
  together.
Play, smile, think of me. Pray for me.
Let my name be ever the household name that it was.
Let it be spoken without effect, without the ghost of a
  shadow on it.
Life means all that it ever meant.
It is the same as it ever was, there is absolutely unbroken
  continuity.
What is death but a negligible accident?
Why should I be out of mind because I am out of sight?
I am but waiting for you for an interval, somewhere very
  near just round the corner
– ALL IS WELL.

Ymddengys fod nifer o offeiriaid ifanc yr Eglwys Anglicanaidd yn defnyddio'r gerdd fach hon yng ngwasanaeth claddu swyddogol yr eglwys. Maent yn honni fod y geiriau'n dwyn cysur i'r galarwyr; ac rydw i'n siŵr eu bod yn iawn. Rydw i wedi clywed eu darllen sawl gwaith. Alla i ddim dweud fod yma'r math o farddoniaeth fuasai'n cipio'r goron yn y Genedlaethol; fuaswn i ddim chwaith yn dweud yr hoffwn glywed y gerdd yn cael ei darllen yn rheolaidd Sul ar ôl Sul. Ond mi alla i dderbyn eu bod yn eiriau a allai ddod â chysur i nifer fawr o'r bobl hynny sydd â dim ond rhyw grap ar yr hyn y gall dyn obeithio amdano ar ôl marwolaeth. 'Tydw i ddim ond rownd y gornel,' meddai'r Canon. 'MAE POPETH YN IAWN.'

Rhyw deulu bach, efallai, oedd heb weld y tu mewn i dŷ addoliad erioed yn eu bywyd yn eu cael eu hunain yng nghapel yr amlosgfa: dim syniad beth sydd yn mynd i ddigwydd yno nac ychwaith beth sydd yn mynd i ddigwydd i'w mam. Maent wedi ei hebrwng yma yn ei harch, yn fwy o ran confensiwn na dim arall. Mae'r syniad o uffern a damnedigaeth yn sicr o ddod i'w meddyliau. Tydi'r syniad o nefoedd ddim yn dod â llawer o gysur chwaith. Hyd yn oed pe bai eu mam yn cael cyrraedd y fan honno, fuasai dim modd ei gweld byth eto ynghanol y torfeydd sydd yn sicr o fod wedi casglu yn y fan honno dros y canrifoedd.

Yna daw'r geiriau newydd hyn na chlywson nhw mohonynt o'r blaen: 'Tydi marwolaeth yn ddim byd. Dim ond wedi picio i'r ystafell nesaf rydw i'. Ac yna mae'r person ifanc yn mynd ymlaen i sôn am fynd rownd y gornel a bod popeth yn iawn fel yr oedd erstalwm. Dyma eiriau werth gwrando arnynt.

Rydw i wedi sefyll yn y ddarllenfa yn yr eglwys ac yn yr amlosgfa ddwsinau o weithiau yn darllen geiriau gwasanaeth claddu'r eglwys:

> Dyn a aned o wraig sydd â byr amser iddo i fyw, ac sydd yn llawn trueni. Y mae ef yn blaguro fel llysieuyn ac a dorrir i lawr, ac a ddiflanna fel cysgod ac ni saif.

> Yng nghanol ein bywyd yr ydym mewn angau: gan bwy mae i ni geisio ymwared ond gennyt ti, O Arglwydd, yr hwn am ein pechodau wyt yn gyfiawn yn ddigllon . . . Na ollwng ni i ddygn chwerwaf boenau angau tragwyddol.

Bellach, rwyf wedi rhoi'r gorau i ddyfalu sut yn y byd mae'r eglwys yn disgwyl i'r rhai sydd yn dod i gladdu tad neu fam neu blentyn bach gael ceiniogwerth o gysur, na llewyrch o obaith, oddi wrth eiriau fel hyn. A phwt barddoniaeth Scott Holland? Wel, o leiaf mae hwn yn rhywbeth mae pobl yn gallu ei ddeall ac rydw i'n siŵr mai geiriau Scott Holland ac nid 'yng nghanol ein bywyd yr ydym mewn angau' y bydd y galarwyr yn eu cofio ar ddiwedd dydd yr angladd.

Ond mae'r *Sunday Express* yn honni fod y Parch. John Cheeseman, Cadeirydd Cymdeithas yr Eglwys, yn dweud na ddylid defnyddio'r geiriau hyn. 'Ni ddylid eu defnyddio,' meddai, 'am eu bod yn debyg o roddi ffug obaith i lawer o bobl. Mae'n debyg bod y geiriau hyn eisoes wedi gwneud llawer o ddrwg trwy droi meddyliau pobl oddi wrth wirionedd yr efengyl.' Aiff yn ei flaen i ddweud: 'Efallai'n wir fod y geiriau yn rhai braf a chysurus ond maent yn awgrymu fod popeth yn iawn pan nad ydi popeth yn iawn efallai, a bod yr un sydd yn cael ei gladdu ar ei ffordd i uffern.'

Mae'r Parch. David Streater, Cyfarwyddwr Cymdeithas yr Eglwys, yn mynd gam ymhellach. Dywed ef: 'Mae hyn yn croesddweud dysgeidiaeth syml Cristnogaeth. Nid rhywbeth ysgafn ydi marwolaeth, fe all marwolaeth fod yn rhywbeth erchyll iawn.' (*Horrendous* ydi'r gair a ddefnyddir ganddo.)

Mae'r syniad hwn o farwolaeth fel rhywbeth erchyll, a'r posibilrwydd o ddisgyn i bwll uffern, yn gwneud i mi ddechrau pryderu beth sydd yn mynd i ddigwydd i 'Myfi, Aelwyn' druan ar ôl iddo fo groesi. Ond all yr hyn mae'r ddau ddyn hyn yn ei ddweud ddim bod yn wir. Nid fel yna y deallais i am y byd tu hwnt gan y rhai oedd wedi mynd o'm blaen. Roedd yr ysbrydion y bu i mi eu cyfarfod yn tystio fod Scott Holland yn nes at y gwirionedd.

Mae gan y Canon un pleidiwr enwog sydd yn ei gefnogi, sef Iestyn Ferthyr – un o dadau'r Ffydd. Yma rhaid esbonio fod yr Eglwys ar hyd y canrifoedd wedi rhoi bron cymaint pwyslais ar ddysgeidiaeth y Tadau Cynnar ag a roddid ar y Beibl. Mae ysgolheigion drwy'r canrifoedd wedi gofyn, 'Beth sydd gan y Tadau Cynnar i'w ddweud am hyn?' Mae mwy o sylw wedi ei roi i'w dysgeidiaeth nhw nag i ddysgeidiaeth esgobion, na hyd yn oed i ddysgeidiaeth y Pab. A pho gynharaf dyddiad geni'r Tadau hyn, y mwyaf o goel a roddid ar eu dywediadau, oherwydd roedd gan y Tadau Cynnar yr awdurdod o fod bron wedi cydoesi â Christ ei hun. Un felly oedd Iestyn Ferthyr a aned yn 150 OC. Dyma ei eiriau anghyffredin ef: 'Nid yw'r rhai sydd yn dysgu fod eneidiau'r meirw yn mynd yn unionsyth i'r nefoedd yn haeddu cael eu galw'n Gristnogion. Nid ydynt hyd yn oed yn haeddu cael eu galw'n Iddewon.' Ymddengys felly fod gennym ddewis. Gallwn dderbyn yr hyn mae'r Parchedigion Cheeseman a Streater yn ei ddweud, sef bod y meirw'n mynd yn union i'r nefoedd neu i uffern; neu fe allwn dderbyn tystiolaeth y Tad Iestyn Ferthyr, sydd yn dweud nad ydi'r bobl sydd yn dweud y fath beth yn haeddu cael eu galw'n Gristnogion na hyd yn oed yn Iddewon. Mae'n wir fod Eglwys Loegr yn eglwys lydan ei daliadau, ond mae'n gwestiwn gen i ydi hi'n ddigon llydan i gynnwys dysgeidiaeth y Parchedig Cheeseman a hefyd y Tad Iestyn Ferthyr.

Ond nid Eglwys Loegr ydi'r unig eglwys sydd yn cael problem efo'r busnes yma o 'nefoedd ac uffern a pharadwys yn y canol'. Mae Eglwys Rufain hefyd yn dysgu'r un peth am nefoedd ac uffern ond mae eu 'lle canol' nhw'n creu mwy o broblemau na hyd yn oed paradwys yr Anglican. Purdan ydi'r lle aros yn ôl Rhufain, lle heb fod hanner mor gyfforddus â pharadwys.

Does dim amheuaeth nad yw'r gymysgedd a'r anhrefn hwn yn nysgeidiaeth yr eglwys wedi hau, ym meddyliau ei phobl, ofn marwolaeth ac ansicrwydd am y byd nesaf neu, yn waeth na hynny, amheuaeth a oes yna fywyd nesaf o gwbl. Fe ddywedodd un o olygyddion y *Daily Post* wrthyf dro yn ôl iddo ddod ar draws pôl piniwn oedd wedi ei gynnal ymysg rhai oedd yn galw eu hunain yn Gristnogion ac yn addolwyr gweddol selog o Sul i Sul. Gofynnwyd iddynt beth oeddynt hwy yn ei dybied oedd yn mynd i ddigwydd iddynt ar ôl marw. Fe atebodd 30% ohonynt nad oeddynt yn credu fod yna atgyfodiad i fywyd arall – ac roedd y rhain yn honni eu bod yn Gristnogion!

Rydw i'n cofio Vincent Kane, holwr chwilgar y BBC, yn dod i roi cyfweliad i mi yn y ficerdy. Y peth roedd o eisiau ei wybod yn fwy na dim oedd pam yr oeddwn i, offeiriad yn yr Eglwys, yn dweud ar goedd nad oeddwn yn credu yn y syniad o nefoedd ac uffern. Rydw i'n berffaith sicr fod nifer mawr yn meddwl yr un fath ag o. Erbyn heddiw mae'r syniad yma o nefoedd ac uffern, a man aros yn y canol, wedi ei gerfio mor ddwfn yn ein meddyliau fel ei bod yn anodd i ni feddwl mewn unrhyw ffordd arall.

Mae'r Eglwys yng Nghymru wrthi'n llafurio drwy gyfnod o ddegawd efengyleiddio, ond er hyn does 'na ddim byd newydd ar sut le sydd i'w gael yr ochr arall i'r Iorddonen. Ac os bydd rhywun yn ddigon hy â gofyn, mae yna ddigon o'r hen atebion parod ar gael. Cwestiwn: 'Ble mae ein hanwyliaid heddiw?' Ateb: 'Maent yn gorffwys yn yr Arglwydd.' Ac mae'r plant bach sydd wedi marw i gyd 'efo'r Iesu'. Mae'r beirdd hefyd yn eu marwnadau yn sôn am y cwsg sydd i ddod inni drwy farwolaeth, 'Cwsg, Goronwy Wyn'. Os digwydd i rywun fod yn ddigon hy â hawlio gwell ateb na'r un cysgu yma, yna mae un i'w gael. Ar ôl marw, mae'r enaid yn mynd i fan aros rhwng nef ac uffern. Erys yma hyd Ddydd y Farn ar ddiwedd y byd. Ar Ddydd y Farn caiff pawb wybod ei ffawd. Fe anfonir y drygionus i uffern i ddioddef am eu pechodau hyd dragwyddoldeb, ac fe anfonir y rhai a wnaeth ddaioni i'r nefoedd i fwynhau eu gwynfyd hyd dragwyddoldeb.

Does yna ddim awgrym fod yna gyfle i'r meirw wella eu

hunain a chynyddu yn yr ysbryd tra byddant ym mharadwys. Edrychir ar fywyd ar y ddaear fel un arholiad mawr. Marwolaeth ydi'r adeg pan fydd yr Arolygwr Mawr yn dweud wrthym am roddi ein beiros i lawr a pheidio â sgwennu gair yn rhagor. Fe gesglir y papurau a'u hanfon i'w hasesu ar ddydd ein marwolaeth ac fe gyhoeddir y canlyniadau ar Ddydd y Farn. Ond ymddengys fod yna gyfnod hynod o hir rhwng dydd casglu'r papurau a'r dydd y rhoddir y feirniadaeth. Cyfnod ydi hwn o ddydd ein marw hyd dragwyddoldeb. Cyfnod y cysgu a'r gorffwys mewn hedd ydi hwn ac mae'n para am amser maith, maith, maith.

Ond na, tydi hyn ddim yn rhesymu teg. Mae hyn yn cymysgu rhesymeg daear a rhesymeg nefol. Mae yna esboniad i'r disgwyl hyd dragwyddoldeb yma. Er ei fod yn esboniad sy'n rhoi llawer o gysur i mi, mae'n rhaid i mi gyfaddef nad wyf wedi gallu ei drosglwyddo i neb arall o bulpud na dosbarth conffyrmasiwn. Ond efallai y bydd yn haws wrth i bobl ei weld ar dudalennau llyfr. Dyma fo: Mae ein meddyliau a'n ffyrdd ni, ddaearolion, o rannu amser yn wahanol i rai'r meirw. Allwn ni, ddaearolion, ddim meddwl am amser ac eithrio o fewn termau 1) Yr hyn sy'n digwydd yn y PRESENNOL, 2) Yr hyn a ddigwyddodd yn y GORFFENNOL, 3) Yr hyn a fydd yn digwydd yn y DYFODOL. Ond mae Duw a'i angylion a'r rhai oll sydd wedi ymadael â'r fuchedd hon yn byw yn y PRESENNOL TRAGWYDDOL, lle nad oes na gorffennol na dyfodol. Am fod Duw yn bodoli yn y Presennol Tragwyddol mae felly yn gallu fy ngweld i, y funud hon, ar eiliad fy ngeni a hefyd, ar yr un amser, yn gorwedd yn yr hen arch yn y fan acw. Mae'r presennol a'r gorffennol a'r dyfodol i gyd yn un i'r un sydd yn byw yn y Presennol Tragwyddol. Am ryw reswm mae yna glo ar feddyliau daearolion fel na allant weld y tri amser yr un pryd. Mae'r clo hwn yn debyg i'r 'rheolwr' ym myd peirianneg. Pan roddir 'rheolwr' ar injan bws neu lorri, mae'n golygu na all fynd yn gyflymach na rhyw gyflymder neilltuol. Mae'r 'rheolwr' ar beiriannau trydan yn eu hatal rhag gorboethi a llosgi eu hunain allan. Yn y broses o farw, mae 'rheolwr' ein meddyliau yn cael ei dynnu i ffwrdd. Felly tydi'r meirwon sydd bellach yn trigo yn y Presennol Tragwyddol ddim yn gorfod aros yn hir cyn cyfarfod eu hanwyliaid ar y ddaear – y ni, ddaearolion, sydd yn gorfod hiraethu i'r dyfodol.

Rwy'n sicr, pan fydd y plant yma wedi gorffen gwneud y trefniadau a phan fydd y gwaith papur wedi ei wneud a phan gaiff y ficer druan hanner awr o egwyl i ddod i ddarllen y gwasanaeth, yr ân nhw â fi i'r eglwys i'm claddu. Wedyn bydd raid i minnau ddechrau dygymod â'r Presennol Tragwyddol yma. Mi fydd trosi o drefn Presennol–Dyfodol–Gorffennol i'r Presennol Tragwyddol, efallai, yn fwy o gamp nag oedd newid i'r system fetrig o gyfrif. Ond ar ôl meistroli'r system newydd yma, mae yna wobr werthfawr i'w chael. Fydd dim rhaid i mi hiraethu ac aros yn hir cyn cyfarfod yr anwyliaid yr wyf wedi eu gadael ar y ddaear, oherwydd yn y Presennol Tragwyddol fe fyddant hwy i gyd gyda mi yn y lle yr wyf yn mynd iddo – mi fydd hyd yn oed fy wyrion wedi cyrraedd. Ac, wrth gwrs, fydd yna ddim hir ddisgwyl ychwaith i'r dyfodol pell am Ddydd y Farn. Yn y Presennol Tragwyddol mae Dydd y Farn yn digwydd heddiw. Rwy'n gwybod fod hwn yn syniad anodd – un sydd yn codi cur yn y pen os aiff rhywun ormod ar ei ôl – ond mae o'n syniad sydd yn dod â llawer o gysur.

Dro ar ôl tro, pan fydd pobl yn dweud rhywbeth sydd braidd yn syfrdanol, fe'u clywch yn ychwanegu rhywbeth fel 'Tydw i ddim yn cofio lle darllenais i hynna' neu 'pwy ddywedodd hynna wrthyf'. Ond rydw i mor sicr o'r atgyfodiad fel fy mod eisoes yn edrych ymlaen at gael cyfarfod unwaith eto â 'nhad a'm mam a'm hen gyfeillion, a'm cael fy hun mewn lle (waeth gen i beth yw ei enw) lle caf ddal i sgwrsio a dal pen rheswm, a chael dal i weithio ac nid syrthio i ryw drymgwsg rhyfedd. Cael mynd i fan lle bydd cyffro tangnefeddus. Does dim rhaid i mi grafu 'mhen a gofyn pwy a ddysgodd y pethau hyn i mi. Fy nghyfeillion, yr ysbrydegwyr, a ddysgodd y pethau hyn i mi. Yr ysbrydegwyr hefyd a ddangosodd i mi fod yna ddigon o gyffro i'w gael yn y byd nesaf.

Mae'r bobl hyn yn brolio fod ganddynt y ddawn neu'r rhodd o 'wahaniaethau ysbrydoedd' – rhodd a roddwyd i'r Eglwys Fore ond sydd bellach wedi ei hesgeuluso a'i cholli ers canrifoedd.

Mae yna orfodaeth ar esgobion yr Eglwys Anglicanaidd i ymweld â phob eglwys yn eu hesgobaeth o leiaf bob tair blynedd. Yn ystod yr ymweliadau esgobol hyn, gofynnir i wardeiniaid y plwyf roi cyfrif i'r esgob o holl fuddiannau a thrysorau'r plwyf. Ond erbyn heddiw yr hyn sydd yn digwydd ran amlaf ydi fod y warden yn dod â'r llyfr sy'n cynnwys rhestr o fuddiannau'r plwyf gerbron yr esgob, a'r llyfr hwnnw wedi ei agor yn barod ar y dudalen ôl. Yna fe gymer yr esgob ei stamp esgobol a'i osod ar y dudalen o'i flaen. 'Archwiliwyd, Ymweliad Esgobol 1998'. Pe bai lleidr wedi dwyn unrhyw beth yn ystod y flwyddyn, fuasai neb ddim callach.

Ond y rhestr buddiannau rwyf fi'n hoff ohoni ydi rhestr Sant Paul o'r buddiannau a'r doniau oedd gan yr Eglwys Fore yn y ganrif gyntaf ac sydd i'w gweld yn y deuddegfed bennod o'i lythyr cyntaf at y Corinthiaid: 'Eithr am ysbrydol ddoniau, frodyr, ni fynnwn i chwi fod heb wybod'. Yna mae'n mynd ymlaen i enwi'r gwahanol ddoniau a roddwyd i'r eglwys gan yr Ysbryd Glân: ymadrodd doethineb, ymadrodd gwybodaeth, ffydd, iacháu, gwneuthur gwyrthiau; proffwydoliaeth, gwahaniaethu ysbrydoedd, amryw dafodau a chyfieithiad tafodau. Mae gen i ofn fod esgobion y gorffennol wedi bod yn gwneud yr un peth i restr Sant Paul ag y mae esgobion presennol wedi bod yn ei wneud i restrau'r wardeiniaid plwyf, 'Archwiliwyd yn y 6ed ganrif a chaed yn gywir', '7fed ganrif,' '20fed ganrif a chaed yn gywir . . .' Pe baent wedi edrych yn fanylach fe fuasent wedi gweld fod llawer o'r doniau oedd ar restr Sant Paul wedi mynd ar goll dros y canrifoedd.

Mae'r hen Eglwys wedi dal ei gafael yn y rhodd o ddoethineb. Mae hi'n gwneud camgymeriadau ac mae hi'n aml yn fflapio fel hen iâr yn gori, fel, yn wir, y gwnaeth wrth drin cwestiwn ordeinio merched ac ailbriodi cyplau ar ôl ysgariad ond yn y diwedd, rywsut neu'i gilydd, mae popeth i'w weld yn syrthio i'w le. Mae'r Eglwys hefyd wedi dal ei gafael yn y rhodd o wybodaeth ac wedi ei bendithio â nifer fawr o ysgolheigion ymhlith ei harweinwyr. Ar ôl treulio oes yn y weinidogaeth, rwyf hefyd yn berffaith sicr fod y rhodd o ffydd o hyd yn cael ei phriod le. Petawn i'n cael bod yn Bab yn Rhufain am ddiwrnod ac yn cael yr hawl dwyfol i ganoneiddio fy nghyd-ddynion, fyddwn i ddim yn cael unrhyw anhawster i ddod o hyd i enwau nifer o'm cyd-offeiriadon a wardeiniaid ac organyddion a darllenwyr lleyg sydd wedi rhoi gwasanaeth ffyddlon i'w Harglwydd ar hyd eu hoes.

Yn anffodus, mae'r rhodd o iacháu wedi ei cholli ers canrifoedd lawer. Ond mae yna arwyddion fod y gwahanol eglwysi'n dechrau gweld y golled a chodi'r darnau. Tu allan i fwy a mwy o dai addoliad fe welir, erbyn hyn, rywbeth fel 'Nos Fercher am 7 p.m. Cylch Iacháu'.

Ond mae'r rhodd o broffwydo, y mae cymaint sôn amdani yn yr Hen Destament a'r ddawn roedd ein Harglwydd yn ei defnyddio mor naturiol tra oedd yn ein plith, wedi diflannu. Ac nid yn gymaint wedi diflannu, ond does neb yn ymddangos fel petai wedi gweld ei cholli. Yn waeth na hynny, mae rhai o'r brodyr wedi dod i edrych ar broffwydo fel dweud ffortiwn y sipsi, rhywbeth sy'n ffinio ar fod yn bechadurus. Mae'n anodd gen i gredu fod yna bregethwr yr efengyl o unrhyw enwad fuasai'n meiddio pregethu am y ffordd yr arferai Iesu Grist ddefnyddio'i ddawn o broffwydo a'r gallu oedd ganddo i weld i'r dyfodol. Rydw i wedi gweld rhai sy'n meddu ar y rhodd hon o weld i'r dyfodol, *clairvoyants*, yn gallu rhoi nerth i rai gwangalon ddechrau ymddiried ynddynt eu hunain a helpu eraill i ddechrau meddwl drostynt eu hunain. Pwy a ŵyr, efallai ym mhen amser y cawn weld y clerigwyr a'r gweinidogion hynny sydd yn hidlo'r domen i geisio dod o hyd i ragor o ddarnau o'r ddawn i iacháu yn codi hefyd ddernyn neu ddau o'r ddawn i broffwydo.

Ond wfft i'r ddawn o wahaniaethu ysbrydoedd, y rhodd oedd yn cael ei defnyddio mor syml ac mor naturiol gan yr Eglwys Fore: y ddau ddisgybl ar eu ffordd i Emaus yn rhuthro'n ôl i ddweud wrth eu cyfeillion yn yr oruwchystafell eu bod wedi gweld ysbryd yr Arglwydd yn nhoriad y bara; y disgyblion yn dod o'r cwch i fwyta brecwast o'r pysgod roedd ysbryd yr Arglwydd Iesu wedi ei goginio iddynt; y pum cant oedd yn tystio eu bod wedi ei weld wythnosau ar ôl ei farw. Pe baent yn tystio i hynny heddiw, mi fuasai yna nifer fawr o weinidogion yr efengyl yn barod i'w ceryddu a'u perswadio nad yr Iesu roeddynt wedi ei weld yn nhoriad y bara, ar lan y môr ac yn esgyn i'r nefoedd, ond y diafol mewn cuddwisg. Rhaid i mi gyfaddef nad ydw i wedi derbyn unrhyw gondemniad o fath yn y byd gan fy nghyd-offeiriaid na'm cyd-eglwyswyr am geisio gwahaniaethu ysbrydion. Ac mae nifer dda o esgobion hyd yn oed wedi cyfeirio traed sawl un oedd yn ymgodymu ag ysbryd tuag at ficerdy Llandegai. Ar ddechrau fy ngyrfa fel is-ganon yn Eglwys Gadeiriol Bangor, yr esgob oedd y gŵr hynaws, hyfryd hwnnw,

John Charles Jones. Ar ôl i mi fod mewn tŷ ysbryd, byddai gwahoddiad i mi fynd i Dŷ'r Esgob y noson wedyn i ddweud yr hanes wrth yr esgob a'i wraig. Credaf mai ychydig iawn o berswadio fyddai ei angen cyn y buasai'r Esgob J.C. wedi bod hefo ni yn gwahaniaethu ysbrydion.

Mae yna esgobion eraill, dewr eu calonnau, yn Eglwys Loegr. Maent yn cydnabod fod yna broblem a bod yna bobl sydd yn byw bywyd anhapus oherwydd ymyrraeth rhyw fod neu fodau o'r byd arall. Mae llawer o'r esgobion hyn wedi ethol un neu ddau o arbenigwyr yn eu hesgobaeth i ddelio â'r problemau hyn. Ond trueni fod nifer o'r arbenigwyr yma wedi dewis eu galw eu hunain yn *diocesan exorcists*. Un sydd yn bwrw allan ydi *exorcist*, ac mae'r teitl *exorcist* yn rhoi rhyw fath o ddarlun i mi o offeiriad mawr clogyrnaidd yn cario andros o groes fawr yn ei law ac yn brasgamu i'r tŷ gan weiddi fel y clywo pawb yn y stryd, 'Yn enw Iesu Grist, rydw i'n gorchymyn i ti, ysbryd aflan, ymadael â'r tŷ hwn.' Rydw i'n sicr y byddai'r fath berfformiad yn brifo teimladau llawer o bobl ddoe yr ydw i wedi eu cyfarfod. Mi fuasent yn ei gymryd yn sarhad i gael eu galw'n 'ysbrydion aflan', yn enwedig gan weinidog yr efengyl. Ac am y geiriau 'gadael y tŷ hwn', mi fyddai nifer ohonynt wedi byw yn y 'tŷ hwn' am lawer mwy o flynyddoedd na'r trigolion presennol.

Mae'r eglwysi i gyd wedi colli'r ddawn o wahaniaethu ysbrydion. Ar ôl colli rhywbeth gwerthfawr bydd pawb yn mynd i chwilio amdano er mwyn dod o hyd iddo drachefn. Ond tydi'r eglwysi, hyd yn hyn beth bynnag, ddim yn gwneud unrhyw ymdrech yn y byd i ddod o hyd i'r hen ddawn o 'wahaniaethu ysbrydoedd' a fuasai'n eu galluogi i ddod â chymaint cysur i'r rhai sydd ag ofn ysbryd ac ofn marw – dawn hefyd a ddeuai â chysur i'r unig ac i'r galarus. Ond dyna ni, ar ôl cymaint o amser, pe bai'r eglwys yn dod o hyd i'r ddawn ryfedd yma, efallai na fuasai'n gwybod sut i'w defnyddio. A dyna pam y gwelwch chi, ond i chi gadw'ch llygaid yn agored, gynifer o ddynion a merched, aelodau selog yn ein capeli a'n heglwysi, ac yn enwedig rhai unig a rhai sydd wedi dioddef profedigaeth, yn ei throedio hi dipyn yn swil i seans nos Fercher neu seans nos Iau yng nghhapel yr ysbrydegwyr.

Fy Nghyfeillion, yr Ysbrydegwyr

Mae yna ddwy gangen o ysbrydegwyr, sef y Gymdeithas Gristnogol Fyd-eang, cangen sydd wedi ei gwreiddio ar seiliau Cristnogol, ac Undeb Cristnogol yr Ysbrydegwyr, nad yw'n hawlio bod yn Gristnogol ei ddaliadau ond sydd â'r rhan fwyaf o'i haelodau'n proffesu'r ffydd Gristnogol. Efo'r ysbrydegwyr Cristnogol mae fy nghysylltiadau i wedi bod, a gwaith y gangen hon y byddaf yn ei ddisgrifio.

Yn y cyfnod pan oeddwn yn casglu gwybodaeth ar gyfer fy llyfr *Yr Anhygoel* (*The Holy Ghostbuster*), sawl blwyddyn yn ôl, y deuthum i gysylltiad â'r ysbrydegwyr. Penderfynais ar y cychwyn fod y llyfr yma ar yr anhygoel i gynnwys y pethau roeddwn i wedi eu gweld ac wedi eu clywed â'm llygaid ac â'm clustiau fy hunan, ac nid storïau a phrofiadau pobl eraill. Roeddwn, er enghraifft, wedi clywed sôn am Mrs Winnie Marshall ym Mae Colwyn a'i bod yn hynod fel *clairvoyant* a *psychometrist* (geiriau crand am wraig dweud ffortiwn) a hefyd am ei dawn i iacháu. Allwn i ddim credu ei bod yn bosib i neb weld i ddyfodol nac i orffennol pobl eraill. Pethau oedd yn breifat i mi oedd y rhain. Bryd hynny roeddwn yn credu fod yna rai pethau yn fy mywyd nad oedd ond Duw a minnau'n gwybod amdanynt. Deuthum allan o dŷ Winnie Marshall ar ôl y cyfweliad cyntaf wedi fy mherswadio fod yna dri, ac nid dau, yn gwybod am y pethau yma yn fy mywyd – Duw a minnau a Winnie Marshall. Fisoedd yn ddiweddarach roeddwn mewn strach: poen rhyfedd yn fy sawdl fel na allwn roi fy nhroed i lawr, a'r meddyg yn fy nghynghori i beidio â mynd i Wlad Groeg i gerdded y mynyddoedd ymhen tridiau fel roeddwn wedi bwriadu ei wneud. Dyma'i throedio unwaith eto i Fae Colwyn, ac ar un goes y tro hwn. Roeddwn yn dal yr awyren i wlad Groeg y dydd Iau canlynol heb unrhyw fath o boen na phryder, diolch i ddawn iacháu Winnie Marshall. Mynd wedyn i seans, neu wasanaeth, yr ysbrydegwyr dan arweiniad Bob Price i gael gweld drosof fy hun sut oedd y bobl yma 'yn gwahaniaethu ysbrydoedd'. Ers hynny, rydw i wedi gwneud ffrindiau efo dwsinau o'r bobl hapus yma. Mae yna ryw bendantrwydd yn perthyn iddynt. Maen nhw'n brolio eu bod yn gwybod i sicrwydd beth sydd yn digwydd ar ôl i ni farw. Ac maent yn honni fod iddynt dair ffordd o dderbyn gwybodaeth am y byd arall. Mae nifer fawr o ysbrydion, neu eneidiau'r ymadawedig, yn cysylltu â nhw ac yn dweud wrthynt am yr ail fywyd. Mae iddynt hefyd dystiolaeth eu harloeswyr a chewri eu ffydd: dynion fel Syr William Crookes a Syr Oliver Lodge, a chlerigwyr fel Stainton Moses, Maurice Elliot a Vale Owen. Ar ben hyn mae nifer fawr o eneidiau yr ochr draw sy'n rhoi eu holl amser i warchod drosom ni, ddaearolion, a hefyd i'n dysgu am yr hyn sydd yn ein disgwyl yn y byd a ddaw. Mae fy eglwys i yn ein dysgu fod yna angylion sanctaidd yn gwylio drosom; mae'r ysbrydegwyr yn dysgu fod yna ysbrydion gwarchodol (*spirit guides*) yn gwylio drosom. Swydd a galwedigaeth nifer fawr o eneidiau sydd yr ochr draw ydi dysgu daearolion am y pethau fydd yn dod i'w rhan ar ôl marw.

Os yw'r hyn a ddywed yr ysbrydegwyr yn wir, mai disgrifiad a roddir iddynt gan y rhai sydd yn byw yno yw eu disgrifiad nhw o'r byd nesaf, mae'n werth holi rhagor. Beth maen nhw'n ei ddweud sydd yn digwydd i ni ar ôl i ni farw? A dyma i chi ateb yr ysbrydegwyr. Pan fo dyn farw ac yn cau ei lygaid yn y byd, mae'n eu hagor mewn byd arall. Enw'r byd arall ydi Gwlad yr Hafau (*Summer Land*). Pan glywais yr enw yma gyntaf, allwn i ddim peidio â meddwl ei fod o'n swnio dipyn bach fel rhyw le ar ben draw pier Brighton, neu rhyw gilfach yn y Marine Lake yn y Rhyl. Yna fe ddechreuais ymarfer y gair a'i gysylltu â'm rhieni: 'Mae fy rhieni ym mharadwys,' 'Mae fy rhieni yn y purdan,' 'Mae fy rhieni yng Ngwlad yr Hafau'. Roedd yna ryw gynhesrwydd yn dod drosof wrth feddwl eu bod yng Ngwlad yr Hafau. Beth bynnag, yn y wlad newydd hon mae yna seibiant i ddyn gael ei wynt ato. Ac mae holl grefyddau'r byd yn dweud yr un peth.

'Beth am Ddydd y Farn yn y lle hyfryd hwn?' meddwn innau. 'Does yma ddim un Dydd y Farn penodedig,' meddai fy ffrind. Yng Ngwlad yr Hafau, fel y buasai rhywun yn ei ddisgwyl, mae yna fannau hyfryd tangnefeddus i eneidiau fyw ynddynt. Ond mae yma hefyd, yn ôl yr ysbrydegwyr, ardaloedd isel a di-chwaeth, ardaloedd lle mae pechod a llygredd yn ffynnu. Mae nifer dda o eneidiau, ar ôl croesi, yn dewis mynd i fyw i'r ardaloedd hyn. Does neb yn eu hanfon nac yn eu gorfodi. Dyma'r math o fywyd roeddynt wedi ei fwynhau ar y ddaear a dyna'r math o le mae'r eneidiau yma'n teimlo'n hapus ynddo. Ond, a dyma'r gwahaniaeth, os bydd i unrhyw un o drigolion yr isel leoedd yng Ngwlad yr Hafau ddechrau syrffedu ar lygredd a budreddi ei awyrgylch, a dymuno symud oddi yno, yna mae nifer o eneidiau gwarchodol yn barod ac yn abl i'w helpu. Mae llysoedd barn Gwlad yr Hafau yn gweithio'n feunyddiol; a phob enaid yn rhydd i farnu ei fuchedd ei hun.

Hyd heddiw rwy'n cofio'r dagrau'n llifo y noson ofnadwy cyn diwrnod cynta'r tymor, ar ddechrau fy ngyrfa yn *Standard One* yn yr ysgol fawr, ar ôl dwy flynedd yn ysgol y babanod. Roedd y plant mawr wedi dweud wrthyf fod yn rhaid i bob un oedd yn mynd i'r dosbarth cyntaf fod yn gwybod eu tablau i fyny at *two times six*, ac roeddent wedi dweud hefyd y byddai Miss Jones *Standard One* yn rhoi cansen ar law pob plentyn nad oedd yn gwybod ei *two times six*. A dyna lle roeddwn i, o fewn oriau i gael fy ngwthio dros drothwy'r ysgol fawr, heb fod yn rhy siŵr hyd yn oed o'm *two times two*.

Sawl gwaith ar ôl hyn, rydw i wedi eistedd wrth wely angau teulu a chyfeillion a phlwyfolion, ac wedi edrych ar nifer ohonynt yn brwydro rhag croesi. Gofyn i mi fy hun tybed oeddynt hwythau wedi sylweddoli hefyd nad oeddynt wedi dysgu eu *six times table* yn ysgol y babanod ar y ddaear cyn symud i *Standard One* yn yr ysgol fawr yr ochr draw. Ond mae fy nghyfeillion unwaith eto yn rhoi i mi gysur. Does dim angen bod ag ofn, meddent hwy. Does yna ddim Miss Jones *Standard One* efo cansen yn ei llaw yn yr uchel leoedd.

Yn naturiol, fe ddylem wneud pob ymdrech ar y ddaear i ymgyrraedd at ryw fath o safon foesol. Ond i'r rhai sydd yn methu, mae yna ysgolion yr ail gynnig i'w cael – rhyw fath o golegau Harlech.

Flynyddoedd yn ôl, arholiad mawr bywyd oedd arholiad yr 11+. Bellach mae addysgwyr yn condemnio'r drefn o benderfynu dyfodol plentyn ar ganlyniad un arholiad ar gychwyn gyrfa. Ond addysgwyr secwlar sydd yn dweud hyn. Mae diwinyddion yn cadw o hyd at yr hen syniad fod un arholiad yn ddigon i benderfynu dyfodol dyn hyd dragwyddoldeb. Mae'r eglwys Gristnogol fel rhyw arolygwr mewn arholiad yn dweud wrtha i yn awr ar ôl i mi farw yn 79 oed, 'Mae amser yr arholiad drosodd. Rwyt wedi cael 79 o flynyddoedd i ysgrifennu dy bapur arholiad. Rho dy ysgrifbin i lawr ac na ysgrifenna air yn rhagor.' (Pe bai'n dod i hynny, doedd y gŵr a ddechreuodd ei yrfa yn ysgol Maenofferen, Blaenau Ffestiniog, yn sgrifennu ar lechen las o chwarel yr Oakley, ddim yn defnyddio ysgrifbin y blynyddoedd diwetha 'ma. Roedd ganddo bellach gyfrifiadur a 'Ffenestri 95' a Chysill.) Felly 'diffodd dy gyfrifiadur' ydi'r gorchymyn, 'a gad i ni weld beth wyt ti wedi ei gyflawni mewn 79 o flynyddoedd. Dos i gysgu mewn hedd, hen ŵr, a phan ddaw Dydd Mawr y Farn ar ddiwedd y byd, fe roddwn i ti beth fydd dy ffawd ac i ble'r wyt ti i fynd, ai'r fan yma ynte i lawr fan draw.'

Ond nid fel hyn y mae pethau yng Ngwlad yr Hafau. Fe fydd yn rhaid i 'Myfi, Aelwyn', a gyfyngwyd am 79 mlynedd yn yr hen gorff sydd yn y fan acw, ddechrau penderfynu pa fath o waith rwyf am ei wneud yn y byd newydd hwn a pha fath o sgiliau newydd fydd raid i mi eu dysgu cyn cychwyn ar fy ngyrfa newydd. O! Coeliwch chi fi, rydw i'n gobeithio o waelod fy nghalon fod yr ysbrydegwyr yma'n iawn.

O leiaf, mae'r rhan fwyaf o grefyddau'r byd yn cadarnhau'r hyn y maent yn ei ddweud, fod yna saib bach rhwng y ddau fywyd. Roedd ein Harglwydd Iesu, ar ôl tri diwrnod yn y bedd, yn dweud wrth Mair, 'Na chyffwrdd â mi, canys nid wyf eto wedi esgyn at fy Nhad.' Mae mynachod Tibet yn awgrymu ein bod yn hofran rhwng y ddau fyd am 49 o ddyddiau.

Ar ôl seibiant, yn ôl y bobl yma sydd yn honni eu bod yn gwybod, mi rydym ni oll, y da a'r drwg, yn dod i'r math o le y bu i'r Arglwydd Iesu ei ddisgrifio i ni. Dim ond unwaith y bu iddo ddisgrifio'r byd arall, a dyma'i ddisgrifiad: 'Yn nhŷ fy Nhad y mae llawer o drigfannau: a phe amgen, mi a ddywedaswn i chwi. Yr wyf fi yn myned i baratoi lle i chwi.' (Ioan 14: 2)

Mae enwadau Cristnogion y byd yn defnyddio'r un Beibl ond mae eu hesboniadau o'i gynnwys yn gwahaniaethu'n fawr. Ystyr 'llawer o drigfannau' i'r eglwysi mawr ydi tri: y nefoedd, uffern, a pharadwys fel lle i aros yn y canol. Mae'r ysbrydegwyr yn derbyn y gair 'llawer' yn hollol lythrennol. Maent hwy'n credu fod yna, yn y byd tu hwnt, nifer fawr iawn (llawer) o wahanol drigfannau a bod y meirw newydd yn symud yn reddfol naturiol at y man sydd yn eu siwtio orau. Y nhw sydd yn dewis at ba drigfan i anelu. Ond mae yma hefyd gysylltiad â'r syniad o Karma'r Bwdist – ein bod hefyd yn medi yr hyn y boum yn ei hau. Y ffordd sydd ganddynt o ddisgrifio hyn ydi mai'r drigfan a fydd inni yn y byd tu hwnt fydd un a adeiledir â'r defnydd y bu i ni ei ennill tra oeddem ar y ddaear. Y peth pwysig am y syniad o Wlad yr Hafau ydi fod yma ddewis yn cael ei gynnig. Does neb yn cael ei wthio i'r man yma neu'r man arall. Y gair maent hwy yn ei ddefnyddio ydi *gravitate*, ein bod ni i gyd yn cyrchu at ein priod le. Mae'r sawl sydd wedi byw bywyd llygredig, budr ar y ddaear yn cyrchu'n naturiol i'r isel leoedd budr a llygredig yng Ngwlad yr Hafau am mai dyma'r unig fath o fywyd mae'n gwybod amdano ac yn ei fwynhau. Bydd eraill yn cyrchu at y math o fywyd roeddynt wedi ei ddymuno ar y ddaear a chael cymdeithas efo'r math o bobl roeddynt wedi mwynhau eu cwmni ar y ddaear ac felly'n eu cael eu hunain ymhlith teulu a chyfeillion eu bywyd daearol.

Rydw i'n cofio cael fy ngwahodd, rai blynyddoedd yn ôl, i gynhadledd o weithwyr cymdeithasol mewn gwesty eithaf crand. Fe gyrhaeddais tuag amser cinio, a gweld bod nifer o ddynion a merched oedd yn gwisgo bathodyn cynhadledd yn gwledda ar ginio bwffe ardderchog. Mi ddaru mi feddwl fod y math hwn o wledd yn rhywbeth na fuasai rhywun yn ei ddisgwyl mewn cynhadledd o weithwyr cymdeithasol, ond ta waeth fe deimlais fy hun yn cael fy nhynnu at y samwn a'r platiau o gig cranc. Roeddwn wedi troi fy sylw at yr *éclairs* hufen a'r *brandy snaps*, pan awgrymais wrth un oedd yn mwynhau ei hun wrth f'ochr fod y wledd hon yn well gwledd nag y buasai rhywun yn ei disgwyl mewn cynhadledd i weithwyr cymdeithasol gwirfoddol. 'Fy nghyfaill annwyl,' meddai fy ffrind, 'nid bwffe i weithwyr cymdeithasol ydi hon. Mae bwffe'r gweithwyr cymdeithasol yn y lolfa i lawr y grisiau. Bwffe i lawfeddygon yr NHS sydd yn y fan yma.' Bu bron i mi dagu ar fy *gateau* siocled.

Roeddwn i, rhywsut, wedi mynd i'r drigfan anghywir, ac erbyn hyn roeddwn yn teimlo'n hynod o anghyfforddus ac yn awyddus i ymuno â 'mhobl fy hun cyn gynted â phosibl. Er, chwarae teg iddyn nhw, roedd y llawfeddygon i gyd yn pwyso ar i mi orffen fy mhryd cyn ffarwelio â nhw.

Rwy'n sicr hefyd fod pobl sydd yn arfer ymweld â chartrefi henoed wedi sylwi fod yna ddwy lolfa yn y rhan fwyaf o'r llefydd hyn, sef y lolfa fawr a'r lolfa fach. Yn y lolfa fawr bydd y cadeiriau wedi eu gosod yn rhengoedd trefnus ar hyd muriau'r ystafell ac yn ystod y dydd fe fydd yna berchennog i bob cadair yn hepian ynddi. Ganol dydd fe ddaw gofalwraig i mewn a deffro perchenogion y cadeiriau a'u hebrwng i'r ystafell fwyta. Ar ôl cinio, pawb yn ôl i'w gadair i hepian yn hanner breuddwydiol, isymwybodol hyd amser te a hebryngiad arall i'r ystafell fwyta. Ond mae bywyd yn y lolfa fach yn hollol wahanol. Yma mae croeso i ymwelwyr a phobl a ddaw â thipyn o hanes rhywun sydd wedi sathru cynffon ei gi. Mae'r rhai sydd yn trigo yn y lolfa fach yn awyddus i gael y *Telegraph* yn y bore er mwyn gwneud y croesair. Mae yna dipyn o weu, a thipyn o grosio yn mynd ymlaen a nifer dda o lyfrau'n mynd yn ôl ac ymlaen i lyfrgell y dref.

Dro yn ôl cefais alwad ffôn o un o gartrefi'r henoed yn dweud y buasai Flo Litherland, 98 oed, yn falch o'm gweld. Flo Litherland oedd un o arweinwyr cyntaf yr Eglwys Ysbrydegol ym Mangor. Un o bobl lolfa fach Plas y Coed oedd Flo bryd hynny. Ar ôl fy nghyflwyno i'w chyfeillion, dyma'r hen wraig yn troi ataf yn ddiymdroi. 'Rydw i wedi eich gwadd i ddod i'm gweld,' meddai hi, 'am fy mod am ofyn cymwynas i chi. Pan fydda i farw, wnewch chi fy nghladdu i?' Fe edrychais arni am foment neu ddau heb ddweud dim. Yna, dyma fi'n cerdded at ei chadair a gafael yn ei llaw. 'Flo,' meddwn, 'mi fydd yn bleser o'r mwya gen i gael eich claddu.' Flo wedyn yn rowlio chwerthin a'i chyfeillion yn ymuno yn yr hwyl. Rydw i'n gwybod fod fy jôc fach i wedi cael ei hailadrodd ddwsinau o weithiau wrth ymwelwyr a fyddai'n mynd i'r lolfa fach.

Os byth y caf fy hun mewn cartref henoed, yna plîs, Arglwydd, paid â gadael i mi fod yn rhy 'ga-ga' i ffeindio fy ffordd i'r lolfa fach. Yr hyn rydw i'n ceisio ei bwysleisio ydi fod yna ddewis. Tydi metron yr un cartref yn dweud wrth y newydd-ddyfodiad, 'Mae'n rhaid i chi fynd i'r lolfa fawr, a chithau i'r lolfa fach.' Mae pob un o drigolion y cartref yn cael penderfynu drosto'i hun ym mha lolfa y bydd yn teimlo hapusaf – yr un drefn ag sydd yng Ngwlad yr Hafau.

Mae'r bywyd yno hefyd yn eithaf tebyg i fywyd ar y ddaear.

Mae 'na waith i'w wneud – does neb yn segur yma. I wneud y gwaith, mae'n rhaid dysgu sgiliau newydd ac adnewyddu hen fedrau. Mae yma hefyd ysgolion a cholegau ac mae angen athrawon bob amser; mae yma hefyd, medden nhw i mi, theatrau a meysydd chwarae, ac angen am actorion a chwaraewyr. Yn rhyfedd ddigon, mae yma hefyd ysbytai ac angen am feddygon a nyrsys. Mae angen yr ysbytai a'r meddygon am fod nifer o eneidiau, ar ôl croesi, yn dioddef oddi wrth sioc, ac mae eraill oedd wedi dioddef poenau dyddiol ar y ddaear neu wedi bod yn gripil neu'n ddall neu dan anfantais ers eu geni ag angen amser i ddod i sylweddoli nad ydynt bellach yn glaf nac yn rhwym i'w hen gyrff daearol gwael.

Roeddwn yn falch hefyd o gael clywed fod yna feithrinfeydd, ysgolion meithrin ac ysgolion cynradd yng Ngwlad yr Hafau. Ac mae hyn yn gwneud synnwyr. Mae yna gynifer o blant bach sydd wedi eu herthylu cyn hyd yn oed gael agor eu llygaid ar y ddaear, a phlant wedi marw yn y crud ac o ganlyniad i afiechydon eraill neu wedi eu lladd mewn rhyfeloedd a damweiniau cyn i'w personoliaeth gael ei foldio gan brofiad bywyd ar y ddaear. Yma, mae meddygon a gweinyddesau yn gofalu am y plant hyn, ac athrawon yn eu hyfforddi. A'r gwyliau hyn sydd yn cael eu haddo i'r rhai sydd newydd farw? Wel mae'n ymddangos, ar ôl edrych i mewn i bethau, fod y seibiant yma yn fwy o gyfnod o wneud penderfyniadau am y dyfodol na dim arall. Ar ôl cyrraedd Gwlad yr Hafau rhaid i bawb ddewis y math o waith mae'n awyddus i'w wneud a hefyd i ble i fynd i gael dysgu ei grefft. A barnu oddi wrth y ffordd mae'r ysbrydegwyr yn sôn am Wlad yr Hafau, fe ddylai fod yno hefyd andros o ganolfan waith yng nghanol y stryd fawr. Ond efallai mai'r, swydd sydd yn gofyn am fwyaf o hyfforddiant ydi'r gwaith o fod yn ysbryd arweiniol, sef cysylltu â chyfryngwyr y ddaear a'u dysgu am y wlad sydd o'u blaenau. Mae angen hefyd i nifer fawr gymryd eu hyfforddi i weithio fel ysbrydion gwarchodol. Mae eglwysi Cristnogol yn ein dysgu fod i ni, bob un ohonom, ei angel gwarchodol ei hun. Mae'r ysbrydegwyr yn dweud mai eneidiau rhai sydd wedi byw ar y ddaear ydi'r angylion maent yn eu galw yn ysbrydion gwarchodol. Mae gan Elwyn Roberts, fy ffrind, ddau ysbryd yn gwarchod drosto fo. Gŵr bonheddig o wlad China ydi un ohonynt: mwstás du, llipa fel tamaid o linyn, a phlethen o wallt du yn cyrraedd hanner y ffordd i lawr ei gefn. Ac rydw i wedi gweld y gŵr bach yma. Roeddwn yn siarad ag Elwyn un gyda'r nos ac yn codi fy mhen i edrych pa fath o ymateb oedd o'n ei ddangos i rywbeth roeddwn wedi ei ddweud a dyna lle roeddwn, yn lle edrych ar wyneb hawddgar Elwyn, yn edrych ar y dyn bach 'ma o wlad China yn gwenu arnaf. Ei ail warchodydd ydi clerigwr o'r bedwaredd ganrif ar bymtheg. Rydw i wedi dod i deimlo mwy a mwy yn ystod y blynyddoedd diwethaf 'ma mai fy nhad, William, ydi'r un sydd wedi cael y swydd amwys o edrych ar fy ôl i.

Rwy'n gallu derbyn yn hapus iawn fod yna rai, o ryw fodolaeth arall, yn gwylio drosom – ond mae'n ddirgelwch i mi sut mae'r person daearol a'i warchodydd ysbrydol yn cael eu cyplysu â'i gilydd. Pa gysylltiad all fod rhwng Elwyn a'r gŵr bach siriol ei olwg o China, neu Elwyn yr anghyffurfiwr ag offeiriad o Eglwys Loegr? Yn ddiweddar roeddwn mewn ffermdy yn y Bala. Heb rybudd o fath yn y byd fe ymddangosodd ysbryd yn ein plith – ysbryd yr oeddem i gyd yn gallu ei weld – a chyflwyno ei hun i ni fel ysbryd gwarchodol gŵr y tŷ. Yn ddiweddarach daethom i adnabod ysbryd gwarchodol Rhodri fel Gwilym Mersia, Esgob Caerfaddon a Wells a ffrind i Llywelyn ein Llyw Olaf. Alla i byth â deall sut y bu i Rhodri, sydd yn ffermio yn y Bala, ddod i gael esgob, ac uchelwr o'r drydedd ganrif ar ddeg, yn warchodydd. Ond dyna pwy ddywedodd yr esgob oedd o. Rwy'n cofio hefyd i mi ddod ar draws merch ifanc a oedd, yn ddiarwybod iddi ei hun, yn meddu ar bwerau cyfryngol hynod o gryf. Ei hysbryd gwarchodol hi oedd offeiriad o Eglwys Uniongred y Dwyrain, oedd yn cael dipyn o drafferth siarad Saesneg, a heb bwt o Gymraeg ganddo.

Mae nifer fawr o drigolion Gwlad yr Hafau'n cynnig eu hunain i weithio fel aelodau o'r tîm achub. Eu gwaith nhw ydi chwilio am eneidiau sydd, am ryw reswm neu gilydd, wedi methu croesi o'r ddaear i'r tu hwnt, a'u cynorthwyo. Mae'r syniad o achubwyr ysbrydol ac eneidiau caeth (*earth-bound spirits*) a cholli ffordd yn peri cryn ofn i mi. Fûm i erioed yn dda am ddarllen map na ffeindio fy ffordd o un lle i'r llall. Stopio'r car fydda i a gofyn pa ffordd i fynd. Y tro cyntaf i'r chwith, yr ail i'r dde, dal i'r chwith ar ôl y golau coch cyntaf a fedrwch chi ddim methu. Ond methu fydda i serch hynny. Felly mae'r syniad fod yna bosibilrwydd o golli'r ffordd ar y siwrnai olaf, ar lan yr Iorddonen, yn un sydd yn rhoi dipyn o bryder i mi – tîm achub neu beidio. Ond mae'r math hwn o beth yn digwydd ambell dro ac rydw i wedi dod ar draws sawl ysbryd caeth sydd wedi colli'r ffordd i'r byd arall. Ar ôl marw a methu dod o hyd i'r ffordd, daw'r rhain yn ôl i'w hen gartrefi a chario ymlaen fel o'r blaen heb hyd yn oed sylweddoli eu bod wedi marw. Ond mae'n rhaid i mi gael dweud mai eithriadau ydi'r rhain. Ychydig iawn, iawn sydd o'r math hwn o ysbrydion. Mae cyfryngwyr ar y ddaear a'r grwpiau achub o'r byd arall bob amser yn barod i ddod allan i helpu lle bo damweiniau fel hyn, yn union fel mae gwirfoddolwyr achub ar y mynydd yn dod allan pan fo damwain ar rai o fynyddoedd Eryri.

'Ysbrydion busnes pawb' ydi'r ysbrydion rydw i wedi eu cyfarfod ran amlaf. Mae'r rhain yn medru cael cyfryngwr yr ochr draw i roi hwb iddynt drosodd i'r ochr yma, ac yna'n medru perswadio cyfryngwr yr ochr yma i agor y drws iddynt ddod yn ôl. Y cwbl mae arnynt ei eisiau ydi cael rhyw gip bach ar yr hen fyd: gweld yr hen gartref unwaith eto, ffeindio sut mae pethau yn yr hen swyddfa lle buont yn gweithio, neu ymweld unwaith eto â rhyw fan lle digwyddodd rhywbeth eithriadol iddynt – lle y bu iddynt briodi neu gael eu lladd mewn damwain. Ar ôl gweld a busnesu dipyn bach, mae'r rhain – eto drwy garedigrwydd ceidwaid y drysau yn y ddau fyd – yn dychwelyd i'w trigfan eu hunain.

Ond mae yna fath arall o ysbryd sydd yn ymddangos ar y ddaear. Ysbryd ydi hwn sydd yn perthyn i'r rhai a gymerwyd oddi ar y ddaear tra oedd ganddynt ryw broblem yn dal ar eu meddyliau, neu rywbeth yn pwyso ar eu cydwybod. Dro yn ôl fe ofynnodd gwraig a allai ein tîm ysbryd roi cymorth iddi. Roedd ei brawd wedi ei ladd ei hun rai misoedd yn ôl. Deintydd oedd o wrth ei alwedigaeth, ac un llewyrchus iawn hefyd yn ôl pob tystiolaeth. Roedd ganddo wraig oedd yn meddwl y byd ohono a thri o blant bach roedd o wedi gwirioni arnynt. Ac eto, roedd o wedi mynd i lecyn unig mewn pentref cyfagos ac wedi chwistrellu digon o wenwyn i mewn i'w gorff i ladd ceffyl. Roedd yn ddirgelwch i bawb pam roedd y gŵr yma wedi'i ladd ei hun; ond dyna oedd o wedi ei wneud, heb amheuaeth yn y byd. Roedd ei chwaer yn amau'n gryf ei fod o bellach yn byw yn ei thŷ hi a'i gŵr a'i phlant. Doedd ganddi hi ddim ofn, meddai hi; roedd hi'n gofyn am help yn fwy iddo fo nag iddi hi ei hun a'i theulu. Ar ôl i Elwyn ymlacio, fe'i clywsom yn dweud, 'Rwyf yn ei weld – o leiaf rwy'n credu mai y fo ydi o – mae'n sefyll yn y fan acw yn y cysgodion ond heb wneud ymdrech yn y byd i ddod ymlaen. Dod yma i dy helpu rydym ni,' meddai Elwyn. 'Tyrd ymlaen, rydym i gyd eisiau dy helpu.' Yna dyma Elwyn yn dweud wrthym ni y tro hwn: 'Mae o'n dal rhywbeth yn ei law. Rydw i'n gweld beth ydi o rŵan – llun o ferch ifanc landeg tuag ugain oed. A rŵan,' meddai, 'mae o wedi troi ei gefn arnom unwaith eto.' Ar ôl paned o de dyma roi cynnig arall arni, ac Elwyn yn dweud beth roedd yn ei weld. 'Mae o'n eistedd ar ryw bwt o graig,' meddai, 'a'i ben i lawr rhwng ei ddau ben-glin ac rydw i'n meddwl ei fod o'n wylo. Dywed rywbeth wrtho, Aelwyn.'

'Pam rwyt ti mor ddigalon mewn lle mor hyfryd?' gofynnais iddo. 'Mae o'n dweud ei fod o'n ddigalon am ei fod o mor unig,' meddai Elwyn.

'Ond, fy machgen annwyl i,' meddwn innau wedyn, 'does dim rhaid i ti fod yn unig. Mae dy chwaer yma hefo ni ac mae hi'n dweud fod dy dad a'th fam ar yr un ochor â thi. Ac mae hi'n dweud hefyd mai ti oedd ffefryn dy nain. Pam nad ei di i chwilio am dy rieni neu'th fam-gu os wyt ti'n unig?'

Unwaith eto, dyma Elwyn yn ateb drosto, 'Mae o'n dweud na all o wneud hyn am fod arno gywilydd o'r hyn mae o wedi ei wneud.'

Ddaru ni ddim gofyn iddo cywilydd am beth – ai cywilydd ei fod wedi'i ladd ei hun ynteu cywilydd oedd rywsut yn gysylltiedig â llun y ferch oedd yn ei law. Ond mae'r telegraff ysbrydol yn gweithio'n gyflymach na'r un alwad 999. Ymhen eiliad, roedd yna aelod gwryw o'r teulu gyda ni. 'Gadewch o i mi,' meddai'r aelod hwn. 'Mi wna i edrych ar ei ôl.' Mae yna flwyddyn dda wedi mynd heibio er hyn ond nid yw Elwyn na minnau wedi clywed gair fod y brawd yn ei ôl yn nhŷ ei chwaer.

Pe bai rhywun yn gofyn i mi beth oedd fy ngwaith cyn i mi ymddeol, yna mi fuaswn yn ateb mai fy ngwaith oedd bod yn weithiwr cymdeithasol dan nawdd yr Eglwys yng Nghymru, yn rhoi cymorth i famau dibriod a chyplau oedd yn awyddus i fabwysiadu plant, ac yn fwy diweddar rhoi cymorth i ddynion a merched oedd yn gaeth i alcohol a chyffuriau eraill. Ond mi fuasai'n wir dweud hefyd fy mod ar lawer achlysur wedi bod yn gynghorydd a gweithiwr cymdeithasol i ysbrydion ymadawedig. Y cwbl yr oedd ar nifer fawr o'r ymadawedig ei angen oedd cael dweud wrth rywun oedd yn dal i fyw ar y ddaear eu bod nhw'n ddieuog o rywbeth oedd wedi digwydd pan oeddynt yn byw yma, neu ddweud ei bod yn ddrwg ganddynt eu bod wedi gwneud rhyw drosedd ac yna, wedi cael dweud, roeddynt yn berffaith barod i fynd yn ôl i'w lle eu hunain – nifer ohonynt â gwên ar eu hwynebau.

Mae cael adnabod a chael cydweithio â Winnie Marshall wedi bod yn gymorth mawr i'm sicrhau fod yna fywyd ar ôl marwolaeth. Fe gollodd Winnie ei mab, Christopher, mewn damwain pan oedd ond 21 oed. Roedd hi'n dweud na fu iddi erioed hiraethu amdano am na fu iddi erioed weld ei golli. 'Mae o yma hefo mi yn y tŷ byth a beunydd,' meddai, 'hyd yn oed pan oeddwn yn trefnu ei angladd efo swyddogion y capel, roedd o yma'n gwrando ac yn nodio'i ben. Rydw i wedi gweld mwy ohono yn y blynyddoedd a aeth heibio nag y buaswn pe bai wedi cael byw ac wedi priodi a gwneud ei gartre yn Aberdeen.'

Wrth gwrs, mae Christopher yn lwcus; y cwbl sydd raid iddo fo ei wneud ydi perswadio dyn y drws yr ochr draw i agor iddo; ei fam ydi un o'r ceidwaid yr ochr yma ac mae hi'n siŵr o adael y drws ar y glicied i Christopher. Fe allasai rhywun ofyn, os ydi Gwlad yr Hafau yn lle mor brysur, sut mae Christopher yn cael cymaint o oriau o seibiant i ddod ac aros fel hyn yn nhŷ ei fam ym Mae Colwyn. Wel, yr un ateb – mae Christopher, yn ei gorff ysbrydol, y tu allan i reolaeth amser a lle. Fe all Christopher yn ei stad dragwyddol ysbrydol weithio'n galed oddi fry, tra bydd ar yr un pryd yn mwynhau sgwrs fach yn nhŷ ei fam. Rydyn ni, ddaearolion, yn gweithredu dan dipyn o anfantais tra ydym yn gwisgo'r hen gyrff clogyrnaidd yma a roddwyd i ni.

Wel dyna ni! Bywyd arall yn disgwyl amdanom; bywyd hafaidd, cynnes. Man lle rydym yn cael gwneud y dewis: dewis lle i fyw, dewis pa fath o waith i'w wneud a hyd yn oed, gallaswn feddwl, dewis a fuasem yn hoffi rhyw ymweliad bach nawr ac yn y man yn ôl i'r hen ddaear i weld sut mae pethau'n dod ymlaen. Ein bost fawr ni, fel Cristnogion, ydi fod Duw wedi rhoi i ni ddewis rhydd. Mae'r hawl gennym i ddewis rhwng da a drwg. Mae plant, adeg eu conffyrmasiwn a'u derbyn i'r eglwys, yn dewis drostynt eu hunain, heb fath o orfodaeth, cadw'r addewidion a wnaethpwyd drostynt yn eu bedydd a'u bod yn barod i wrthod y diafol a'i holl gynllwynion. Ac rydym yn gwybod fod yna yn y byd sydd ohoni heddiw nifer fawr o bobl sydd mewn gwaed oer yn dewis addoli'r diafol.

Ar y ddaear, meddwn ni, gallwn ddewis drosom ein hunain. Ond arhoswch i ni farw! Mae'n ymddangos fod yr hawl werthfawr hon o gael dewis drosom ein hunain yn cael ei chymryd oddi arnom. Mae llawer yn credu bod Sant Pedr yn ein cyfarfod wrth y Porth Aur ac yn ein cyfarwyddo ble yn union i eistedd yn y Man Aros yr ochr draw i'r giât. Gorchymyn wedyn i ni fynd i ryw fath o swyn-gwsg hyd Ddydd y Farn. Ac rydym yn llyncu'r syniad gymaint fel ein bod yn rhoi gweddïau bach ar feddau ein hanwyliaid i ofyn i Dduw roi 'Cwsg tragwyddol' iddynt neu eu cynorthwyo i 'Orffwys mewn hedd'. Rydw i wedi rhybuddio'r plant 'ma i beidio â rhoi'r fath beth ar fy meddrod i.

Rwyf yn siŵr o un peth. Pe baem yn mynd i Stryd Fawr ein trefi a'n pentrefi a gofyn i bobl y goets fawr beth maent hwy yn feddwl o ddysgeidiaeth yr eglwys ynglŷn â'r hyn sydd yn digwydd i ni ar ôl marw, un ateb fuasai gan y mwyafrif, 'Diawledig'. Ar y llaw arall, pe bai rhywun yn disgrifio Gwlad yr Hafau i'r bobl hyn, credaf y byddai eu hadwaith yn dra gwahanol – y syniad o gael bod yn heini unwaith eto, a chael cyfle i ddewis beth i'w wneud nesaf. Grêt!

Mae yna ddihareb Saesneg, *Not only must justice be done; justice must be seen to be done.* Ac felly gyda daliadau'r Eglwys; fe ellid dweud, 'Nid yn unig y dylai dysgeidiaeth yr Eglwys fod yn rhesymol, fe ddylai hefyd ymddangos yn rhesymol'. Wn i ddim a yw daliadau fy nghyfeillion, yr ysbrydegwyr, yn wir ai peidio, ond mae un peth yr wyf yn berffaith sicr ohono, a hynny yw fod y rhan fwyaf o'r bobl hyn sydd yn eu galw eu hunain yn ysbrydegwyr yn bobl hyfryd a hapus eu natur. Mi fuaswn i'n dweud hefyd fod y Crynwyr yn bobl hynod o braf bod yn eu cwmni. I mi, mae hyn yn ailgodi'r hen gwestiwn am yr iâr a'r wy. Ydi'r bobl yma'n bobl neis am mai dim ond at bobl neis mae crefydd yr ysbrydegwyr a'r Crynwyr yn apelio, ynteu ydyn nhw'n bobl neis oherwydd bod eu crefydd yn eu gwneud yn neis?

Mae fy ngwaith efo alcoholics yn peri i mi feddwl mai eu

crefydd sy'n dylanwadu ar eu bywydau. Y grŵp mwyaf tawel, rhadlon, amyneddgar a hoffus o bobl y gwn i amdanynt ydi'r alcoholics sydd wedi medru dringo'n ôl o Ddyffryn Achor. Pobl ydi'r rhain sydd wedi canfod fod ganddynt ryw nam cemegol yn eu gwaed, rhyw fath o alergedd sydd yn codi chwant annaturiol am alcohol ynddynt, na all y rhelyw ohonom ei ddirnad. Mae'r gwanc hwn yn eu llusgo i drallod ac anobaith dwfn. Mae popeth yr oeddynt yn ei garu yn cael ei gymryd oddi arnynt. Maent yn colli eu gwaith, yn colli eu cartref, yn colli gwraig a phlant; mae cyfeillion yn troi cefn arnynt – ond nid ydynt yn malio dim am hynny. Y ddiod a sut i gael arian i brynu diod yfory yw eu holl fywyd. Dydyn nhw ddim yn bwyta; dydyn nhw ddim yn eu hymgeleddu eu hunain ac mae eu cyrff, a'u gwynt, yn mynd i ddrewi.

Unwaith mae'r clefyd wedi cael gafael ar ddyn a'i sugno i fyd y gwancu am alcohol, fe gymer oddeutu deng mlynedd i'r clefyd ofnadwy hwn droi'r dyn yn anifail sydd yn ei lusgo ei hun drwy fywyd ac yn awchu am *anti-freeze* y car neu waelod potel o feths cyn mynd i gysgu yn ei chwdfa ei hun. Ond pan ddaw, neu os daw, yr awydd i gael newid byd, a threchu cancr y diawl o'i gorff, yna mae help i'w gael. Mae ym mhob tref, a bellach mewn nifer o bentrefi, gangen o'r AA (*Alcoholics Anonymous*). Mae yna frawd oedd unwaith yn yr un sefyllfa â'r meddwyn yn fodlon mynd i'w gyrchu a'i hebrwng i gyfarfod cyntaf yr AA. Dynion a merched ydi'r rhain sydd yn helpu ei gilydd i ddianc o uffern. Mae yna aelodau sy'n barod i'w hebrwng o un cyfarfod AA i'r nesaf. Mae'r dioddefwr yn cael ei ddenu i fwyta a chyfarfod pobl unwaith eto. Mae yna ddillad glân ar ei gyfer, yn ogystal â digonedd o gariad a gofal. Mae pob aelod o'r AA, hyd yn oed yr arweinwyr, yn eu hatgoffa eu hunain eu bod yn alcoholic. Pan fyddant yn cyflwyno eu hunain mewn cyfarfod, y fformwla yw: 'Bill ydi fy enw ac rwyf yn alcoholig. Nid wyf wedi cael dropyn o alcohol ers pum mlynedd, pedwar mis, wythnos a thri diwrnod. Ond does gen i ddim syniad beth all digwydd yfory.' Mae'r bobl hyn – y dynion busnes a'r gwŷr proffesiynol, graenus yr olwg arnynt, sydd wedi medru troi cefn ar y ddiod, a'r aelodau newydd sydd yn cymryd eu camau cyntaf ar eu taith o boen a lludded ac sy'n parhau i ddyheu am hyd yn oed lond ceg o feths – yn cyfarfod dan yr unto i gynorthwyo'i gilydd.

Rydw i wedi cael y fraint sawl tro o gael bod yn ŵr gwadd yn un o gyfarfodydd agored yr AA. Y tro diwetha i mi gael gwahoddiad, fe ddywedwyd wrthyf y cawn hefyd ddod â chyfaill gyda mi. Fe wahoddais yr esgob. Yng Nghaergybi yr oedd y cyfarfod. Ar y ffordd yno yn y car, fe geisiais ddweud wrth yr esgob beth i'w ddisgwyl. Esboniais iddo mai cyfarfod agored fyddai hwn ac y byddai'r aelodau wedi cael rhybudd ymlaen llaw am ein hymweliad fel y gallent gadw draw os nad oeddynt am ymddangos yn gyhoeddus. Felly, meddwn wrth yr esgob, 'Mae'n bosib y bydd eich doctor a'ch rheolwr banc, ac un neu ddau o'r canoniaid wedi aros gartref heno. Fe allem, fodd bynnag, gyfarfod ag ugain neu fwy o alcoholigion eraill ac efallai rhyw ugain arall o wahoddedigion fel ni.' Fe geisiais wedyn esbonio iddo sut i wybod y gwahaniaeth rhwng alcoholig a gŵr gwadd. 'Mi fydd y rhan fwyaf o'r gwahoddedigion,' meddwn, 'yn gwisgo siwt barod o Burton fel chi a fi. Ond mi fydd y cyn-alcoholic, fel petai'n gwthryfela yn erbyn yr hen ddyddiau pan oedd yn fratiog ac yn fudr, wedi ei wisgo mewn siwt o Savile Row.' Fe gynghorais yr esgob hefyd i nodi'r dynion a'r merched oedd yn siarad yn dawel. Y tebygolrwydd mai alcoholigion oedd y rhain hefyd. Mae'r siarad tawel hwn yn rhan o'r patrwm gwella, a hefyd yn rhyw fath o adwaith yn erbyn y dyddiau pan oedd y meddwyn yn bloeddio ac yn gweiddi yn ei ddiod ar hyd strydoedd y dref.

Ar y noson fe gymerodd tri siaradwr eu lle ar y llwyfan. Dyma drefn cyfarfodydd yr AA – un ar ôl y llall yn dweud ei brofiad heb adael dim i'r dychymyg. Dweud yr hanes fel y bu iddynt ddechrau yfed i ormodedd – hyd at botelaid o chwisgi y dydd, colli swydd trwy fod yn feddw, problemau teuluol yn codi'u pen, y wraig a'r plant yn gadael cartref, gwerthu buddiannau i gael arian diod, y twyllo a'r anonestrwydd i gael arian diod, cysgu allan yn y parc. Yna'r gweddnewidiad a chael cymorth cyfeillion yn yr AA, cyfri'r dyddiau heb ddiod: y mis cyntaf yn teimlo fel blwyddyn. Cael gwaith newydd a chyflog, ymweld â'r teulu yn nhŷ'r fam-yng-nghyfraith; penderfynu ailddechrau mewn tŷ llai, ac yna'r uchafbwynt: 'dwn i ddim a sylwoch chi ar y BMW coch tu allan i'r neuadd 'ma heno, gyfeillion. Wel, yn fy enw i mae'r car yna wedi ei gofrestru.' Bloedd o gymeradwyaeth wedyn gan y gwrandawyr, gweiddi hwrê, curo dwylo, stampio traed, gorfoledd fod un ohonynt wedi medru gwthio'i hun allan o'r mieri. Dyma brawf ei bod yn bosib concro hyd yn oed y diafol ei hun. Os oedd ganddo fo BMW, pam na allaf innau, meddai'r rhai sy'n cymeradwyo, gael fy BMW fy hun. Ar ôl y cyfarfod meddai'r esgob, 'roeddwn i'n edifar na wnes i dderbyn eich cyngor a mynd i eistedd yn y seddi blaen. Fedrwn i ddim clywed popeth oedd yn cael ei ddweud o'r lle roeddwn i'n eistedd. Ond un peth a deimlais heno oedd y cariad oedd yn byrlymu yn yr ystafell yna.' Fe fentrais ddweud efallai ein bod wedi teimlo rhywbeth tebyg i'r hyn a deimlwyd yn yr oruwchystafell ar y Pentecost cyntaf: fflamau tân yn glawio ar y disgyblion, cwpaneidiau ar gwpaneidiau o de arnom ninnau.

Wedi i mi sôn am waith yr AA mewn cyswllt arall, mae sawl mam a gwraig a pherthynas wedi ffonio a gofyn i mi tybed a allwn gael yr AA i helpu rhywun oedd yn annwyl iddynt hwy, ac a oedd yng nghrafangau'r ddiod. Mae'n ddrwg gen i, ond yr ateb ydi fod aelodau'r AA yn gwybod drwy brofiad nad oes pwrpas yn y byd ceisio helpu'r alcoholig os nad yw ef ei hun yn cyfaddef ei fod yn alcoholig ac yn gofyn yn uniongyrchol am gymorth. Rydw i wedi sôn llawer wrth fy nghynulleidfa fach yn Llandegai am y cariad rhyfedd oedd yn rhedeg drwy gyfarfodydd yr AA ac wedi gweddïo am i ni gael yr un ysbryd cariad dan do Eglwys Tegai. Mae yna rywbeth rhyfeddol yn y cariad yma. Mae fel y cariad mae rhai ohonom yn ei gofio yn y *shelters* yn ystod y rhyfel. Mae hefyd yn deillio o ddysgeidiaeth yr AA yn eu Deuddeg Cam. Mae'r dynion a'r merched hyn sydd wedi llwyddo i ddod allan o'r pwll, ac sydd bellach yn siarad yn dawel ac yn gwisgo siwtiau Savile Row, ac yn dangos cymaint tynerwch a chariad tuag at eu cyd-ddynion, wedi achosi llawer iawn o boen a phryder i deulu ac anwyliaid pan oeddynt yn y diffeithwch. Ond y stori bellach yw, lle bo dau neu dri neu fwy o'r bobl hyn yn ymgynnull ynghyd, mae yna wres cariad a gwasanaeth a allai weddnewid pob capel ac eglwys drwy'r byd i gyd. Tybed ai eu litwrgi, y Deuddeg Cam, sydd i gyfrif am y newid? Meddwl wedyn beth fuasai'n digwydd pe bai ein heglwysi'n benthyca'r Deuddeg Cam a'u defnyddio dros gyfnod y Grawys yn unig, newid y pwyslais ar alcoholiaeth yn y Deuddeg Cam i'r problemau sydd yn aml yn rheoli ein bywydau ni: balchder a hunangyfiawnder, cybydd-dod a chenfigen. Tybed a fuasai hyn yn gymorth i rai miliynau ohonom gamu at ryw fath o sancteiddrwydd?

Deuddeg Cam yr AA

1. Rydym yn cyfaddef fod alcohol yn drech na ni a bod ein bywydau wedi mynd yn chwilfriw.
2. Rydym wedi dod i gredu y gall rhyw bŵer uwch na ni ein hunain adfer ein rheswm.
3. Rydym wedi penderfynu rhoi ein hewyllysion a'n bywydau i ofal Duw.
4. Rydym wedi holi ein hunain a gwneud cyfrif moesol gonest o'n bywydau.
5. Rydym wedi cyffesu i Dduw, i ni ein hunain, ac i fod dynol arall yr hyn sydd o'i le yn ein bywydau.
6. Rydym yn awyddus i Dduw gymryd y gwendidau hyn oddi arnom.
7. Rydym yn gofyn yn ostyngedig iddo Ef ddileu ein ffaeleddau.
8. Rydym wedi gwneud rhestr o'r holl bersonau yr ydym wedi eu niweidio a pharatoi ein hunain i dalu iawn am yr hyn a wnaethom.
9. Rydym wedi ceisio talu'n ôl yn uniongyrchol i'r personau hyn, ac eithrio lle buasai gwneud hyn yn achosi mwy o boen iddynt hwy ac i eraill.
10. Rydym yn dal i adolygu ein bywydau a phan fyddom ar fai rydym yn barod i gyfaddef hynny.
11. Trwy weddi a myfyrdod rydym wedi ceisio closio'n fwy at Dduw fel yr ydym ni yn ei amgyffred, gan weddïo'n fwyaf arbennig am wybodaeth ynghylch yr hyn mae Ef yn ei ewyllysio ac am ras i gyflawni ei ewyllys.
12. Wedi derbyn deffroad ysbrydol drwy gyflawni'r camau hyn, ceisiwn gludo'r neges i alcoholigion eraill a gweithredu'r syniadau hyn yn ein bywydau dyddiol.

A dyma weddi Sant Ffransis a ddefnyddir i gloi pob cyfarfod o'r AA drwy'r byd:

> Arglwydd, dyro i mi'r tangnefedd i dderbyn
> yr hyn na allaf ei newid,
> Y dewrder i newid yr hyn y gallaf ei newid,
> A'r doethineb i wybod y gwahaniaeth.

PENNOD 8

Galaru

A dyma ni'n ôl yn y ficerdy unwaith eto. Rydw i bron yn sicr i mi glywed y wraig fach 'ma, sy'n cuddio tu ôl i'r soffa efo mi yn y fan yma, yn dweud wrth ei ffrind fod y tŷ i'w glywed yn ddistaw. Os oedd hi'n awgrymu fod y tŷ yn ddistaw am nad oes neb yn gweld fy ngholli nac yn galaru ar fy ôl, fe alla i ddweud wrthi'r munud hwn ei bod yn camgymryd; mae gennyf wraig a chwech o blant, ac 16 o wyrion, ac roeddem fel teulu yn hoff iawn o'n gilydd. Wrth gwrs eu bod yn galaru ar fy ôl. Dydi'r ffaith nad ydynt yn mynd o amgylch y tŷ yn llefain a chael sterics ar gaead fy arch ddim yn golygu nad ydynt yn gweld fy ngholli. Mae galar yn cymryd sawl ffurf wahanol.

Rydw i'n cofio gwrando yn 1960 ar Dr W. Dewi Rees, a oedd bryd hynny yn feddyg teulu yn Llanidloes, Powys. Testun ei ddarlith oedd 'Y Gelfyddyd o Alaru'. Roedd Dr Rees wedi ymchwilio am nifer o flynyddoedd i effaith colli rhywun annwyl ar fywydau ac iechyd y rhai oedd yn galaru. Canfu fod dioddef profedigaeth chwerw yn gadael ei ôl – nid yn unig trwy afiechydon seicolegol fel iselder ysbryd, ond hefyd restr o wahanol afiechydon corfforol. Roedd gwragedd a gwŷr gweddw, er enghraifft, yn fwy tebygol o ddioddef trawiad ar y galon na gwŷr a gwragedd priod neu rai sengl. Ac roedd hyn yn wir drwy'r byd. Dyma mae Dr Rees yn ei ddweud:

> Mae gwŷr a gwragedd gweddw fel arfer yn dioddef o fwy o afiechydon yn dilyn eu profedigaeth. Adroddodd 21% o wragedd gweddwon Boston, UDA, 32% yn Sydney, Awstralia a 43% o wragedd gweddwon Llundain fod eu hiechyd wedi dirywio ar ôl colli eu gwŷr.

Yn ôl y meddyg, mae lle i gredu fod y weithred o alaru yn

effeithio ar y system sydd gan y corff o frwydro yn erbyn afiechydon. Mae llawer o waith ymchwil wedi ei wneud ar hyn ac fe ddengys sut mae lymffocytau'r gwaed yn adweithio â'r mitogen yng nghyrff gweddwon. Mae nifer y celloedd a elwir yn gelloedd NK (*natural killer*) am ryw reswm yn lleihau yn y corff yn ystod y cyfnod o alaru.

Mewn traethawd arall ar y pwnc, 'The Hallucinatory Reactions of Bereavement', dywed Dr Rees:

1. *The stress of bereavement produces an increase of ACTH from the pituitary gland.*
2. *The ACTH stimulates the adrenal cortex to release or to activate corticoteroide.*
3. *The corticoteroide depresses the mechanism of the body.*

Mae'n amlwg mai geiriau meddyg i'w gyd-feddygon yw'r geiriau ond rydw i'n credu mai'r hyn mae Dr Rees yn ei ddweud ydi fod pobl sydd wedi cael profedigaeth weithiau, ond nid bob amser, yn cael achos i fynd i weld y meddyg yn amlach na phobl eraill sydd heb ddioddef profedigaeth. Er enghraifft, roedd 43% o wragedd gweddw yn Llundain wedi adrodd fod eu hiechyd wedi dirywio am y 13 mis ar ôl colli eu gwŷr. Dywed hefyd na ddylai'r bobl hyn anwybyddu'r afiechydon newydd. Maent yn real, ac yn digwydd oherwydd bod eu cyrff, yn dilyn y brofedigaeth, yn methu gwrthsefyll afiechyd fel o'r blaen.

Mae Dr Rees hefyd yn dweud fod yna ddau fan lle y dylai'r galarus geisio cymorth – syrjeri ei ddoctor ac ymysg y gymuned lle mae'n byw. Dywed ymhellach:

Nid yw hyn yn golygu y dylai'r galarus ymddiried yn llwyr yng ngallu'r meddyg a'r nyrs, nac ychwaith mewn cyffuriau i leddfu'r boen. Yr angen mawr yw'r angen am gwmni; cwmni cyfeillion a chymdogion, a hefyd am gynhaliaeth gan eu cymdogaeth.

Y feddyginiaeth fodern i rai mewn profedigaeth neu rai sy'n wynebu unrhyw drychineb ydi galw'r cynghorwr swyddogol o Swyddfa'r Gwasanaethau Cymdeithasol. Ond na, meddai'r Dr Rees. Os na fyddwch yn teimlo'n dda ar ôl profedigaeth go chwerw, ewch i ddweud wrth eich doctor a pheidiwch ychwaith â chau eich hunan yn y tŷ; ymunwch â popeth sy'n mynd ymlaen yn y pentref, derbyniwch gydymdeimlad eich cymdogion, a derbyniwch eu cynnig i roi cynhaliaeth i chi. Mae'n syndod i mi gynifer o wyddonwyr a meddygon sydd wedi ymchwilio i'r hyn sydd yn digwydd i alarwyr a hefyd bod nifer fawr o lyfrau wedi eu hysgrifennu ar y pwnc. Ond maent i gyd yn rhoi blaenoriaeth i'r cymorth y gall y gymuned ei roi. Beth felly ydi'r cymorth hwn, ymhle y gellir ei gael a sut y caiff ei roi? A ydym i chwilio amdano yn y dref ynteu yn y wlad? Gadewch i ni weld.

Roedd Mary a Bill yn byw mewn fflat ar bumed llawr adeilad yn Birmingham. Roedd y ddau yn mynd allan i weithio ac yn cysylltu ond ychydig efo'r tenantiaid eraill. Un bore, ar ei ffordd i'w waith, cafodd Bill ei ladd mewn damwain. Plismon a ddaeth i Fflat 56 i dorri'r newydd i Mary. Awr neu ddwy yn ddiweddarach aeth Mary gyda'r plismon i'r marwdy i adnabod y corff. Roedd y plismon yn hynod o garedig. Roedd staff yr ysbyty hefyd yn garedig ac fe roddodd y nyrs enw a rhif ffôn trefnydd angladdau iddi. Fe ddaeth y gŵr hwn i'w gweld ymhen rhyw hanner awr ar ôl iddi gysylltu ag o. Roedd yntau hefyd yn garedig ac yn barod i ymgymryd â'r holl drefniadau. Doedd ddim angen i Mary wneud dim ond gadael popeth yn ei law o. Yn ddiweddarach yn y dydd fe ffoniodd i ddweud mai'r unig slot y gallai ei gael gan yr amlosgfa oedd 9.20 fore Iau, ac roedd yn awgrymu pe byddai Mary yn gallu bod yno erbyn naw o'r gloch y buasai'n ei chyfarfod yno. O! a chyda llaw, oedd hi eisiau gwasanaeth Eglwys Loegr, gwasanaeth anghydffurfiol ynteu gwasanaeth Eglwys Rufain er mwyn i'r Crem allu trefnu i gael gweinidog rota i gymryd y gwasanaeth. Dyma'n aml sut mae pethau'n gorfod digwydd yn y dref.

Ac yn y wlad? Roedd gan Tom ac Ann dyddyn bach yn Aberdesach. Roedd gan Ann swydd ran-amser yng Nghaer-narfon. Pan gychwynnodd i'w gwaith yn y bore roedd Tom eisoes allan ar y tractor yn aredig y Cae Chwarter. Am hanner awr wedi un ar ddeg yr un bore fe ddaeth y ficer i swyddfa Ann i dorri newydd drwg iddi. Roedd y tractor wedi troi a Tom wedi cael ei glwyfo'n ddifrifol. Roedd car y ficer y tu allan yn barod i fynd ag Ann i'r ysbyty ym Mangor. Ond pan gyrhaeddodd y ddau yr ysbyty, fe dorrwyd y newydd iddynt fod Tom wedi colli'r dydd – roedd o wedi marw yn yr ambiwlans cyn cyrraedd yr ysbyty.

Fuasai pobl Birmingham ddim yn gwybod am ddamwain Bill; fuasen nhw ddim yn gwybod pwy oedd Bill, hyd yn oed pe bai rhywun yn dweud wrthynt am yr hyn oedd wedi digwydd; ond yn fuan wedi i'r peth ddigwydd roedd pawb yn Aberdesach yn gwybod am ddamwain Tom druan. Mi fuasai'r ficer wedi dod ag Ann gartref ac o fewn munudau, bron, mi fuasai rhyw un ffrind neu gymydog wedi cymryd arni'r swydd o fod yn 'forwyn galar' i Ann. Y fi sydd wedi bathu'r ymadrodd 'morwyn galar', ond does yna ddim enw swyddogol ar y swydd ryfedd hon. Mae wedi bod yn ddirgelwch i mi sut mae un ffrind neu gyfaill o blith nifer yn cael ei dewis i'r gwaith rhyfedd hwn, a hefyd sut mae hi wedi dysgu'r sgiliau y mae'n rhaid wrthynt i wneud y math hwn o waith. Ymddengys ei henw ymhlith y rhai oedd yn gwasanaethu yn yr angladd: 'Ac yn y tŷ, Mrs Margiad Tomos'.

Yn y dyddiau cyn y rhyfel, roedd y protocol yn ddeddfol. Roedd llenni'r tŷ galar yn cael eu tynnu'n glòs at ei gilydd fel nad oedd smigyn o olau'n mynd i'r tŷ. Roedd llenni cartrefi'r cymdogion i gael eu tynnu yn ôl y gofyn yn unol â rhyw gyfartaledd rhyfedd oedd yn dibynnu ar eu hagosrwydd at dŷ'r ymadawedig. Ar noson y farwolaeth, ar ôl i'r dynion ddod o'u gwaith, dechreuai'r cymdogion alw i gydymdeimlo â'r teulu. Hwn oedd y prawf cyhoeddus cyntaf ar gelfyddyd y forwyn alar. Y hi oedd yn agor y drws ac yn gosod y cyweirnod cywir i'r holl ymwelwyr fyddai'n croesi'r trothwy yn ystod y dyddiau nesaf. Ar ôl y drws ffrynt, hi oedd yn arwain y cwpwl cyntaf drwodd i'r parlwr i gyfarfod y weddw. Ann wedyn yn dweud wrthynt yn ei dagrau sut roedd y peth wedi digwydd.

'Roedd Tom wedi codi'n gynnar,' meddai hi, 'roedd o allan yn aredig y Cae Chwarter cyn i mi fynd at fy ngwaith. Wrth fynd heibio fe genais gorn y car a dyma fo, 'mheth annwyl i, yn chwythu cusan i mi oddi ar yr hen dractor. Y peth nesa wyddwn i oedd fod y ficer yn y swyddfa tua hanner awr wedi un ar ddeg yn dweud fod Tom wedi cael damwain a dyma'r ddau ohonom yn mynd ar frys i'r ysbyty ym Mangor, ond erbyn i ni gyrraedd roedd Tom wedi marw, a'r doctor yn dweud ei fod wedi marw yn yr ambiwlans cyn cyrraedd.' Yna'r hances boced yn dod allan; tipyn o sniffian a thipyn o grio. Yr ymwelwyr cyntaf yn codi ar eu traed i fynd ac yn dweud yr un peth ag y byddai pawb arall ar eu holau yn ei ddweud: 'Wel, Ann, os byddwch chi eisiau

94

unrhyw beth, mi rydach yn gwybod lle i'n cael ni. Cofiwch chi rŵan.'

Yna, allan â'r cwpwl cyntaf, oedd rywsut yn gwybod eu ffordd yn reddfol drwy ddrws y cefn. Tra oedd hyn yn mynd ymlaen yn y parlwr ffrynt, roedd y forwyn alar wedi agor y drws i'r ail gwpwl. Yna eu cadw'n siarad yn y lobi, sôn am y ddamwain, dweud fod Ann yn ddewr iawn, a'r cwbwl ag un llygad ar ddrws y cefn. Yna'n sydyn yn cyhoeddi, 'Rwy'n credu y gallwch chi'ch dau fynd i mewn rŵan.' Fel roedd y drws cefn yn cau yn dawel y tu ôl i un cwpwl roedd cwpwl arall yn symud i mewn i'r parlwr ffrynt fel y gallai Ann unwaith eto fynd drwy'r stori sut oedd y peth wedi digwydd. Yn y dyddiau cyn yr angladd fe fyddai'r rhan fwyaf o drigolion Aberdesach wedi galw i gydymdeimlo ag Ann ac wedi cael munud neu ddau iddynt eu hunain efo hi.

A dyma sut yr oedd therapi'r gymuned yn gweithio. Ann yn cael dweud drosodd a throsodd wrth gyfeillion sut yr oedd Tom wedi marw. Roedd rhaid sylweddoli fod Tom yn farw ac nad breuddwyd ydoedd. Doedd Tom ddim yn mynd i ddod yn ôl nac aredig Cae Chwarter eto.

Yna, ar ddydd mawr yr angladd, roedd therapi'r galaru'n cynyddu. Roedd rhai o'r hen weinidogion yn arbenigwyr yn y grefft o helpu i fwrw galar. Mi fuasai cynghorwr swyddogol y gwasanaethau cymdeithasol, Miss Myfanwy Jones, BSc (Gradd Dosbarth 1af mewn Cymdeithaseg) yn cael ei hystyried yn *ignoramus* yn y gelfyddyd o fwrw galar gan y rhai oedd wedi gweld y Parch Elias Wynne, BA, BD, wrth ei waith.

Mi fuasai mam Ann wedi dweud wrth y Parch. Wynne ymlaen llaw nad oedd Ann wedi cael crio o ddifri a bwrw'r sioc o'i chorff fel y dylai, er iddi gael cymaint o ymwelwyr. Ac mi fuasai'r Parchedig Wynne wedi dweud wrthi hithau, 'Gadewch o i mi, Mrs Pritchard. Fe gawn ni weld beth allwn ni ei wneud.' Yn ei weddi o'r frest yn y gwasanaeth fe fyddai'r arbenigwr yn siarad yn hollol gartrefol â'i Dduw ac yn gofyn iddo ymweld â Hendre Bach. 'Ac yno, O Arglwydd, fe weli di ein Ann bach ni efo'i chalon fach ar dorri ar ôl colli Tom, y bachgen annwyl hwnnw oedd yn ei charu mor angerddol . . .' Cyn y byddai'r sgwrs â'r Hollalluog drosodd, mi fyddai dagrau Ann yn llifo, ac yn ôl Mr Wynne yn bwrw'r sioc allan o'i chyfansoddiad.

Y trefnydd angladdau oedd Mr Hughes, Halfway. Ei gartref oedd Halfway, ond roedd hefyd yn rhan o'i deitl swyddogol er mwyn gwahaniaethu rhyngddo fo a Hughesiaid eraill y gymdogaeth. Gallesid fod wedi ei alw yn Mr Hughes y trefnydd angladdau neu Mr Hughes y saer, ond roedd yna eisoes o leiaf ddau Mr Hughes arall yn yr ardal oedd yn drefnwyr angladdau ac yn seiri. Mi fuasai Mr Hughes, Halfway, yn edrych i lawr ar y cwbl oedd yn mynd ymlaen o gefn yr eglwys ac yn rhyw hanner gwenu a nodio'i ben. Mi allech bob amser ddibynnu ar y Parchedig Elias Wynne.

Ac mi fuasai'r trefnydd yn gwybod hefyd mai ei dro ef oedd nesaf i helpu'r teulu i fwrw'u galar. Yn ystod canu'r emyn olaf ar lan y bedd, cymerai ei le ar ochr y bedd. O'r fan hon byddai wedyn yn gwahodd, neu yn wir yn mynnu, fod Ann a phob un o'r teulu agos, un ar y tro, yn ymuno ag o ar lan y bedd. Gafaelai yn llaw pob un ohonynt a rhoi ei law arall ar eu gwar rhag ofn y byddai angen rhoi help iddynt wyro pen i syllu ar yr arch yn y bedd. Edrych i lawr ar yr arch a llefain. Edrych a llefain – dyna oedd y drefn.

Dydi'r feddyginiaeth henffasiwn hon ddim yn bosib o fewn patrwm angladd ugain munud yr amlosgfa. Rydw i wedi sylwi sawl tro ar drefnydd angladdau ifanc yn yr amlosgfa yn rhyw hanner cymell galarwyr i ddod ymlaen a chael un edrychiad bach olaf ar yr arch tra oedd hi ar y cataffalc. Tua hanner sydd yn mynd a hanner yn gwrthod. Fuasai Mr Hughes, Halfway, ddim yn hoffi hyn o gwbwl. Rydw i'n awgrymu na fuasai gan alarwyr a dderbyniodd driniaeth dan law'r Parchedig Elias Wynne a Mr Hughes, Halfway, gymaint o ACTH yn eu chwarennau pitwidol i gorddi eu corticopteroid ag a fuasai gan eraill. Mi fuaswn yn mentro dweud hefyd y buaswn yn disgwyl i weddwon sydd yn byw yn y wlad ddychwelyd at eu gwaith, ac i fywyd gweddol normal, yn gynt na gweddwon y dref.

Ac fel hen berson plwyf, henffasiwn, mi fuaswn hefyd yn mentro dweud rhywbeth fel hyn. Diwrnod du i bobl y wlad hon oedd y diwrnod hwnnw pan benderfynwyd cael gwared o'i hoffeiriaid a'i gweinidogion a oedd wedi gwarchod mor ofalus dros eu plwyfolion a'u haelodau ar hyd y canrifoedd a phenodi yn eu lle yr anghenfil costus a elwir yn Adran Gwasanaethau Cymdeithasol gyda'i byddin o weithwyr cymdeithasol a chynghorwyr proffesiynol, naw tan bump, ym mhob swyddfa sir drwy'r wlad. Mae'r gweithwyr cymdeithasol hyn, a'r gefnogaeth maent yn ei rhoi, yn sicr o fod yn help. Ond yn nyddiau tlodi, hanner can mlynedd yn ôl, fuasai hyn ddim yn ddigon. Bryd hynny, roedd ceiniog neu ddwy yn y llaw yn well na rhes o eiriau cysurlon.

Rydw i'n cofio, pan oeddwn yn rhyw wyth oed, cael fy ngyrru i'r siop i nôl neges i Mam, ac ar y ffordd gweld torf fawr o bobl yn sefyll yn y lôn y tu allan i dŷ yn y stryd. Ac yn null plentyn fe'm gwthiais fy hun drwy'r dorf nes oedd fy nhrwyn yn pwyso ar ffens gardd fach ffrynt y tŷ. Yno, ar ben y grisiau ac yn gorffwys ar ddwy gadair, roedd arch. Yn sefyll tu ôl i'r arch roedd y Parchedig Elias Wynne, gweinidog capel Rehoboth. Roedd ei het yn dal i fod ar ei ben oherwydd doedd o ddim eto wedi dweud 'Gweddïwn' wrth y bobl. Roedd Mr Wynne yn edrych dros bennau cannoedd o chwarelwyr, pob un ohonynt yn gwisgo ei ddillad Sul a'i het galed. Yn sefyll o boptu'r gweinidog roedd yna ddau o blant bach, bachgen bach tua deg oed a geneth fach oedd yn fy nosbarth i yn yr ysgol. Roedd yr eneth yn sefyll wrth ochr rhyw ddyn ac roeddent i gyd wedi eu gwisgo mewn du. Roedd pawb fel pe baent yn disgwyl i rywbeth ddigwydd.

Ac yna fe ddigwyddodd. Fe ddaeth yna ryw 'whsh' o enau'r dorf, fel yr 'whsh' a glywir ar gae pêl-droed ar ôl i'r bêl daro'r postyn. Ar yr un pryd, daeth hen wraig allan o'r tŷ wedi ei gwisgo mewn gwisg o satin du a bonet a blodau du arni ar ei phen. Yn ei breichiau roedd babi bach wedi ei lapio mewn siôl wen. Fe ddaeth y wraig a sefyll nesaf at y gweinidog. Ar hyn dyma Mr Wynne yn tynnu ei het ac yn ei rhoi yn ofalus ar sil y ffenest ac yna'n troi at y wraig ac yn cymryd y babi bach oddi arni. 'Gweddïwn,' meddai wedyn mewn llais mawr uchel. Ar hyn dyma'r dynion i gyd yn tynnu eu hetiau caled ac aeth pob man yn ddistaw.

Yna, ar ôl munud o dawelwch, dyma'r gweinidog yn dweud eto, 'Rydym ni yn bedyddio'r plentyn hwn, Mary Elisabeth, yn enw'r Tad a'r Mab a'r Ysbryd Glân, Amen.' Aeth yn ei flaen i ddweud, 'Caniatâ, O Arglwydd, fod i'r plentyn hwn farw i bechod.' Wrth ddweud hyn rhoddodd y plentyn bach i orwedd ar gaead yr arch, a'r holl bobl yn dweud 'Amen'. Yna cododd y gweinidog y babi bach i fyny i'r awyr a dweud mewn llais uchel,

'Fel y gall fyw i gyfiawnder.' A'r tro hwn gwaeddodd yr holl bobl 'Amen' ac 'I Dduw bo'r diolch, Haleliwia'.

Ar ôl i'r hen wraig fynd â'r babi yn ôl i'r tŷ, dyma Mr Wynne yn dechrau siarad efo'r dorf. Dyma'r tro cyntaf erioed i mi weld dynion mawr yn wylo. Roedd rhai yn cadw eu llygaid tua'r llawr ac eraill yn chwythu eu trwynau i'w hancesi coch â smotiau gwyn. Ond roedd rhai yn crio fel y bydd plant yn crio yn yr ysgol. Yna roedd yna gasgliad: dynion yn y dorf yn tynnu eu hetiau ac yn casglu arian ynddynt oddi wrth y dynion eraill. Pan oedd yr hetiau'n llawn, aeth y dynion â nhw a'u rhoi i Mr Wynne; yntau wedyn yn eu rhoi ar gaead yr arch ac yn gweddïo am hir iawn wedyn.

Fe gymerodd flynyddoedd cyn y deuthum i sylweddoli beth yn union roeddwn wedi ei weld ar y prynhawn yma. 'Bedydd caead arch' oeddwn wedi ei weld. Roedd mam y babi wedi marw ar ei genedigaeth, a thad a brawd a chwaer y babi oedd y rhai oedd yn sefyll tu ôl i'r arch efo'r gweinidog. Mae'n debyg mai'r nain oedd y wraig, oedd yn ymddangos mor hen i mi, a ofalai am y babi. A'r casgliad? Wel, fe ddywedwyd wrthyf, flynyddoedd yn ddiweddarach, y buasai'r Parchedig Elias Wynne yn teimlo'n euog pe byddai unrhyw gasgliad bedydd caead arch yn dod â llai na mil o bunnau yn ein harian ni heddiw i'r tad a'i blant amddifad. Mae'n eithaf tebyg hefyd y buasai'r chwarelwyr yn nes ymlaen yn trefnu cyngerdd elusen gan roi'r elw i'r teulu bach.

Yn y dyddiau cyn y rhyfel arferai pawb oedd yn galw i gydymdeimlo mewn tŷ galar adael arian. Roedd hyd yn oed y swm gweddus i'w roi yn cael ei nodi – hanner coron. Yn y cyfnod hwn, £2 yr wythnos oedd cyflog chwarelwr, felly roedd hanner coron yn $^1/_{16}$ o'i gyflog wythnos – tua £10 yn arian heddiw. Doedd neb yn meddwl am yr arian hwn fel arian elusen neu gardod i'r tlawd. Roedd pawb yn y gymdogaeth yn ei ddisgwyl ac yn ei gael. Roedd hyd yn oed gweddw'r meddyg a gweddw'r rheolwr banc yn cael eu hanner coronau. Roeddynt wedi rhoi i deuluoedd eraill a bellach dyma eu tro hwythau i dderbyn. Dim ond un cwestiwn oedd yn cael ei ofyn, 'Ai cynhebrwng preifat ynte cynhebrwng cyhoeddus ydi o?' Os angladd cyhoeddus a geid, doedd dim ots a oedd y marw'n frawd i'r Aga Khan ei hun, roedd ei weddw'n derbyn ei hanner coron. Roedd mwyafrif pentrefi Cymru yn gallu brolio fod bron pob angladd wedi ei dalu amdano cyn i'r hers adael y drws ffrynt.

Efallai mai dyma'r math o beth yr oedd Dr Rees yn meddwl amdano pan oedd yn sôn am 'ofal cymuned'. Ond mae pethau wedi newid. Y diwrnod o'r blaen roedd un o'm cyd-offeiriaid yn dweud, 'Mae gan yr eglwys ei gweinidogaeth claddu'r meirw, ond bellach does ganddi ddim gweinidogaeth galaru dros y meirw.' Mae ganddi o hyd ambell Barchedig Elias Wynne, meistri *pastoralia*, ond fel cyfangorff ychydig sydd ganddi i'w gynnig i'r rhai mewn galar. Mae iechyd y rhai sy'n galaru, yn seicolegol ac yn gorfforol, mewn peryg yn ystod cyfnod eu galar, yn ôl Dr Rees. Mae angen rhywbeth mwy arnynt na geiriau fel 'balm amser' a 'balm yr Ysbryd Glân'.

Rydw i'n credu fod aelodau'r eglwys yn gwybod fod hyn yn wendid yn eu heglwys. Ganrifoedd yn ôl fe gollodd yr eglwys y ddawn o 'wahaniaethu ysbrydoedd', dawn yr oedd yr Eglwys Fore wedi ei thrysori, ac o'i cholli, colli hefyd y ddawn o gynnal a chysuro'r rhai sydd wedi colli rhywun annwyl. Mae ysbrydion, a'r rhai sydd yn dweud eu bod yn cyfathrachu ag ysbrydion, yn anathema i lawer o weinidogion yr efengyl heddiw.

Mae Dr Rees hefyd wedi gwneud ymchwil i effeithiau paranormal ar fywydau'r rhai sydd wedi dioddef profedigaeth. *A Longitudinal Survey of the Consequences of Bereavement* ydi teitl y gwaith ymchwil hwn. Fel meddyg cefn gwlad, bu'n ymweld yn selog â rhai yn ei gylch oedd wedi colli gŵr neu wraig. Roedd ganddo restr o 26 o gwestiynau i'w gofyn i bob un ohonynt. Ond canfu ar y cychwyn fod yna un ffactor oedd yn codi ei ben ar bron bob ymweliad. Dyma ddywed y meddyg:

> Ar ôl dechrau ar fy ymchwil roeddwn yn synnu at y ffordd roedd y bobl hyn yn awyddus i ddweud wrthyf am y pethau roeddynt wedi eu gweld yn eu cartrefi a'r profiadau roeddynt wedi eu cael o weld eu hanwyliaid oedd wedi marw yn dal yn bresennol efo nhw yn y cartref ar achlysuron.

Mae'n amlwg oddi wrth ei waith fod Dr Rees yn ymchwilydd trylwyr iawn. Roedd o'n gwahaniaethu'n fanwl rhwng 'gweld' a 'breuddwydio'. Roedd unrhyw beth a ddigwyddodd yn ystod oriau'r nos, ar wahân i'r munudau cyntaf ar ôl mynd i'r gwely, yn cael ei anwybyddu neu ei ystyried fel breuddwyd yn unig. Os oedd yna unrhyw amheuaeth am ddiffuantrwydd y profiad, nid oedd yn cael ei dderbyn.

A dyma ganlyniadau ymchwil y meddyg teulu. Roedd bron hanner y gweddwon y bu iddo eu holi yn tystio eu bod wedi gweld, wedi clywed neu wedi eu cyffwrdd gan gymar ymadawedig. Rwyf wedi cael caniatâd Dr Rees i groniclo tystiolaeth rhai o'r 258 o weddwon y bu ef yn eu holi. Mae'r ffigurau mewn cromfachau'n dangos ers faint o amser y buon nhw'n weddw.

Mae o'n rhywbeth sanctaidd. Rydw i'n teimlo ei fod o hyd yn agos. Does byth ofn arna i.   (3$^{1}/_{2}$ blynedd)

Mae o'n agos ataf.   (7 mlynedd)

Yn aml iawn mae o'n sefyll wrth fy ochor. Mae'n beth rhyfedd, ond tydw i erioed wedi breuddwydio amdano.   (7 mlynedd)

Rwy'n teimlo ei fod yn gwylio drosof.   (2 flynedd)

Mae o yma rŵan. Tydw i byth yn ofnus nac yn bryderus. Pryd bynnag y bydda i'n mynd allan, rydw i bob amser yn edrych ymlaen at gael dod yn fy ôl am fy mod yn gwybod ei fod o yma. Rydw i wedi cysgu'n sownd bob nos, hyd yn oed noson ei gladdu. (8 mlynedd)

Does yna ddim byd tebyg i'r teimlad yma. Mae'n werth yr holl arian yn y byd i mi. Mae'n deimlad rhyfeddol. Rydw i'n berffaith hapus, byth yn teimlo'n unig na fy mod ar fy mhen fy hun. (10 mlynedd)

Mi ddaru mi deimlo am gryn wythnos, rhyw ddwy flynedd yn ôl, ei fod o yma yn y tŷ drwy'r amser. Doedd arna i ddim mymryn o ofn.   (10 mlynedd)

Rydw i'n teimlo ei fod o yma hefo fi ac yn edrych ar fy ôl. Mae'n beth rhyfedd, ond cyn iddo farw roedd arna i ofn mynd i fyny'r grisiau a 'dawn i ddim i fyny chwaith heb olau. Ond ers pan mae o wedi marw, rydw i'n mynd i fyny'r grisiau heb drafferth o gwbl. (11 mlynedd)

Pan fydd unrhyw broblem yn codi ei phen, rwy'n teimlo ei fod yn agos iawn ac rydw i'n cael fy arwain ganddo.   (3 blynedd)

Mae gen i ryw deimlad pe bawn i'n gadael y tŷ yma y baswn i'n troi fy nghefn arno fo. Mae nifer o'm ffrindiau wedi ceisio fy mherswadio i symud, ond allwn i ddim. Rydw i'n ei glywed yn symud o gwmpas yma ac mae o'n siarad yn blaen. Mae'n edrych yn iau, ac fel yr oedd cyn ei salwch, byth fel yr oedd o pan oedd yn wael.   (9 mis)

Dywed Dr Rees yn ei adroddiad fod 69% o'r rhai a holwyd yn dweud fod yr ymdeimlad hwn o agosrwydd at yr ymadawedig yn gysur iddynt. Roedd 6% yn tystio ei fod yn brofiad y buasai'n well ganddynt fod hebddo. Dyma enghreifftiau:

Mi ddaru mi ei deimlo yn fy nghyffwrdd i ac mi ddaru hyn fy nychryn. Roedd o'n gwneud i mi feddwl 'mod i'n mynd o 'nghof. (8 mlynedd)

Pan fyddwn i'n clywed ei lais mi fyddwn yn meddwl ar y funud, ew, mae o'n fyw. Yna gorfod sylweddoli ei fod o'n farw. Roedd yn deimlad digon annifyr – doedd o ddim yn iawn.   (4 blynedd)

Fe ddywedais wrth Dr Rees fel y bu i minnau hefyd ddod ar draws gwraig weddw ifanc oedd yn credu nad oedd y math o gysylltiad rhwng y byw a'r marw yn 'iawn'. Nyrs seiciatrig ofynnodd i mi a fuaswn yn mynd i weld gwraig weddw fach roedd hi'n gofalu amdani ac a oedd yn dioddef oddi wrth iselder ysbryd drwg iawn. Roedd hi'n fam i ddau o blant bach ac roedd ei gŵr wedi ei ladd mewn damwain. Ond roedd o'n dal i ddod yn ei ôl. Roedd hi'n gallu ei deimlo'n eistedd ar ei gwely; roedd hi hyd yn oed yn gallu teimlo a oedd o'n blês ai peidio ar y ffordd roedd hi wedi treulio'i diwrnod. Roedd hi wedi dod i gasáu'r cyfarfyddiadau hyn â'i gŵr marw cymaint fel y bu iddi symud tŷ. Fe ddywedodd wrthyf, 'Pan oedd e'n fyw, roeddwn i'n ei garu yn fwy na dim na neb yn y byd. Ond mae o wedi marw rŵan a tydw i ddim yn wraig nac yn weddw. Fe ddylai rhywun ddweud wrtho ei fod o wedi marw a'n bod ninnau'n fyw.' Roedd anghyfiawnder y sefyllfa wedi bod yn corddi tu mewn iddi am amser; doedd hi ddim wedi medru dweud wrth nyrs na meddyg am y peth, na hyd yn oed wrth ei mam.

Galw Elwyn wedyn. Doedd Elwyn ddim wedi bod yn y tŷ am fwy nag ychydig funudau cyn iddo ddweud, 'Mae o yma'r funud hon,' meddai. 'Ydi, rwy'n gwybod,' meddai hithau, 'mae o'n sefyll wrth droed y grisiau.' 'Wel,' meddai Elwyn, 'rydw i'n cael y teimlad ei fod o eisiau dweud rywbeth wrthych chi. Mae gennych ddewis,' meddai, 'un ai fy mod i'n mynd i drawsgwsg a thrwy hynny'n gallu gwrando beth mae'n ei ddweud neu, os hoffech chi, rwy'n meddwl y gallwn eich helpu chi i ymlacio fel y gallwch siarad yn uniongyrchol gydag o.' 'Yr ail ddewis, plîs,' meddai hithau, 'mi faswn i'n hoffi ei glywed drosof fy hun.'

Ac felly digwyddodd y peth. Ymddengys nad damwain oedd wedi cymryd ei fywyd, ond hunanladdiad. Gynted ag yr oedd wedi marw roedd o wedi edifaru ac wedi dod i sylweddoli tric mor wael roedd o wedi ei chwarae ar ei wraig a'i blant. Roedd o wedi ceisio drosodd a throsodd dweud wrthi mor ddrwg oedd ganddo am yr hyn roedd o wedi ei wneud a gofyn iddi faddau iddo. Bu'r ddau'n sgwrsio efo'i gilydd am sawl munud. Fe ddeallais i hefyd fod yna gytundeb wedi ei wneud rhyngddynt nad oedd angen iddo ddod yn ei ôl eto ond y byddai'n cadw i'w ochr ei hun o hynny ymlaen. Y pnawn hwnnw fe welais iselder a blinder a phryder dwy flynedd yn diflannu oddi ar wyneb gwraig ifanc.

Y syndod i mi oedd fod y wraig ifanc yma wedi dioddef cyhyd heb ddweud wrth neb am yr hyn oedd yn ei nychu. Heb ddweud hyd yn oed wrth ei doctor a'i nyrs. Ymddengys fod Dr Rees wedi dod ar draws yr un anfodlonrwydd. Mae'n dweud yn ei ymchwil nad oedd 72.3% o'r rhai y bu yn eu holi wedi dweud gair am eu profiadau wrth neb arall; o'r rhai oedd wedi dweud wrth rywun arall, wrth deulu yn unig roedden nhw wedi dweud. Doedd dim un ohonynt wedi sôn gair wrth y meddyg teulu a dim ond un o 258 oedd wedi dweud wrth y gweinidog.

Roedd yn amlwg wrth ddarllen adroddiad Dr Rees mai ei bwrpas oedd ceisio casglu gwybodaeth fuasai'n gymorth i drin rhai oedd yn galaru. Ond fe gododd y mater arall hwn – y gymdeithas yma oedd yn dal i fynd ymlaen rhwng y byw a'r marw. Roedd y dystiolaeth hon fod ysbrydion yn bethau oedd yn bod ac yn gallu chwarae rhan ym mywydau'r byw yn rhywbeth hollol annisgwyl yn yr ymchwil. Mae'r casgliad y daeth y meddyg teulu medrus hwn iddo, ar ôl gwrando ar dystiolaeth rhai mewn profedigaeth, yn rhywbeth y dylai pob Cristion ei bwyso'n fanwl – yn enwedig pob gweinidog yr efengyl.

Dyma gasgliad ymchwil Dr Rees yn ei eiriau ef ei hun:

Mae'r gred Gristnogol yn atgyfodiad Crist wedi ei sefydlu ar dystiolaeth disgyblion a gyfarfu'r Iesu ar ôl ei groeshoeliad. Mae'r un math o ffenomen yn digwydd, i raddau llai, ym mywydau miliynau o bobl heddiw. Os yw tystiolaeth atgyfodiad yr Iesu yn wir, yna fe ddylid derbyn fel gwirionedd dystiolaeth gweledigaethau gweddwon heddiw. Mae'n hollol afresymol derbyn un dystiolaeth a gwadu'r llall, yn enwedig gan fod y rhai mewn galar, yn union fel y disgyblion, yn tystio iddynt weld a chlywed a chael eu cyffwrdd gan y marw. Mae'r cwestiwn hwn, heb amheuaeth, yn gwestiwn anodd i'r Eglwys, a hawdd deall cyndynrwydd arweinwyr i fynd i'r afael â'r fath broblem. Er hyn, mae'n gwestiwn y dylid ei wyntyllu. Fe erys rhywbeth o'i le yn niwinyddiaeth yr atgyfodiad os na roddir lle hefyd i dystiolaeth gweddwon y byd. All dyn ddim dweud fod Crist yn fyw, gan seilio'r gred ar dystiolaeth y rhai a'i gwelodd 2,000 o flynyddoedd yn ôl ac yna nacáu tystiolaeth y nifer fawr o bobl heddiw sydd yn dweud eu bod yn cyfathrachu â'r meirw.

Ailymgnawdoliad

Tydw i ddim yn credu i mi erioed fod ag ofn marw. A dweud y gwir, hyd yn ddiweddar, tydw i ddim wedi rhoi rhyw lawer o amser i feddwl am y fath beth. Ond ar ôl ymddeol, fe ddechreuais wneud peth digon gwirion; fe ddechreuais gael rhyw gipolwg ar golofnau'r marwolaethau yn y *Daily Post*. A dyna lle roedden nhw: y rhai oedd yn yr ysgol ac yn y coleg efo mi, dau neu dri ohonynt â'u henwau yn y golofn bron bob mis. 'Mae 'nghyfeillion adre'n myned draw o'm blaen o un i un,' oedd hi.

Ffrind wedyn yn dweud y dydd o'r blaen, 'Wyddoch chi, does ond y chi a'r Parch. Huw Jones, Y Bala, yn fyw o gast gwreiddiol *Wil Cwac Cwac* ar y radio.' Nid fod pethau fel yna'n codi ofn marw arnaf, ond mae colofn farwolaethau'r papur newydd yn dweud mwy na bod hen ffrind wedi marw; maent hefyd yn awgrymu beth achosodd ei farwolaeth. Os bydd y casgliad yn yr amlosgfa at Gymdeithas Ymchwil Cancr, neu at Gymdeithas Clefyd y Galon – wel dyna ni! Mi fyddaf yn hoffi meddwl, pan fydd y neges yn dweud fod y casgliad at Gronfa To Newydd Eglwys y Plwyf, neu at Gronfa Organ Capel Jeriwsalem, fod yr hen gyfeillion yma wedi cael marw'n dawel yn eu gwlâu gartref.

Bellach, er nad ydi'r syniad o farw'n codi ofn arnaf, mae darllen yr hen golofnau hyn wedi peri i mi bryderu dipyn am ddull fy marwolaeth. Nid ofn marw fel y cyfryw, ond ofn gorfod eistedd yn y gornel, wedi fy mharlysu un ochr, ac yn ddrwg fy nhymer fel cacynen am fy mod yn methu siarad yn ddigon clir i wneud i neb ddeall beth rydw i'n ceisio'i ddweud. Ofn afiechyd lle bo rhaid dibynnu ar gyffuriau i leddfu'r boen; ofn afiechyd fel clefyd Alzheimer a CJD sydd yn dwyn urddas personoliaeth dyn cyn dwyn ei gorff. Ac mae gen i hefyd ofn orfod marw mewn ward mewn ysbyty a rhyw gywion nyrsys yn galw 'Taid' arnaf.

Fel offeiriad plwyf mae'n sicr fy mod wedi dweud a chanu'r

Litani, y gwasanaeth hyfryd yna sydd yn y *Llyfr Gweddi Gyffredin*, gannoedd o weithiau, ac wedi defnyddio'r geiriau:

Gwared ni, O Arglwydd daionus, oddi wrth fellt a thymestl; oddi wrth bla, haint y nodau a newyn; oddi wrth ryfel a llofruddiaeth, ac oddi wrth angau disyfyd.

Rydw i bellach, yn fy mhenllwydni, yn gofyn i mi fy hun beth ar y ddaear a ddaeth dros fy mhen i weddïo, a gofyn i'm cynulleidfa weddïo, am gael ein harbed 'oddi wrth angau disyfyd'.

Ond ar ôl tri diwrnod o fod yn farw o gwmpas y tŷ yma, roedd hyd yn oed y fi wedi dechrau dod i ofni marwolaeth. Fe ddywedodd rhywun wrthyf yr wythnos ddiwethaf fod tri chwarter pobl y byd yn credu mewn ailymgnawdoliad, a'n bod ni i gyd, ar ôl marw, yn dod yn ôl ar ffurf babanod i fyw bywydau eraill drosodd a throsodd ar y ddaear yma. Dyma syniad sydd yn peri dychryn go iawn i mi. O leiaf, meddwn wrthyf fy hun, tydi'r rhelyw o 'mhobl i fy hun, pobl wyn eu croen, Ewropeaid – y chwarter arall, ddim yn credu'r fath lol. Ond na, fe ddywedodd ffrind arall wrthyf ei fod wedi gweld pôl mewn papur newydd oedd yn dweud fod hanner y bobl yn y wlad hon hefyd yn tybio mai yn ôl i'r ddaear yma y byddent hwythau'n dod i fyw eu bywyd nesaf.

Mae hyn yn fy nychryn. Tydw i erioed wedi darllen yr un llyfr, ar wahân i'r Beibl, fwy nag unwaith, nac wedi edrych ar ffilm neu raglen deledu fwy nag unwaith. Byddaf yn mwynhau pob ymweliad ag ynysoedd gwlad Groeg, ond anaml yr af i'r un ynys fwy nag unwaith. Felly mae'r hen ŵr yma sydd wedi marw ers tri diwrnod yn dechrau teimlo'n bryderus. Ar ôl yr holl fusnes o drefnu angladd, rhoi hysbysiad yn y papur newydd, helynt y claddu ac achosi anghyfleustra i'r plant, ai'r cwbl rydw i'n ei wneud yn y diwedd ydi rhyw dro pedol ac yn ôl unwaith eto i'r hen fyd yma i ailddechrau bywyd arall fel plentyn bach? Tydi ailymgnawdoliad ddim ychwaith, fe ddyliwn, yn cymryd sylw o gwestiwn rhyw. Fe allwn, medden nhw, gael fy ngeni yr ail dro yn fabi gwryw neu yn fabi benyw.

Fe gefais blentyndod hynod o hapus ym Mlaenau Ffestiniog. Bendithiwyd fy ngwraig a minnau â chwech o blant ac 16 o wyrion a wyresau. Bu'r Eglwys hefyd yn garedig wrthyf, yn gadael i mi ymgymryd â gwaith mabwysiadu plant ac yn ddiweddarach gofalu am rai oedd yn gaeth i alcohol a chyffuriau eraill. Mae gennym dŷ mawr hyfryd i fyw ynddo, a chlamp o ardd. Mae'r bywyd cyntaf hwn wedi bod yn un hynod o hapus ac yn un y byddaf beunydd yn diolch i'r Arglwydd amdano. Wrth feddwl am fy nheulu, byddaf yn dwyn ar gof y cyfieithiad newydd o weddi'r Arglwydd yn y Beibl Newydd. 'A phaid â'n dwyn i brawf' yw'r cyfieithiad a roddir i'r hen gymal, 'Ac nac arwain ni i demtasiwn,' ac mae hyn yn gwneud synnwyr oherwydd tydi Duw ddim yn temtio'i blant i bechu. Ond am ryw rheswm rhyfedd, na allaf ei esbonio, efallai ei fod yn arwain rhai o'i blant i gael eu profi yn fwy nag eraill. 'Nac arwain ni i'r prawf caled' ydi cyfieithiad Beibl y Newyddion Da. Hyd ddydd fy marwolaeth does yr un o 'nheulu mawr, teulu sydd bron gymaint â theulu Abram Wood erstalwm, wedi cael eu harwain i ddim un prawf ac yn sicr nid i'r un prawf caled. Does yr un ohonom wedi gorfod dioddef profedigaethau chwerwon ac afiechydon poenus. Mae Duw wedi bod yn hynod garedig wrthym fel teulu. Er hyn i gyd, mi fuaswn yn casáu gorfod dod yn f'ôl i'r byd hwn mewn corff arall am sesiwn arall. Fuaswn i ddim yn hoffi gorfod dod yn f'ôl, hyd yn oed i fod yn Archesgob Caer-gaint – neu, fe ddylaswn ddweud, yn enwedig i fod yn Archesgob Caer-gaint druan.

Pan fyddaf yn meddwl am ailymgnawdoliad, mi fyddaf hefyd yn meddwl am Esther Rantzen, y wraig hynod honno sydd wedi dyfeisio ffordd i blant ffonio i ddweud eu bod eisiau help a'u bod yn cael eu cam-drin yn rhywiol gan eu rhieni neu gan rhyw hen gena o daid neu rywun arall. Rwy'n gofyn yn y cyswllt hwn sut mae *karma* y ddysgeidiaeth ein bod yn medi yn yr ail fywyd yr hyn y bu i ni ei hau yn y cyntaf yn gweithio? A beth sydd a wnelo *karma* â'r syniad o ailymgnawdoliad? A yw hyn yn golygu os na fyddaf wedi gwneud yr hyn a ddylaswn yn y byd yma, fod yna bosibilrwydd y byddaf, yn y bywyd nesaf, yn blentyn i gwpwl a fyddai'n greulon wrthyf neu yn fy ngham-drin, neu i gwpwl a chanddynt dad-cu aflednais yn byw efo nhw? Neu, yn waeth na hynny, yn blentyn i fam ddibriod y buasai ei phartner yn fy nghicio bob tro y byddwn yn gwlychu fy nghlwt?

Os ydi'r *karma* yma'n rhywbeth sydd yn cael ei bwyso a'i fesur yn ofalus fel y bo pob un ohonom yn cael yn union, i'r owns, yn yr eilfyd yr hyn y bu iddo gyfrannu yn y cyntaf, yna fydd gen i ddim hawl i ddisgwyl dyrchafiad o fath yn y byd ar fy ail ymweliad. Does dim dichon 'mod i wedi gwneud digon i dalu'n ôl am y rhieni cariadus a gefais yn y bywyd yma, nac ychwaith am yr hapusrwydd teuluol a gefais yn fy mywyd priodasol. Os ydi *karma* yn rhywbeth sy'n hollol deg, *quid pro quo*, yna mae hi ar ben arnaf yn y bywyd nesaf. Roeddwn i wedi gobeithio lliniaru dipyn ar y sefyllfa y byddaf ynddi yn weddol fuan drwy ddweud, ar ôl y croesi, 'mod i'n frawd i'r gŵr a fu farw ar y groes, a dweud hefyd wrth geidwad y porth, dim ond iddo edrych yn ofalus ar fy nhalcen, efallai y gallai weld o hyd arwydd y groes er y dydd y'm bedyddiwyd 79 o flynyddoedd yn ôl yn y Blaenau. Bryd hynny bu i'r offeiriad ddweud ei fod, trwy fedydd, yn fy ngwneud 'yn blentyn i Dduw, yn aelod o [deulu] Crist ac yn etifedd teyrnas nefoedd'. Ond mae'r busnes *karma* yna yn torri ar draws hyn i gyd. Mae'r syniad Cristnogol yn un mwy manteisiol o lawer i mi. Rydw i'n ceisio glynu wrth y syniad 'Yn nhŷ fy nhad y mae llawer o drigfannau', a gobeithio, os byddaf yn lwcus, ac fel un sydd yn aelod o deulu Crist, y byddaf yn cael cynnig tenantiaeth un o'r bythynnod bach yng Ngwlad yr Hafau, yr un drws nesaf i un fy rhieni, William a Kate, os bydd hynny'n bosib.

Felly fe welwch fod yn gas gan f'enaid y syniad hwn o ailymgnawdoliad. Mi fuaswn yn rhoi unrhyw beth i allu profi i mi fy hun, ac i eraill, nad oes y fath beth yn bod ac mai hen lol wirion ydi'r cwbl. I ni, mae o'n rhyw syniad moel, diddychymyg, ac eto, fel roedd fy ffrind yn dweud, mae'n syniad mae tri chwarter poblogaeth y byd yn ei dderbyn.

Pan ofynnais i'm ffrindiau, yr ysbrydegwyr, a oeddynt hwy'n credu mewn ailymgnawdoliad, fe ffeindiais nad oeddynt hwythau, y bobl sy'n brolio eu bod yn gwybod ac nid yn credu, yn rhyw sicr iawn ychwaith. Ymddengys eu bod yn rhanedig – rhai'n credu ein bod yn ôl i'r byd hwn, eraill ein bod yn mynd ymlaen i fodolaethau eraill. Yna, mae nifer fawr yn y canol yn dweud, 'Ydi, mae ymgnawdoliad yn digwydd, ond mae yna hefyd ddewis'. Yn ôl y rhain, fe gawn ddod yn ôl i Ddosbarth y Babanod ar y ddaear ac ailgychwyn, os ydym yn dymuno hynny, neu fe allwn symud ymlaen – mae hyn i fyny i'r unigolyn. Ond o leiaf does yna ddim rheidrwydd.

Yn ddiweddar rwyf wedi dod ar draws llyfr sydd wedi ei gyhoeddi gan Ysbrydegwr Cynhadledd Fawr y Byd dan y teitl,

Y Gwirionedd am Ailymgnawdoliad: Casgliad o Athrawiaethau Zodiac.
Mae Zodiac yn un o brif ysbrydion arweiniol yr ysbrydegwyr a dywed drosodd a throsodd nad oes y fath beth ag ail-ymgnawdoliad. Mae'n dweud: 'Mae credu mewn ail-ymgnawdoliad yn hollol anghywir ac wedi ei seilio ar gamddealltwriaeth'. Ond mae hyd yn oed Zodiac yn mynd yn ei flaen i ddweud efallai bod yna bosibilrwydd o fywyd arall ar ryw blaned arall heblaw'r ddaear yn y bydysawd.

Fe ddechreuodd Zodiac athrawiaethu i drigolion y ddaear yn 1921. Dangosodd ei hun i deulu bach yng ngorllewin Llundain, gan ddewis Miss Winifred Moyes i fod yn gyfryngwr ac yn llefarydd iddo. Rhoddodd ei enw fel Zodiac gan wrthod ei enw daearol. Mae nifer yn credu mai Zodiac oedd yr athro yn y deml a ofynnodd i'r Iesu pa un oedd y prif orchymyn. Fodd bynnag, am dros 30 mlynedd fe fyrlymodd ei athrawiaethau i Miss Moyes. Bellach, mae ei ddywediadau wedi eu cofnodi ar ddudalennau nifer fawr o lyfrau.

Mi fuaswn yn hoffi credu'r hyn mae Zodiac yn ei ddweud, oherwydd ar wahân i roi dipyn o gysur i mi efo'r busnes ailymgnawdoliad yma, mae ganddo hefyd nifer fawr o syniadau a dywediadau hynod o ddoeth. Mae'n esbonio sawl dirgelwch. Mae nifer fawr o ddiwinyddion wedi sylweddoli ein bod, wrth dderbyn y syniad mai genedigaeth naturiol i fywyd ar y ddaear yw cychwyn cyntaf ein personoliaeth, yn creu problemau enfawr i ni ein hunain. Mae'r Parch. Leslie Weatherhead, oedd yn weinidog y City Temple yn y 40au, yn gwyntyllu'r mater fel hyn:

> Os methaf fy arholiad bywyd, y mae'n rhaid i mi ei basio tra byddaf yn y corff, tybed a fydd raid i mi ddod yn ôl i'r ddaear i'w ailsefyll?

Mae'n eithaf amlwg, yn fy marn i, fod Leslie Weatherhead yn credu mewn ailymgnawdoliad yn ystod y cyfnod hwn yn ei fywyd, oherwydd mae'n mynd yn ei flaen i ddweud:

> Os yw pob genedigaeth yn enedigaeth enaid arall newydd sbon, ni allaf weld sut mae unrhyw fath o gynnydd yn bosibl. Mae pob un yn dechrau ar y gwaelod. Mae pob un yn cael ei eni'n blentyn, yn enaid bach unigol, hunanol ac yn analluog i ddechrau bywyd o'r man lle mae ei rieni eisoes wedi cyrraedd. Ni ellir fyth cael byd

perffaith os na all y rhai a enir iddo fanteisio ar brofiadau a ddysgwyd gan bersonau o'u blaen, yn hytrach na bod pob bywyd yn dechrau yn y dechrau.

Mae'r syniad hwn wedi achosi cryn boen i minnau hefyd. Mae miliynau o eneidiau newydd yn cael eu geni ar olwyn fawr bywyd bob blwyddyn. Pan fydd yr olwyn fawr yn stopio, fe fydd yna nifer arni fydd heb gael y cyfle o gael tro cyflawn, ac fe fydd yna rai heb gael tro o gwbl. Ond mae gan Zodiac ei ateb:

Cyn y bywyd daearol roedd i chwi sawl math o gorff a oedd yn addas ar gyfer bodolaethau eraill. Mae'r profiad a gafwyd yn y bodolaethau eraill hyn mor gynhwysfawr â'r profiad daearol. Ond o'r holl fywydau sydd yn agored i ni, dim ond yn y bywyd daearol y mae gofyn i ni wisgo corff o gnawd.

Yna mae Zodiac yn ateb cwestiwn Leslie Weatherhead:

Hyd yn oed cyn eich geni a'ch gwisgo â chorff cnawdol, yr oeddech yn gallu dod i'r byd materol hwn, a cherdded yn llaw rhai oedd yn mynd drwy'r profiad daearol. Mae hyn o ddefnydd i chwi ac yn eich paratoi, a dyma pam mae rhai ohonoch yn teimlo eich bod yn cofio pethau a lleoedd fel profiadau roeddech wedi eu cael o'r blaen.

Rydw i'n hoff iawn o'r hyn sydd gan Zodiac i'w ddweud, ond mae'r pwt hwn am fywyd cyn ein bywyd ar y ddaear yn f'atgoffa dipyn bach o Dystion Jehofa. Mae'n debyg i chi sylwi pan ddaw'r brodyr hyn i aflonyddu ar ein hepian ysgafn ar bnawn Sul, mai dim ond un sydd yn siarad. Mae ei ddau gydymaith yn gorfod sefyll wrth ochr fel dau fud a byddar yn dweud dim. Rydw i'n credu fod yna reol ar gael nad ydi aelod i siarad yn gyhoeddus, nac ar stepen y drws, cyn bwrw ei brentisiaeth yn gyntaf drwy wrando ar gydymaith profiadol. Mae Zodiac yn dweud fod llawer sydd yn cael eu geni i'r ddaear wedi cael sawl tro ar olwyn profiad y ddaear cyn dod i'r byd hwn i fyw yn eu cyrff. Fe ddywed hefyd nad bywyd daearol mewn corff cnawdol, o angenrheidrwydd, yw'r bywyd a'r profiad cyntaf i ni. Mae yna sawl bywyd ar wahanol lefelau. Cyn belled â'n bod yn mynd drwy bob lefel, meddai Zodiac, nid yw'n bwysig o gwbl ar ba lefel mae enaid yn cychwyn ei yrfa ysbrydol. Ac mae o'n pwysleisio drosodd a throsodd, o'r holl lefelau yr ydym i basio drwyddynt, a'r holl fodolaethau yr ydym i'w profi, dim ond yn un ohonynt, yr un ar y ddaear, ac am amser byr iawn, y bydd raid i ni wisgo corff o gnawd.

Felly beth am dri chwarter poblogaeth y byd sydd yn anghydweld â'r hyn mae Zodiac yn ei ddweud? Dilynwyr Bwda ydi nifer fawr o'r rhain. Ond mae *Llyfr Meirwon Tibet* yn dweud wrthym nad yw'r bobl hyn chwaith yn benboeth yn eu daliadau ar ailymgnawdoliad. Yr hyn mae'r llyfr yn ei ddweud ydi y bydd raid i bob un ohonom orfod profi saith disgyblaeth wahanol (y ddaear a chwech arall) cyn y gallwn gyrraedd perffeithrwydd. Mae'r llyfr yn dweud hefyd pan fo dyn ar fin marw yn Nhibet, neu hyd yn oed ar ôl iddo farw, fod rhaid galw mynach i'r tŷ i esbonio iddo beth sydd yn mynd i ddigwydd iddo. Mae'r mynach hefyd yn pwysleisio yn ei neges i'r marw fod ganddo ddewis beth mae'n dymuno ei wneud nesaf. Un ai fe gaiff fynd yn ei flaen i'r ail stad neu lefel, neu fe all, os yw'n dymuno, ddod yn ei ôl i ailastudio disgyblaeth y ddaear am gyfnod pellach. Mae hyn yn ymddangos i mi yn llawer tecach na'r hyn a nodir yng nghredo'r Eglwysi Catholig:

A'r rhai a wnaethant dda a ânt i'r bywyd tragwyddol [pa un a ydynt yn dymuno hynny ai peidio], a'r rhai a wnaethant ddrwg a ânt i'r tân tragwyddol.

Credo St Athanasius

Mae'r credo hwn yn swnio i mi fel un sydd wedi ei wneud i ffitio daliadau'r dynion hynny sydd yn dilorni'r hen Ganon Scott Holland druan a'i bwt barddoniaeth.

Drwy gydol fy mywyd, rwyf wedi pregethu ac wedi dysgu fod Duw wedi rhoi dewis i bob un ohonom. Mae'n ymddangos yn hollol afresymol i mi fod yr un Duw, y munud y bu i mi gau fy llygaid, yn cipio'r hawl hwn oddi arnaf ac yn dweud wrthyf, 'Dos i gysgu rŵan, neu rho dro ar dy sodlau a dos yn ôl i ailddechrau bywyd arall ar y ddaear.' Choelia i fawr!

Ond os oes dewis ar gael, rydw i dipyn hapusach. 'Peidiwch â phoeni,' medden nhw. 'Arhoswch i weld sut y byddwch yn teimlo pan ddaw'r amser,' medden nhw wedyn. 'Does neb am eich gorfodi na'ch gwthio.' Grêt! Ond nid dyma mae para-seicolegwyr a hypnotwyr fy ngwlad fy hun yn ei ddweud. Mae

110

nifer fawr o'r rhain yn dweud eu bod yn gallu profi mai ailymgnawdoliad fydd ein ffawd ni i gyd, ac nid unwaith yn unig ond drosodd a throsodd – un bywyd ar ôl y llall ar yr hen ddaear ddigri yma. Efallai mai'r enghraifft orau o'r math hwn o ddigwyddiad yw hanes Shanti Devi, plentyn a anwyd yn 1926 i rieni gweddol gyfforddus eu byd yn Delhi yn yr India. Pan oedd Shanti yn dair oed fe ddechreuodd ddweud wrth ei rhieni ei bod, yn ei bywyd blaenorol, wedi bod yn wraig briod a chanddi dri o blant. Ar y dechrau roedd ei rhieni yn meddwl mai ffantasi oedd y cwbl, ond fel roedd hi'n tyfu roedd yn rhoi mwy o ffeithiau iddynt. Enw'i gŵr, meddai hi, oedd Kedarnath ac roeddynt yn byw mewn pentref bach o'r enw Muttra, heb fod ymhell o Delhi. Pan oedd Shanti yn saith oed roedd yn gallu rhoi darlun gweddol glir o'i bywyd fel gwraig briod a mam yn Muttra. Roedd hefyd wedi dod i gofio mai ei henw yn y bywyd o'r blaen oedd Ludgi.

Fe alwodd ffrind i'w thad, gŵr oedd yn byw yn Muttra, i weld ei rhieni un diwrnod. Shanti oedd yr un a agorodd y drws iddo ac fe fu iddi ei adnabod ar unwaith. Mewn ateb i gwestiynau ei rhieni, fe ddywedodd y gŵr dieithr fod ganddo gefnder o'r enw Kedarnath yn byw yn Muttra, a'i fod wedi colli ei wraig, sef Ludgi, ar enedigaeth eu pedwerydd plentyn rai blynyddoedd ynghynt. Heb ddweud gair wrth Shanti, fe benderfynodd ei rhieni roi prawf ar y mater. Cyn bo hir fe ddaeth gŵr dieithr arall i guro ar eu drws ac fe adnabu Shanti ef ar unwaith fel ei gŵr o'r bywyd arall – Kedarnath.

Fe achosodd y stori gymaint diddordeb fel y bu i lywodraeth India gynnal ymchwil swyddogol. Fe aed â Shanti yn ôl i Muttra ac yma roedd yn ymddwyn yn union fel pe na bai erioed wedi bod oddi yno. Roedd yn cofio enwau ei theulu-yng-nghyfraith a'r cymdogion a phan ddygwyd plant Kedarnath i mewn, bu iddi adnabod tri ohonynt ond doedd hi ddim yn adnabod yr ieuengaf, yr un anwyd pan fu Ludgi farw. Fel prawf ychwanegol fe ddywedodd Shanti ei bod, yn ei bywyd cyntaf, wedi cuddio nifer o fodrwyau a thlysau pan oedd hi'n cario'r plentyn ieuengaf. Aeth â thyrfa fawr gyda hi i'r lle, i dystio fod ei thrysorau yn dal i fod yno o hyd. Roedd pawb yn y pentref yn hollol argyhoeddedig fod Shanti wedi byw bywyd yn Muttra, fel Ludgi gwraig Kedarnath a mam ei blant cyn cael ei haileni, fel

Shanti, flwyddyn ar ôl marw, i'r cwpwl yr oedd hi bellach yn eu galw'n dad a mam.

Fe roddwyd y ffeithiau i un o brif seicolegwyr y byd, yr Athro Ian Stevenson o America. Ar ôl ymchwil fanwl daeth yntau i'r un casgliad â phobl Muttra. Felly dyna ni. Pwy ydw i, druan, i wrthsefyll y fath dystiolaeth?

Ac eto, ac rwyf yn gobeithio na fydd i neb fy nghyhuddo o hollti blew, ond rwyf wedi darllen nifer o lyfrau ar ailymgnawdoliad ac ym mhob un ohonynt mae'r stori hon am Shanti Devi yn cael ei dyfynnu fel prawf o'r peth. Mae'n ymddangos hefyd mai yr un seicolegydd, Yr Athro Ian Stevenson, oedd yn cael ei alw i ymchwilio i'r rhan fwyaf o'r math hwn o ddigwyddiad yn y cyfnod hwn.

Y Dalai Lama, wrth gwrs, ydi'r enghraifft orau o ddyn yn cael ei aileni i un bywyd ar ôl y llall ar y ddaear. Mae mynachod Tibet yn dechrau chwilio am y lle y bydd y Dalai nesaf yn cael ei eni cyn y bydd y Dalai Lama presennol wedi marw. Mae gan y Bwdistiaid esboniad hyfryd pam mae'r pethau hyn yn gorfod bod. *Bodhisattva* yw'r gair a ddefnyddiant i ddisgrifio'r dyn hwnnw sy'n gohirio marwolaeth a gwynfyd iddo ei hun er mwyn cael aros ar y ddaear hyd ddiwedd y byd yn gymorth ac yn ddiddanydd i eraill. Fe fydd rhaid i'r glaswelltyn olaf wywo a marw ar y ddaear, meddai'r Bwdistiaid, cyn y bydd i'r *bodhisattva* ei hun gerdded drwy ddrws ei Nirfana. O! pe bai'r Dalai Lama ddim ond yn medru cofio'r holl wybodaeth mae wedi ei gasglu, a'r holl sgiliau mae wedi eu meistroli yn ystod ei filoedd o fywydau ar y ddaear, fe fuasai iddo gymaint doethineb â doethineb Duw ei hun.

Ydynt, heb os nac oni bai, mae seicolegwyr yn tueddu i adrodd ac ailadrodd yr un hen storïau am ailymgnawdoliad, rhyw grafu gwaelod y gasgen. Ond y bobl sydd yn gwthio'r cwch yma i'r dŵr yn fwy na'r seicolegwyr ydi'r hypnotwyr – y bobl sydd yn gallu hypnoteiddio pobl i'w pwrpas eu hunain. Yn gyntaf, mae'n rhaid dod o hyd i rywun sydd yn hawdd i'w hypnoteiddio – mae rhai yn hawdd i'w hypnoteiddio ac eraill yn anodd. Dyna pam y gwelwch hypnotydd ar deledu yn galw tua 40 o wirfoddolwyr i'r llwyfan yn y rihyrsal ac yna'n gwobrwyo 37 ohonynt efo balŵn a'u hanfon yn ôl i'w seddau, gan gadw tua thri i gymryd rhan yn y rhaglen. Unwaith mae'r hypnotydd wedi rhoi person mewn trawsgwsg fe all roi gorchymyn iddo i ddechrau edrych yn ôl ar ei fywyd. *Regression* yw'r gair a ddefnyddir am y ryfedd yma. 'Dos yn ôl,' meddai, 'i'r adeg pan oeddet yn ugain oed a dweud beth wyt ti'n ei weld.' 'Dos yn ôl i'r adeg pan oeddet yn ddeg oed,' meddai wedyn, 'a dweud beth wyt ti'n ei weld.' Ambell waith mae'r person sydd mewn trawsgwsg yn gyndyn i fynd yn ôl i ryw gyfnod arbennig neu yn griddfan mewn poen ar ôl cyrraedd. Dyma pryd y bydd yr hypnotydd yn gwybod ei fod wedi dod ar draws cyfnod ym mywyd ei gleient lle y digwyddodd rhyw dramgwydd sydd yn parhau i effeithio ar ei iechyd. Rydw i'n cofio'r seiciatrydd, Frank Lake, yn dweud wrthyf sut y bu iddo drin dyn deugain oed oedd yn dioddef oddi wrth iselder ysbryd a oedd yn ei nychu ac yn difetha ei fywyd. Ar ôl ei hypnoteiddio, ei anfon yn ei ôl ddeng mlynedd, yna deg arall yn ôl i ddyddiau'r coleg; wedyn dyddiau ysgol a dim byd anghyffredin yn digwydd; yn ôl i'r dyddiau cyn mynd i'r ysgol – dim byd; i'r dyddiau pan oedd yn fabi yn ei glytiau – dim byd, ac yna o'r diwedd yn ôl i'r awr a'r funud y cafodd ei eni, a dyma floedd gan y trawsgysgwr, 'Gwylia 'mhen i'r diawl. Rwyt ti'n gwasgu 'mhen i.' Ac roedd y gyfrinach allan. Roedd y claf, pan aned ef, wedi bod yn fabi mawr ac mae'n debyg mai asgwrn pelfis go fychan oedd gan y fam. Roedd y fam wedi cael genedigaeth hynod o boenus, a'r hyn mae rhywun yn ei anghofio ydi, pan fo'r fam yn cael llaw galed ar y gwely esgor, tydi hi fawr o jamborî i'r babi chwaith. Roedd y dyn deugain oed a oedd ar soffa'r seiciatrydd yn y syrjeri wedi cael genedigaeth hynod o boenus. Wedyn roedd o wedi hel meddyliau: ei fam oedd wedi achosi'r poenau yma iddo ond, ar y llaw arall, roedd hi, ei fam, yn berffaith. Hi oedd ei Dduw a'i holl fyd. Felly mae'n rhaid fod yna reswm arbennig cyn y buasai un mor annwyl ac mor dyner â hi yn achosi poen iddo. Ac yna, o rywle, roedd yn rhaid cael rheswm er mwyn cyfiawnhau'r fam. Dyma ddechrau cyfnod o'i feio ef ei hun; rhaid ei fod ef yn berson drwg, heb fod yn deilwng o gariad mam na chariad yr un bod dynol arall. Roedd yn ysgymun ymhlith pobl. Ac am ddeugain mlynedd, meddai Dr Lake, roedd yr euogrwydd hwn yr oedd wedi ei gladdu a'i guddio yn ei isymwybod wedi bod yn casglu y tu fewn iddo ac yn achosi ei iselder.

Mae'n bosibl defnyddio'r grefft hon o edrych yn ôl, y *regression* yma, i bwrpas gwahanol. Am flynyddoedd lawer roedd hypnotyddion wedi bod yn gwrando ar rai oedd wedi eu mesmereiddio yn dweud eu profiadau wrth iddynt edrych yn ôl ac yn ôl – rhai ohonynt hyd yn oed at ddydd a munud eu geni. Yna, a does neb a all ddweud pwy oedd y cyntaf, fe allodd un hypnotydd anfon ei gleient tu hwnt i'r geni, ac yn ôl i'r hyn roedd o'n ei alw yn fywyd cyn y bywyd presennol.

Synnwn i ddim mai fy hen ffrind Arnall Bloxham, a ddaeth i fyw i Gaerdydd ar ddiwedd y rhyfel, oedd y gŵr a aeth drwy'r ffin yn gyntaf. Roedd o wedi gwirioni ar y syniad o ailymgnawdoliad a'n bod ni i gyd yn dod yn ôl i fyw ail fywyd ar y ddaear. Er mwyn iacháu pobl, ac nid er mwyn gwneud hwyl am eu pennau fel hypnotyddion y teledu, yr oedd Bloxham yn defnyddio hypnosis. Ond does dim amheuaeth nad oedd, tra oedd yn iacháu, yn hanner gwrando am unrhyw friwsionyn o wybodaeth a allai hyrwyddo ei ymgais i brofi fod ailymgnawdoliad yn bod. Hyd yn oed yn blentyn roedd Arnall dan argraff ddofn ei fod wedi byw o'r blaen. Roedd ei gyfeillion yn dweud ei fod hefyd yn arlunydd talentog ond, yn ôl Bloxham, sgil roedd o wedi ei dysgu yn y bywyd o'r blaen oedd ei ddawn fel arlunydd.

Ond fe gafodd hyd yn oed Arnall Bloxham fwy nag yr oedd wedi bargeinio amdano pan gyfarfu â Jane Evans. Roedd Jane Evans, o'i thrawsgwsg, yn gallu disgrifio'n fanwl sawl bywyd gwahanol roedd hi wedi ei fyw ar y ddaear:

1. Fel gwraig swyddog Rhufeinig yn byw yn Efrog;
2. Fel gwraig Iddew cyfoethog yn byw yn Efrog yn y 12fed ganrif;
3. Fel morwyn yn nhŷ'r tywysog Jacques Coeur a oedd yn byw yn Ffrainc yn y 15fed ganrif;
4. Fel merch Sbaenaidd yn byw yn amser Cathrin o Aragon yn y 16eg ganrif;
5. Fel gwniadwraig dlawd yn amser y Frenhines Anne ar ddechrau'r 17eg ganrif;
6. Fel lleian yn byw mewn cwfaint yn Maryland, America, ar ddechrau'r 20fed ganrif;
7. Ac yna yn ei bywyd presennol fel ysgrifenyddes yng Nghaerdydd.

Roedd yna hefyd dapiau o dystiolaeth gan ŵr o Abertawe, Graham Huxtable, a oedd yn sôn am ei fywyd blaenorol fel taniwr y gynnau ar fwrdd HMS *Aggie* yn rhyfeloedd Napoleon. Tua diwedd un tâp mae'r milwr druan yn disgrifio fel y bu i'w goes gael ei saethu i ffwrdd. Roedd mewn cymaint o boen fel y cafodd Bloxham drafferth i ddod ag ef allan o'i drawsgwsg.

Fe ysgrifennodd Jeffrey Iverson lyfr yn disgrifio hanes gwaith Bloxham, sef *More Lives than One*. Iverson hefyd a roddodd i'r BBC y rhaglen deledu hynod, *The Bloxham Tapes*. Roedd o wedi gwrando ar lais Graham Huxtable yn siarad mewn llais bloesg caled, ag acen de Lloegr, ar dapiau ond pan gyfarfu â'r dyn ei hun roedd ganddo lais ysgafn, tyner ac acen addfwyn Abertawe. Ar y tâp, defnyddiai Huxtable ymadroddion morwrol, ac eto doedd o erioed wedi bod ar fwrdd llong.

Roedd Bloxham yn brolio ei fod wedi anfon y tâp o hanes HMS *Aggie* at yr Arglwydd Mountbatten a bod yr Arglwydd Mountbatten wedi ei anfon at y Tywysog Philip, a bod y Tywysog Philip wedi anfon copïau at Arglwyddi'r Llynges oherwydd bod y disgrifiad ar y tâp yn egluro sut yr oedd gynnau llongau rhyfel yn cael eu tanio yn y cyfnod yma, gwybodaeth, gallaswn feddwl, oedd wedi ei cholli ar hyd y blynyddoedd.

Roedd Bloxham mewn gwth o oedran pan glywodd Iverson amdano, ond does 'na ddim amheuaeth nad oedd ar gefn ei geffyl oherwydd mi fuasai llyfr Iverson, a'r ffilm ar y teledu, wedi peri i nifer fawr o bobl ddod i gredu yn y ddysgeidiaeth oedd mor annwyl iddo – ailymgnawdoliad. Ond mae'n debyg y buasai eraill, fel finnau, wedi eu siomi mai'r cwbl oedd yn digwydd oedd eu bod yn cael dod yn ôl i'r un lle unwaith eto, yn hytrach na chael mynd i'r nefoedd at Iesu Grist.

Ond tydi hyd yn oed fy hen gyfaill Bloxham ddim yn mynd i gael y gair olaf ychwaith. Rai wythnosau'n ôl, fe anfonodd ffrind i mi o'r Almaen erthygl yr oedd wedi ei thorri allan o'r cylchgrawn *Hypnosis*. Awdur yr erthygl oedd gŵr o'r enw Melvyn Harris a disgrifiad sydd yma o'i ymchwil i waith Bloxham. Mae awdur yr erthygl yn dod i'r casgliad nad ydi tapiau Bloxham yn profi dim o gwbl ac eithrio bodolaeth yr hyn a elwir yn *cryptomnesia*. Roedd hwn yn air dieithr i mi a bu raid i mi ei edrych yn y geiriadur i weld beth oedd ei ystyr. Yr hyn mae'n ei olygu yn y cyswllt hwn ydi fod yr holl bobl oedd wedi bod yn parablu yn eu trawsgwsg efo Bloxham yn dweud wrtho nid beth yr oeddent hwy wedi ei wneud mewn bywydau eraill ond y pethau yr oeddynt wedi darllen amdanynt yn y bywyd hwn ac yna wedi eu trosglwyddo i'w hisymwybod nes bu i Bloxham, trwy fesmereiddio, ddod â nhw i'r wyneb unwaith eto . Dyma ddywed Melvin Harris am dapiau Bloxham:

> Mae pawb sydd hyd yn hyn wedi cael cyfle i astudio'r tapiau a'r nodiadau gwreiddiol (ac mae'r rhain yn cynnwys yr Athro Hartley a hefyd, er mawr gredyd iddo, Jeffrey Iverson ei hunan) yn tystio bellach nad yw'r tapiau syfrdanol hyn yn ddim mwy na phrawf o gryptomnesia.

Does yna ddim awgrym yn y byd fod neb wedi twyllo, na cheisio twyllo. Mae'r gair cryptomnesia yn awgrymu ei fod yn rhywbeth sy'n codi o'r isymwybod yn ddiarwybod i'r person ei hun.

Rydw i'n sicr na fuasai Bloxham yn twyllo. Tydw i erioed wedi cyfarfod Jeffrey Iverson, ond rwyf wedi cael ambell sgwrs efo fo ar y ffôn. Un bore Sul fe gafodd y ddau ohonom sgwrs faith efo'n gilydd ar Radio Llundain, a rhan helaeth o boblogaeth y brifddinas yn gwrando arnom. Fuaswn i ddim yn meddwl am funud fod Iverson yn un y gallai neb ei dwyllo'n hawdd. Pan oedd yn astudio'r tapiau, ei ddisgrifiad ohonynt oedd eu bod yn cynnwys 'y dystiolaeth fwyaf syfrdanol a gafwyd erioed dros gredu mewn ailymgnawdoliad'. Fe alwodd Iverson ar Magnus Magnusson i'w helpu yn yr ymchwil hon, oedd i fod yn rhywbeth mwy na hyd yn oed darganfyddiadau Darwin. Dyma ddywedodd Magnusson ar y pryd, 'Y stori hon yw'r un fwyaf cynhyrfus y bu i mi erioed ei recordio.'

Felly rwyf yn gyndyn o adael i Melvin Harris, a'i ymchwil bedair tudalen mewn cylchgrawn, ddinistrio gwaith Arnall Bloxham a Jeffrey Iverson, a Magnus Magnusson yn gyfan gwbl. Mae'r wraig fach 'ma sydd wrth fy ochr tu ôl i'r soffa yn y fan yma yn fy mhwnio ac yn dweud fod Mr Harris ar yr un ochr â fi a bod ei ymchwil wedi taflu dŵr oer ar waith pobl yr ailymgnawdoliad. Mae hi'n dweud hefyd fod Mr Harris yn fy helpu i dorri dan seiliau'r syniad hwn o ailymgnawdoliad sydd mor atgas gen i. Ac rwyf innau'n dweud wrthi hi, 'Madam, [tydw i ddim yn gwybod ei henw] madam, does ddim rhaid i mi gael

Mr Harris, na neb arall, i nacáu gwaith Arnall Bloxham oherwydd, er ei fod yn ymchwilydd mor gywrain ac amyneddgar, mae o wedi dod i gasgliad hollol anghywir ac afresymol.'

Rhaid cofio'n gyntaf fod Bloxham yn benboeth o blaid ailymgnawdoliad. Er yn blentyn roedd o'n honni ei fod yn cofio yr hyn a ddigwyddodd iddo mewn bywyd blaenorol. Roedd yn arlunydd penigamp. Pan oedd ei gyfeillion yn gofyn iddo ym mhle y bu iddo ddysgu ei grefft, ei ateb oedd mai arlunio oedd ei waith yn y bywyd cyntaf a'i fod yn dal i gofio'i hen grefft. Roedd o'n credu'n gydwybodol fod llawer o bobl yn gallu tynnu ar yr wybodaeth a'r sgiliau roeddent wedi eu dysgu yn y bywyd cyntaf, a'u defnyddio drachefn yn yr ail fywyd. Wel, chwarae teg iddo. Rydym yn gwybod y bu i Mozart wneud taith fel pianydd drwy Vienna, yr Almaen, yr Isalmaen, yr Eidal, Paris a Llundain, pan oedd yn ddim ond chwech oed. Pan oedd yn ddeg oed fe'i apwyntiwyd yn feistr ar gerddorfa Llys Archesgob Salzburg. Roedd Mendelssohn yn cyfansoddi ac yn arwain cerddorfa pan oedd yn blentyn. Cyhoeddwyd cyfres faith o waith yr Arglwydd Macaulay, yr hanesydd, pan nad oedd ond wyth oed. Buasai Bloxham wedi dweud amdanynt i gyd mai cofio roeddynt, yn y byd yma, y ddisgyblaeth roeddynt wedi ei dysgu yn y byd arall.

Yn ystod 1950, roedd un cleient ar ôl y llall i Bloxham yn torri drwy ffin amser. Fe ddywedodd Jeffrey Iverson iddo orfod mynd drwy gymaint â 400 o dapiau cyfweliadau Bloxham. Pan ddangoswyd ei raglen deledu ac y cyhoeddwyd ei lyfr ar yr un pryd, mae'n siŵr fod yr hen Bloxham wedi taflu'i het i'r awyr a gweiddi 'Buddugoliaeth'.

Fe sgrifennais at Bloxham ar y pryd a'i gynghori i roi ei het yn ôl ar ei ben. Er fy mod yn edmygu ei waith ymchwil yn fawr, allwn i ddim dirnad sut y bu i wyddonydd fel ef ddod i'r fath gasgliad. I mi, roedd ei gasgliad yn hollol anghywir ac yn groes i bob rhesymeg. Oherwydd bod Jane Evans, Graham Huxtable ac eraill yn gallu disgrifio iddo, pan oeddynt mewn trawsgwsg, fywydau eraill o'r gorffennol yna, yn ôl Bloxham, QED eu bod oll wedi byw'r bywydau hyn eu hunain. Chlywais i erioed y fath lol. Roeddwn yn synnu fod dyn fel Bloxham, oedd wedi treulio oes yn ymchwilio i'r paranormal, yn gallu dod i'r fath gasgliad. Mi fuasai unrhyw ysbrydegwr, neu hyd yn oed fyfyriwr yn y

117

paranormal, wedi medru dweud wrtho nad oedd dim yn anghyffredin yn yr hyn roedd Jane Evans a Huxtable ac eraill wedi ei ddweud – roedd y digwyddiadau hyn yn ddigwyddiadau hollol gyffredin iddynt hwy.

Rwyf eisoes wedi sôn am 'ysbrydion caeth'. Un noson, lawer blwyddyn yn ôl, pan oeddwn yn cymryd fy nghamau cyntaf i fyd y paranormal, fe ddaethom ar draws ysbryd caeth hen dafarnwr yn Ninbych. Dwy wraig yn eu tridegau oedd yn byw yn y tŷ. Fe ddywedson wrthym eu bod wedi gweld hen ŵr bach yn dod i fyny grisiau'r seler, i mewn i'r ystafell fyw ac allan drwy'r mur gyferbyn. Doedd gan yr un ohonynt fymryn o ofn ysbryd yr hen ŵr bach, ond roedd o wedi dechrau dangos ei hun i'w ffrindiau ac roedd eu ffrindiau'n cadw draw o'r herwydd. Ar y pryd roedd ffrind i mi, oedd yn gynhyrchydd rhaglenni radio, yn chwilio am defnydd rhaglen ar y paranormal. Gan ddefnyddio arian y BBC, dyma fo'n llogi'r ddau gyfryngwr gorau yn y wlad, ac i ffwrdd â ni i gyfarfod yr hen ysbryd bach. Fe aeth y ddau gyfryngwr i lesmair, ac yn y stad hon roeddent yn medru gweld a holi'r hen ddyn bach. Eban Jenkins oedd ei enw ac roedd yn 90 oed pan fu farw, ddeng mlynedd ar hugain yn ôl, ond doedd o ddim yn sylweddoli ei fod yn farw. Roedd y ddau gyfryngwr yn awyddus i'w ryddhau. Hwn oedd y tro cyntaf i mi gael profiad o ysbryd caeth. Pan fu farw 30 mlynedd yn ôl, mae'n debyg ei fod, am ryw rheswm rhyfedd, wedi methu dod o hyd i'r rhyd i groesi'r afon i'r byd tu hwnt. Ar ôl chwilio am beth amser a methu, fe ddaeth yn ei ôl i'w hen gartref a dilyn ei hen batrwm o fyw, fel ysbryd caeth am dros ddeng mlynedd ar hugain. Roedd yn dal i ddod i fyny o'r seler pan glywai sŵn traed rhai yr oedd o'n ei feddwl oedd yn gwsmeriaid yn y bar. Pan ddywedais y stori yma gyntaf yn fy llyfr *Yr Anhygoel*, cefais nifer o lythyrau, y rhan fwyaf ohonynt oddi wrth bobl mewn oed oedd wedi dychryn ac yn ofni y byddai hyn hefyd yn digwydd iddynt hwythau. Felly mae'n rhaid i mi gael dweud yn y fan yma fod y math hwn o beth yn rhywbeth sydd yn digwydd yn bur anaml. Yr ochr draw, mae yna sawl tîm achub yn barod bob amser i ddod i arwain rhai sydd yn cael trafferth ffeindio'r ffordd. Mae yna hefyd gyfryngwyr yr ochr yma, fel y ddau a oedd gennym ni y noson honno, sydd bob amser yn fodlon helpu. Ond yn bwysicach na hyn i gyd, rydw i wedi dod i'r casgliad nad oes neb yn marw'n unig. Yn wir, eithriad mawr iawn ydi i neb allu marw'n unig. Mae ein hanwyliaid, sydd wedi ein rhagflaenu, yn gwybod pan fydd ein hamser i groesi wedi dod ac maen nhw yno ar y ffin i'n croesawu a'n hebrwng drosodd. Yn rhyfedd ddigon, tydi ysbrydion caeth byth yn ymddangos yn bryderus nac yn ofnus eu bod wedi methu croesi, mae'n debyg oherwydd nad ydynt yn gwybod eu bod wedi marw hyd nes y cânt eu hachub. A rŵan i ddod yn ôl at Eban Jenkins. Dyn bach byr a gwâr fel tarw ganddo, tua hanner cant oed, oedd un o gyfryngwyr y BBC y noson honno. A hefyd, doedd o ddim yn medru siarad gair o Gymraeg ar wahân i 'iecyd da'. Roedd o'n eistedd ar glamp o gadair ledr yng nghanol yr ystafell lle gallem i gyd ei weld. Roedd hi'n olau yn yr ystafell. Fe wnaeth y cyfryngwr yr un peth ag yr wyf wedi gweld fy ffrind Elwyn Roberts yn ei wneud droeon wedyn. Fe roddodd wahoddiad i Eban Jenkins ddod i mewn i'w gorff a defnyddio'i gorff, ac roedd yn amlwg fod yr ysbryd bach wedi derbyn ei gynnig mewn chwinciad. Oherwydd fe allwn weld y cyfryngwr tew, hanner cant oed, yn newid o flaen fy llygaid – ei liw yn gyntaf: yr wyneb gwritgoch yn llwydo a'i holl gorff fel petai'n nychu ac yn mynd yn llipa. Ymhen rhai munudau roeddwn i a'm cymdeithion yn edrych ar hen ŵr bach yn eistedd ar y gadair fawr ledr ar ganol y llawr. Yna fe ddaeth llais gwichlyd o gyfeiriad y gadair, yn siarad mewn Cymraeg pur sir Ddinbych, 'Be gythraul mae'r holl Saeson yma yn ei wneud yn fy nhŷ i?' Gan mai fi oedd yr unig Gymro yn yr ystafell, gofynnodd yr ail gyfryngwr i mi siarad â'r hen ŵr bach yn y gadair, ac fe ddywedodd wrthyf hefyd, yn Saesneg, pa gwestiynau i'w gofyn iddo. Bûm yn sgwrsio am tua deng munud cyn i'r ail gyfryngwr ddweud wrthyf am dorri'r newydd i'r ysbryd bach ei fod o wedi marw. Doedd yr ysbryd bach ddim yn licio hyn o gwbwl. Fe wylltiodd yn cacwn. 'Rhag dy gywilydd di,' meddai wrthyf, 'yn meiddio dweud fy mod i wedi marw! Rydw i'n naw deg oed ac yn dal i redeg y dafarn yma fy hunan.'

Nawr, os ydym am fod yn hollol wyddonol, y cwbl y gallaf hawlio ei ddweud ydi fy mod i, y noson honno wedi clywed llais yn siarad â mi yn Gymraeg – hen Gymraeg sir Ddinbych – a bod y llais fel petai'n dod o gyfeiriad y gadair ledr. Y person oedd yn eistedd yn y gadair ledr oedd cyfryngwr uniaith o Birmingham, dyn bychan sgwâr, gwritgoch, tua hanner cant oed, ond a oedd bellach, cyn belled ag y gallwn i weld, wedi gwelwi, wedi crebachu ac wedi mynd i edrych yn hen er pan aeth i eistedd ynddi. Mae'n wir dweud hefyd nad oedd gan y gŵr yma ond dau air o Gymraeg: 'iecyd da'.

Fe ddigwyddodd hyn bron hanner can mlynedd yn ôl ac fe esboniwyd y dirgelwch i mi gan y ddau gyfryngwr. Roedd un ohonynt wedi gwahodd yr ysbryd i ddod i mewn i'w gorff a'i ddefnyddio i gyfathrachu â ni. Roedd Eban Jenkins wedi neidio at y cyfle ac, ar ôl cymryd y corff drosodd, wedi dod o hyd i focs a llinynnau llais y cyfryngwr ac wedi eu defnyddio i siarad hefo ni, yn ei iaith ei hun – yr unig iaith, efallai, roedd Eban yn ei gwybod.

Dyma fy mhrofiad cyntaf o'r ffenomen ryfedd hon. Ers hynny rwyf wedi gweld yr un peth yn digwydd ddegau o weithiau. Rwy'n cofio gwrando ar Bob Price yn arwain seans yr ysbrydegwyr. Yn sydyn dyma'i lais yn codi bron yn sgrech. 'Fi ydi Tim Lem,' meddai'r llais newydd, sgrechlyd hwn. 'Fi dysgu chi llawer o bethau. Fi dysgu chi sut i fwynhau miwsig y distawrwydd.' Ac ymlaen ac ymlaen â'r llais uchel hwn am tua chwarter awr. Fe ddywedodd rhai o'r bobl oedd yn bresennol ein bod yn hynod o lwcus i gael neges gan Tim Lem.

Mynach o Tibet oedd o, medden nhw, ac roedd yn byw ar y ddaear yma 3000 o flynyddoedd yn ôl. Ond mae'n rhaid i mi fod yn berffaith onest a dweud bod yr hyn roedd Bob Price yn ei ddweud cyn i'r mynach dorri ar ei draws yn gwneud mwy o synnwyr i mi.

Rwyf wedi clywed Elwyn, ddwsinau o weithiau, yn dweud wrth ysbryd, 'Na, paid ag ofni. Dod yma i'ch helpu rydyn ni. Cymer fy nghorff, os wyt ti'n gwybod sut i'w ddefnyddio.' Ac mae'r rhan fwyaf o bobl ddoe wedi derbyn ei gynnig â'r un brwdfrydedd ag y derbyniodd Eban Jenkins gynnig y Sais o Birmingham.

Nawr, yr hyn rydw i'n ceisio'i ddweud ydi hyn. Tydw i ddim yn meddwl am funud y buasai'r cyfryngwr o Birmingham yn brolio efo'i gyfeillion ei fod o, mewn bywyd blaenorol, wedi bod yn dafarnwr yn Ninbych ac mai dyna pam y dysgodd y geiriau Cymraeg 'Iecyd da' mor rhwydd. Fuasai Bob Price byth yn meddwl amdano'i hun fel mynach o Tibet oedd wedi byw 3000 mlynedd yn ôl. Ac yn sicr, fuasai Elwyn ddim yn dechrau meddwl ei fod wedi byw, mewn bywydau eraill, fywyd coediwr o Rwsia, capten ym myddin India, cogydd mewn gwesty yng Nghricieth, na'r gwaradwyddus Harold Yates o Fryntirion, Y Bala.

Mae'r bobl hyn sydd yn delio efo'r paranormal a phethau ynglŷn ag ysbrydion yn gwybod yn iawn beth sy'n digwydd iddynt. Maent yn gwagio eu cyrff o'u *ego* neu eu personoliaeth eu hunain ac yna'n gwahodd ysbryd un arall i ddod i'w cyrff gwag, a'u defnyddio. A dweud y gwir, tydw i ddim yn meddwl fod nifer ohonynt yn gwagio eu cyrff o gwbl. Mae Elwyn yn ymddangos fel petai yn dal i fod i mewn yn Elwyn, hyd yn oed pan fydd Harold Yates neu Gwilym Mersia yn siarad efo ni drwy'i gorff. Rhoi rhyw hergwd fach i'w personoliaeth eu hunain i un ochr mae llawer ohonynt fel y gall yr ysbryd dieithr orwedd ochr yn ochr ag o.

Mae Jeff Iverson yn gwneud yn fawr o'r ffaith fod Jane Evans, ar y tapiau, yn siarad mewn gwahanol leisiau. Mae hefyd yn synnu braidd ar ôl gwrando ar lais cras Huxtable, y morwr sydd yn siarad ag acen de Lloegr ar dapiau Bloxham, mai llais tyner, addfwyn efo acen hyfryd Abertawe ydi llais yr Huxtable go iawn. Wrth gwrs bod y lleisiau'n wahanol; y lleisiau ar y tapiau ydi lleisiau'r holl ysbrydion a ddaeth i dŷ Bloxham a chymryd drosodd gyrff y bobl roedd o mor gyfleus wedi eu mesmereiddio yn barod ar eu cyfer. Gallaf faddau i Jeff Iverson am fethu sylweddoli hyn. Ond roedd gan Bloxham brofiad maith ym myd y paranormal ac fe ddylai fod wedi gwybod yn well. Fe sgrifennais ato ar y pryd i ddweud hyn wrtho ond chefais i ddim ateb i'm llythyr.

Yn fy llythyr at Bloxham fe ddywedais wrtho am fy ffrind, Winnie Marshall. Dywedais wrtho ei bod hithau, fel yntau, wedi addurno muriau ei thŷ â lluniau roedd hi ei hun wedi eu peintio. Ond, yn groes iddo fo, nad oedd Winnie yn ceisio dweud ei bod wedi dysgu'r grefft o beintio mewn rhyw fywyd o'r blaen. Fe ddywedodd Winnie wrthyf nad oedd ganddi hi ei hun unrhyw fath o syniad sut i dynnu llun na pheintio, ond pan fyddai angen darlun go neis arni, y cwbl yr oedd hi'n ei wneud oedd tynnu'r paent o'r cwpwrdd, rhoi'r îsl a chadair ar ganol y llawr, dal y brws peintio yn ei llaw ac yna'n ei rhoi ei hun mewn trawsgwsg ysgafn. Yna, meddai hi, fe ddeuai ei hysbrydion gwarchodol ac arwain y brws yn ei llaw i fyny ac i lawr y cynfas. Doedd o'n ddim byd o gwbl i'w wneud efo rhyw fywyd dychmygol roedd hi wedi ei fyw

121

o'r blaen, meddai Winnie. Mae gen i ryw syniad hefyd fod yna wraig yn rhywle na chafodd ddiwrnod o wersi piano ac eto sydd yn gallu eistedd i lawr, rhoi ei llaw ar ifori'r piano ac yna mae ei hysbrydion gwarchodol, Chopin a Mozart, yn cymryd drosodd.

PENNOD 10

Yr Arbenigwr

Roedd 1990 yn flwyddyn fythgofiadwy i mi. Cefais wahoddiad gan gwmni teledu o Lundain i gymryd rhan mewn ffilm ar y paranormal – i sgriptio rhannau, a hefyd i gymryd rhan fy hunan. Roedd y ffilmio i fod yng Nghastell Caerdydd dros gyfnod o dri diwrnod.

Y diwrnod roeddwn i gyrraedd Caerdydd, roedd yna streic ar y rheilffyrdd. Fe anfonodd y cwmni teledu dacsi yr holl ffordd i Landegai i'm nôl am fod 'na ryw reidrwydd rhyfedd wedi codi i 'nghael yng Nghaerdydd erbyn 2 o'r gloch. Mae'n siŵr gen i mai'r tacsi a anfonwyd i'm nôl oedd y cerbyd mwyaf a welodd pentref Llandegai erioed. Fe agorodd y gyrrwr ddrws cefn y car i mi fynd i mewn. Teflais fy mag i mewn yn gyntaf, yna mynd i mewn i'r car ac eistedd yn y lle y disgwyliwn y buasai'r sêt, a dyma fi'n disgyn yn blwmp ar fy mhen-ôl. Wyth o'r gloch y bore oedd hi ac felly, drwy drugaredd, doedd 'na fawr neb o gwmpas i weld eu cyn-ficer yn cael ei dynnu i lawr beg neu ddau.

Dywedodd y gyrrwr wrthyf fod pawb yng Nghaerdydd yn adnabod y tacsi fel 'Archie' am mai hen gar Archesgob Runcie, Caer-gaint, ydoedd. Roedd yr archesgob wedi cael ehangu corff y car er mwyn iddo allu gweithio wrth ei ddesg tra oedd yn cael ei hebrwng o le i le. Fe weithiais allan fod fy mhen-ôl wedi taro ar yr union fan lle'r arferai desg yr archesgob fod. Ta waeth, fe gludodd Archie fi'n ddiogel, ac fe gyrhaeddais mewn digon o amser i gael tamaid i'w fwyta cyn mynd i gyfarfod y lleill yn y castell am ddau o'r gloch.

Alla i byth ddisgrifio'r llawenydd arswydus a deimlais wrth gerdded y coridor i'r brif neuadd. Roeddwn yn gwybod fod nifer o 'ynnau mawr' byd y teledu wedi cael eu gwahodd yma, ond doeddwn i ddim yn gwybod pwy. Yr unig un roeddwn yn gwybod i sicrwydd fyddai yno oedd Siân Phillips, oherwydd roeddwn wedi cael yr anrhydedd o sgriptio rhai o'r storïau roedd hi i'w dweud. Hi, mewn gwirionedd, oedd y gyntaf imi ei gweld ar ôl mynd drwy'r drws. Yn fwy na hynny, roedd y frenhines hon ymhlith actorion yn f'adnabod ac yn fy nghyfarch wrth fy enw. Roedd hi'n cofio'r dyddiau pan oedd hi, fel actores ifanc, yn gweithio fel aelod o gwmni rep y BBC yng Nghaerdydd a minnau, er mwyn ennill rhyw geiniog neu ddwy ychwanegol ar ben fy nghyflog person, yn aelod o gwmni rep BBC Bangor. Pan oedd hi dipyn yn slac yn y stiwdio yng Nghaerdydd, deuai Siân a rhai o'r actorion eraill i Fangor i helpu. Sawl tro roeddem wedi bod yn rhannu meic efo'n gilydd yn yr hen ddyddiau – ac mi roedd hi'n cofio hynny. Roedd Toyah Willcox a Lynsey de Paul yn eistedd ar glamp o soffa yn clebran bymtheg yn y dwsin. Roedd Peter a Mary Harrison, y ddau sydd wedi ysgrifennu cymaint am y paranormal, yno, a hefyd Frances Ommaney, cynhyrchydd ffilmiau yng Nghanada. Roedd Shelley Von Strunkel, y para-seicolegwraig o America, yno yn ogystal â chyfryngwr ifanc o'r enw Paul Norten a'r Dr Peter Ramster, seicolegydd, awdur nifer o lyfrau a phersonoliaeth deledu yn Awstralia. Roedd yno hefyd weinidog Annibynnol, sef y Parch. Graham St John Willey, yn hardd ac yn grand yn ei ddillad clerigol. Ac roeddem i gyd yn disgwyl dyfodiad Syr David Frost. Roedd hyn yn newydd i mi. Dyma'r tro cyntaf i neb ddweud wrthyf mai David Frost oedd i angori'r ffilm.

Mae'n siŵr fod dod â'r holl sêr hyn ar draws y byd i Gaerdydd wedi costio ceiniog neu ddwy i rywun. Roedd i bob un ohonom un diddordeb cyffredin – y paranormal. Roedd rhai wedi cael profiadau anhygoel ac roedd eraill yno i esbonio'r profiadau hynny, a David Frost yno i gadw'r fantol. A Siân Phillips? Wel, roedd hi yno i adrodd tair stori ysbryd Gymreig.

Pan ddaeth David Frost i mewn ymddiheurodd i bawb am fod bum munud yn hwyr. Aeth o un i un, yn cusanu'r merched ac yn ysgwyd llaw â'r dynion. Roedd fel petai'n adnabod pawb oedd yn yr ystafell. Mi sefais i yn y gornel ar fy mhen fy hun. Tydi o ddim yn fy nabod i, meddwn. Ond roeddwn i'n anghywir. Ar ôl cusanu ac ysgwyd llaw â'r lleill, fe groesodd Syr David i'r gornel ataf fi. 'Sori, Aelwyn,' meddai. Sori, Aelwyn? Roedd yn gwybod fy enw. 'Fe gefais fy nal gan y traffig.' Rwy'n siŵr fod cyfwelwyr y byd radio a theledu i gyd yn gwneud ymchwil ofalus ac yn

gwneud yn siŵr o'u ffeithiau cyn mynd i holi dynion fel arlywydd
yr Unol Daleithiau, ymherodr Japan neu Tony Blair. Ond roedd
brenin y cyfwelwyr wedi gwneud ymchwil fanwl, hyd yn oed cyn
cyfarfod cyn-ficer Llandegai! Roedd popeth ar flaenau bysedd y
dyn yma, oherwydd y munud nesaf dyma fo'n dweud wrthyf,
'Rhowch bum munud i mi efo pobol y coluro ac mi fydda i hefo
chi, Aelwyn.' Nid yn unig roedd o'n gwybod fy enw ond roedd
yn gwybod hefyd mai golygfa gynta'r ffilm oedd yr un lle'r
oeddem ni ein dau yn sgwrsio â'n gilydd. A dyma pam roedd
Archie y tacsi wedi gorfod dod yr holl ffordd i'm nôl o Landegai
a 'morol fy mod yng Nghaerdydd erbyn dau o'r gloch.

Ddeng munud yn ddiweddarach roedd David Frost a minnau
yn eistedd wyneb yn wyneb, â'r dynion sain, dynion y camerâu
a'r trydanwyr o boptu. *Take one,* meddai'r cynhyrchydd.
Tynnodd David ei sbectol oddi ar ei drwyn a'i phwyntio ataf fi.
'Dwedwch wrthyf, Aelwyn . . .,' a dyma gychwyn. Roeddwn wedi
bod dan gamerâu teledu sawl tro o'r blaen. Yn aml iawn roedd
yn mynd yn *take five* a *take six* cyn y byddai'r cynhyrchydd yn
hapus. Y tro hwn roedd y ddau ohonom yn parablu'n hapus â'n
gilydd, yn hollol anymwybodol o'r gynulleidfa o sêr oedd yn ein
gwylio. Ar ôl i ni orffen, 'Bydd yr olygfa nesaf yn yr ystafell
ddawnsio,' meddai'r cynhyrchydd. Roedd David Frost yn un a
oedd mor hawdd siarad ag o fel fy mod wedi medru dweud y
cwbl mewn un *take*. Ar ôl y cyfweliad efo David, roedd y rhan
fwyaf o 'ngwaith camera *solo* drosodd. Tri diwrnod pellach o fyw
efo'r arbenigwyr, gwrando arnynt, siarad efo nhw, ac ambell
waith anghydweld â nhw. Oherwydd, mewn deugain mlynedd o
ymchwil, roeddwn innau wedi dysgu ambell beth.

Roedd Toyah, Lynsey a Frances yno i sôn am brofiadau
personol roeddynt wedi eu cael. Dywedodd 'Lynsey y byddai,
pan oedd tua phedair oed, wedi i'w mam fynd i lawr y grisiau
ar ôl ei rhoi yn ei gwely, a darllen stori iddi a dweud pader efo
hi, yn medru hedfan o'i chorff i eistedd ar ben y wardrob ac
edrych i lawr ar ei chorff yn gorwedd ar y gwely. Pan
ddywedodd wrth ei mam a gofyn beth allai ei wneud ynglŷn â
hyn, yr unig ateb a gafodd oedd, 'O, dyna neis cariad,'
oherwydd bod ei mam yn meddwl mai dychymyg plentyn oedd
y cwbl. Wrth i mi wrando, roeddwn hefyd yn cofio Elwyn yn
dweud rhywbeth tebyg wrthyf. Pan oedd o'n blentyn, roedd o'n

aml iawn yn medru hedfan allan o'i gorff i ryw gornel o'r ystafell ac edrych i lawr ar ei gorff ei hun oedd yn dal i orwedd ar y gwely. Ond ddaru o ddim dweud wrth ei fam beth oedd o'n ei wneud, meddai, am ei fod yn credu, bryd hynny, fod hyn yn rhywbeth yr oedd pawb yn ei wneud ar ôl mynd i'r gwely ar nosweithiau clòs yn yr haf.

Fe soniodd Toyah am ei phrofiad hi – profiad a allasai fod yn brofiad o fod allan o'r corff, fel un Lynsey, neu yn brofiad trothwy marwolaeth. Ambell waith mae'n anodd dweud y gwahaniaeth rhwng y ddau brofiad hyn. Mae nifer fawr o bobl sydd yn marw, marw mewn damwain car neu foddi yn y môr neu ar fwrdd y llawfeddyg mewn ysbyty, yn cael eu hadfer yn ôl i fywyd ar ôl triniaeth feddygol, ac yn wir, ambell waith, heb driniaeth o fath yn y byd. Dyma yw profiad trothwy marwolaeth. Mae yna eraill, pobl iach a heini yn aml, sydd yn eu cael eu hunain yn edrych i lawr ar eu cyrff oddi tanynt am ddim rheswm o fath yn y byd – ambell waith mae hyn yn digwydd i rai sydd yn eistedd yn y gadair yn y ddeintyddfa. Dyma brofiad o fod allan o'r corff. Mae rhai seicolegwyr wedi ceisio dweud fod rhai yn gallu eu hewyllysio eu hunain i fynd allan o'r corff fel rhyw weithred isymwybodol, efallai o ddial neu gosb ar ryw ddeintydd druan oedd yn achosi poen a phryder iddynt. Mae ar bron bawb ohonom ofn y person yma efo'i ddril a'i geriach. Ond mae ambell un, yn ei ofn, yn gallu hedfan o'r gadair i nenfwd y ddeintyddfa a mwynhau gweld y deintydd druan yn chwysu mewn panig ac yn ceisio pwnio'r corff yn y gadair i anadlu unwaith eto.

Fe roddodd Frances Ommaney ddisgrifiad gwych o'r profiad trothwy marwolaeth a gafodd hi. Aeth i drafferthion wrth ymdrochi yn y môr. Roedd yn gwybod ei bod yn boddi ac yna, yn rhyfedd, fe'i cafodd ei hun mewn safle i weld yr olygfa oedd yn digwydd oddi tani. Fe allai weld llaw a braich yn cyrraedd allan o'r môr. Ar ail fys y llaw roedd modrwy roedd hi wedi ei gwisgo er pan oedd yn blentyn. Doedd arni ddim mymryn o ofn. Roedd y fraich yn mynd i mewn ac allan o'r dŵr yn llai cyson rŵan, ond doedd hi ddim yn pryderu. Fe allai weld dynion y bad achub yn crynhoi ar lan y môr a chofiai ei hun yn dweud, 'Go dda, rwyf am gael fy achub.' Tra oedd hyn yn digwydd, fe benderfynodd fynd i edrych beth oedd wedi digwydd i'w chariad oedd yn ymdrochi gyda hi. Roedd mewn pryd i'w weld yn neidio ar ei foto-beic a reidio i ffwrdd fel cath i gythraul. Fe drawodd yr olwyn y palmant ac fe'i taflwyd i'r lôn ac anafodd ei ben-glin. Neidiodd yn ôl ar y beic ac i ffwrdd ag o. Ar ôl gweld ei fod yn ddiogel, aeth Frances yn ôl i weld sut oedd dynion y bad achub yn dod ymlaen. Erbyn hyn roeddent wedi ei rhoi i orwedd ar stretsier ar y lan. Roedd yr un bach ifanc yn eu plith yn edrych yn brudd ac yn ddigalon – bron iawn â chrio, roedd hi'n meddwl, am ei fod yn credu ei bod hi wedi marw.

Yna, yn sydyn fe'i cafodd ei hun nid yn edrych i lawr ar ei hachubwyr ond yn edrych i fyny arnynt oddi ar y stretsier. A dyma hi'n gwenu. Bu bron i'r dynion ollwng y stretsier yn eu llawenydd o weld ei bod yn fyw. Yna fe ddywedodd Frances rywbeth rhyfedd. 'Ar ôl hyn i gyd, fe dystiodd yr achubwyr oedd wedi rhoi cymorth cyntaf a'r meddygon yn yr ysbyty nad oedd yr un diferyn o ddŵr yn f'ysgyfaint.' Dwn i ddim pam y dywedodd hi hynna na pha wahaniaeth oedd hyn yn ei wneud i'r stori. Fe ofynnodd un o'r lleill iddi beth oedd wedi dod dros ben ei chariad yn rhedeg i ffwrdd fel y gwnaeth, ei hateb oedd, 'Fo oedd fy nghariad cyntaf ac roeddem ein dau yn ifanc ar y pryd. Mi gafodd fraw pan ddywedais wrtho wedyn fy mod wedi ei weld yn disgyn oddi ar gefn y beic ac anafu ei ben-glin.'

Roedd Toyah a Lynsey wedi disgrifio i ni brofiad o fod allan o'r corff, ond profiad trothwy marwolaeth oedd un Frances. Mae yna rai sydd yn dweud ei bod yn bosib ewyllysio'r meddwl i ddod allan o'r corff. Mae yna ddynion a merched sydd yn gweithio'n galed i'w dysgu eu hunain sut i hedfan allan o'u cyrff ac yna symud o un ystafell i ystafell arall. Y ddelfryd ydi medru symud o le i le ac efallai, ymhen amser, o wlad i wlad. Mae'r Rwsiaid yn gwario llawer o'u hadnoddau prin ar y math hwn o ymchwil. Mae Sylvan Muldoon a Hereward Carrington wedi ysgrifennu llyfr i gynorthwyo pobl i gyflawni hyn drostynt eu hunain. Yn y gyfrol *The Projection of the Astral Body* maent yn rhybuddio nad yw'n beth hawdd i'w wneud a bod y gwaith yn gofyn am dipyn go lew o amynedd ac ymroddiad. Rider sy'n cyhoeddi'r llyfr, rhag ofn bod gan unrhyw ddarllenydd ddiddordeb ynddo!

Rydw i'n cofio clywed hanes mynach yn yr Eidal o'r enw Padre Pio. Roedd yn abad ar fynachdy caeedig ac felly heb roi ei droed y tu allan i ddrws ei abaty. Ac eto roedd nifer fawr yn y pentref o amgylch yr abaty yn barod i ddweud ar eu llw, pan oedd y plant yn wael neu pan oedd y cwpwrdd yn wag cyn y Nadolig, fod y Padre Pio wedi ymweld â'u cartref a bod y plant wedi cael iachâd a'r cwpwrdd bwyd wedi ei lenwi.

Ddaru mi ddim dysgu rhyw lawer wrth wrando ar y cyfryngwr, Paul Norten. Roedd yr hyn oedd ganddo ef i'w ddweud yn union yr un fath â'r hyn roeddwn i wedi ei glywed gan Winnie Marshall. 'Nid y ni sy'n galw ysbrydion, y nhw sy'n ein galw ni,' – y math yna o beth. Roedd o'n sôn am arweinwyr gwarchodol ac am athrawon o'r tu hwnt, yn union fel roeddwn i wedi clywed gan Winnie. Roedd y Parch. Graham St John Willey yno i bwrpas, ac yn huawdl yn ei waith. Fe ddywedodd ei fod yn credu mai gwaith y diafol oedd yr holl waith roedd Paul Norten wedi ei ddisgrifio, a'r gweddill ohonom hefyd, rwy'n eitha siŵr. 'Mae Paul druan,' meddai, 'yn tybio mai eneidiau'r ymadawedig ac angylion gwarchodol sydd yn dod i siarad ag o, ond mewn gwirionedd y diafol wedi'i rithio ei hun, a holl angylion y diafol a daflwyd allan o'r nefoedd, ydi'r rhai sydd yn ymweld ag o. Gwaith y diafol ydi'r cyfan yr ydych yn sôn amdano yma,' meddai. Roedd Graham yn gymeriad hyfryd ond roedd yn benboeth dros y syniad yma o'r diafol yn rhith angel.

Roedd gen i biti dros y cyfryngwr ifanc oedd wedi cynhyrfu ar ôl derbyn y fath ymosodiad. David Frost wedyn yn cipio'i sbectol oddi ar ei drwyn a'i phwyntio at Graham. 'Dwedwch wrtho' i, Graham,' meddai, 'trwy ba awdurdod yr ydych yn dweud y pethau yma?'

Ac fel roeddwn yn disgwyl iddo ei ddweud, dyma fo'n bwrw iddi. 'Trwy awdurdod gair Duw,' meddai gan fynd yn ei flaen i sôn am Dives a Lasarus, a mynwes Abraham, a'r gagendor mawr sydd rhyngom fel na all neb o'r byd tu hwnt fyth ddod yn ôl i'r byd presennol. 'A dyna i chi eiriau Iesu Grist,' meddai i ddiweddu. Ond ddaru o ddim dweud ym mha gyswllt y bu i Iesu Grist eu hadrodd chwaith. Roedd yn amlwg nad oedd Paul, y cyfryngwr druan, wedi cael fawr o Suliau yn yr ysgol Sul. Mae'n debyg ei fod yn gwybod cyn lleied am gynnwys y Beibl ag yr oedd Graham am gynnwys *Casgliad o Athrawiaethau Zodiac*. Roedd y gweinidog hefyd wedi dweud yn ystod y rhaglen ei bod yn bechod cyfathrachu â'r marw. Roedd y cwbl mor annheg nes fy mod i'n gwingo yn fy sedd. Doeddwn i ddim i fod yn y grŵp

128

yma, ac yn wir heb fod wedi fy ngwisgo i ymuno ag o. Ond roeddwn i'n ysu am gael dweud wrth y dyn yma fod yr Iesu Grist yr oedd o yn ei ddweud oedd yn gwahardd i neb ohonom siarad ag ysbrydion y meirw, wedi gwneud yr un peth ei hun. Yn ôl y Beibl, roedd yr Arglwydd Iesu wedi mynd â thri o'i ddisgyblion gydag o i ben mynydd. Yno roeddent wedi cyfarfod ag ysbryd Moses ac ysbryd Elias. Yma hefyd, yng nghwmpeini ei dri disgybl a'r ddau ysbryd, roedd yr Arglwydd Iesu wedi cael ei weddnewid. Roedd profiad y mynydd wedi bod yn brofiad mor hyfryd fel y dywedodd Pedr, 'Arglwydd, da yw i ni fod yma. Gwnawn dair pabell, un i ti ac un i Moses ac un i Elias.' Roeddwn i'n rhyw hanner gobeithio y buasai David Frost, mab y mans, wedi dweud, 'Hold on, Barchedig, mi fyddai fy nhad yn arfer dweud yn yr ysgol Sul . . .' ond ddaru o ddim.

Yna fe roddodd rhyw ysbryd gwarchodol neu angel arweiniol, neu efallai Zodiac ei hun, hoelen ddwy fodfedd rhwng y ddwy wifren oedd yn arwain i'r camera. Roedd yna sbarcio ac oglau llosgi, a bu raid gohirio'r ffilmio. Fe ruthrais at gadair Toyah, oedd yn aelod o'r grŵp, a cheisio dweud wrthi ar fyrder fod Iesu Grist yn fwy o gyfryngwr o lawer nag oedd Paul Norten, ac fel y bu iddo gyfarfod yr ysbrydion ar Fynydd y Gweddnewidiad. 'Felly, gofynnwch i Graham,' meddwn i wrthi, 'os ydi o'n cyhuddo Paul druan o wneud gwaith y diafol wrth siarad ag ysbrydion, ydi o hefyd yn dweud fod Iesu Grist wedi gwneud gwaith y diafol ar Fynydd y Gweddnewidiad.'

Mae Toyah mor glyfar ag yw hi o dlws. Gynted ag y daeth y camera ymlaen dyma hi i mewn fel rhyw deriar bach, 'Ond,' meddai wrth Graham, 'rydw i'n deall ei fod yn dweud yn y Beibl fod Iesu Grist ei hun wedi bod yn cyfathrachu ag ysbrydion ar Fynydd y Gweddnewidiad . . .' Fe ddywedodd ei phwt yn hynod o daclus. Ond pan welais i'r ffilm fisoedd wedyn, roedd pregeth fach Toyah wedi cael ei thorri allan.

Rhaglen, a ffilm, hynod o wael oedd *Frost's Night Visitors*. Allwn i ddim peidio â synnu wrth feddwl am yr holl arbenigwyr oedd wedi cael eu hel at ei gilydd i'r un lle, ac am y costau o'u cael o bob cwr o'r byd ar gyfer y defnydd gwael a wnaethpwyd ohonynt. Pe bai Wil Aaron, fy hoff gynhyrchydd, wedi cael y fath adnoddau mi fuasai wedi gwneud clasur ohonynt. Nid y ffilm oedd yn bwysig i mi, ond cael bod yma yn eistedd wrth draed y

Gamaliaid yma a gwrando ar arbenigwyr y byd yn siarad ymhlith ei gilydd am y paranormal.

Roedd yna lawer o sôn am ailymgnawdoliad. Roedd hyn yn naturiol oherwydd dyma pam roedd Peter Ramster wedi ei wahodd i'r ffilmio yr holl ffordd o Awstralia. Ef, mae'n debyg, yw'r awdurdod a'r ymchwilydd mwyaf i gwestiwn ail-ymgnawdoliad. Bloxham arall oedd y dyn hwn, ond ei fod fwy gwyddonol ei ffordd na Bloxham. Dywedodd hanes gwraig yn dod i'w weld yn ei syrjeri yn Awstralia. Doedd hi erioed yn ei bywyd wedi bod dros y môr yn unman tu allan i Awstralia. Eto roedd yn gallu disgrifio'n fanwl iddo bentref bach yn Swydd Efrog yn Lloegr, lle'r oedd hi wedi byw, dros ddau can mlynedd yn ôl, mewn bywyd arall. Fe ddaeth Peter â hi drosodd i Loegr ac i'r pentref yn Swydd Efrog. O'r munud y daeth hi allan o'r car roedd yn gallu cymharu'r pentref â'r hyn ydoedd pan oedd hi yno ddiwethaf ddau can mlynedd yn ôl. 'Mae'r darn yma yn newydd i gyd,' meddai, 'ond mae croes y pentref yma o hyd ac roedd y Stag Inn yma yn fy amser i hefyd.' Roedd wrth ei bodd fod ei chartref yn y pentref yn dal yno a hyd yn oed deulu bach yn byw yn y tŷ. Roedd hi wedi dweud wrth Peter cyn iddynt gychwyn o Awstralia ei bod wedi cuddio rhai o drysorau'i phlentyndod yn y tŷ, ac fe gafwyd hyd iddynt, heb drafferth yn y byd. Roedd yr haneswyr lleol yn dotio at ei gwybodaeth am y pentref a'r bobl oedd yn byw ynddo ddwy ganrif ynghynt. Roedd cofnodion eglwys y plwyf a chofnodion Somerset House, lle rhestrir genedigaethau, marwolaethau a phriodasau'r wlad, i gyd yn cadarnhau ei thystiolaeth.

Pan glywais i'r stori gyntaf, 'Stori Shanti Devi arall,' meddwn wrthyf fy hun. 'Cyn bo hir fe fydd Peter yn dweud iddo alw hen seiciatrydd cant oed, yr Athro Ian Stevenson, i gadarnhau'r peth. Ond cyn hir roedd rhaid i mi gydnabod fod Peter, er yn gymaint hyrwyddwr ailymgnawdoliad â Bloxham, yn dipyn gwell ymchwilydd na Bloxham, ac yn fwy gofalus o'i ffeithiau.

Ar ôl i Peter ddweud ei stori, dyma Mary Harrison yn gofyn cwestiwn iddo, cwestiwn nad oeddwn wedi ei glywed yn cael ei ofyn o'r blaen. 'Peter,' meddai, 'ddaru chi ddefnyddio prawf hypnosis yn eich ymchwil?' 'Naddo,' meddai yntau. 'Roedd y dystiolaeth mor gryf fel nad oedd angen hypnosis.' Ond roedd

Mary'n anghydweld ac yn dweud ei bod hi'n synnu, ar ôl iddo wario cymaint ar gostau teithio'r ddau ohonynt yr holl ffordd o Awstralia, nad oedd o wedi teimlo ei bod yn werth gwneud prawf hypnosis syml na fyddai wedi cymryd mwy na phum munud. Roeddwn am gael gwybod rhagor am y prawf hypnosis hwn ac esboniodd Mary ei fod yn rhywbeth y dylai pob ymchwilydd ei wneud. Dyma oedd y prawf. Os oedd rhywun yn honni mai'r Frenhines Mari o'r Alban neu Owain Glyndŵr ydoedd mewn bywyd arall, y cwbl oedd raid ei wneud oedd hypnoteiddio'r person a gofyn, 'Pryd oedd y tro cyntaf i chi glywed sôn am Mari, brenhines yr Alban?' neu 'Pryd y bu i chi glywed sôn gyntaf am Owain Glyndŵr?' Ymddengys y byddai'r person a oedd wedi ei fesmereiddio bob amser yn dweud y gwir ac efallai'n ateb, 'Fe ysgrifennodd fy nhaid lyfr ar fywyd y frenhines Mari o'r Alban,' neu 'Gan Mam – ym Machynlleth y ganed Mam.'

Fodd bynnag, doedd gen i ddim hanner cymaint o ofn y syniad o ailymgnawdoliad fel yr oedd yn cael ei bregethu gan Peter Ramster. Roedd yn ddyn ifanc tyner ei ffordd ac iddo'r ddawn o allu perswadio. Pe bai rhywun yn dweud wrthyf fod ei deulu'n dod yn wreiddiol o Iwerddon a'u bod i gyd wedi cael sesiynau hir yn cusanu carreg y Blarney cyn mudo i Awstralia 200 mlynedd yn ôl, fe fyddwn yn fodlon credu hynny.

'Aelwyn bach,' meddai. 'Rydw i'n credu yn union yr un fath â chwithau am ailymgnawdoliad. Wrth gwrs, ein bywyd ni yma ar y ddaear ydi'r dechrau i ni i gyd. Dyma ein Dosbarth Cyntaf, ac wrth gwrs, Aelwyn, rydych yn berffaith gywir yn dweud mai'r symud naturiol ar ôl Dosbarth 1 ydi symud i Ddosbarth 2. Ond Aelwyn,' meddai wedyn, 'allwch chi ddim dychmygu, ar rai achlysuron arbennig, y prifathro'n dod i Ddosbarth 1 yn ystod wythnos olaf tymor yr haf a dweud wrth y plant, "Ar ôl y gwyliau, fe fyddwch i gyd yn symud i Ddosbarth 2 – hynny yw, pawb ond William. Rydych yn gwybod fod William wedi bod yn wael yn ystod y flwyddyn ac wedi colli llawer o ysgol. Felly rydym ni i gyd, a William hefyd, yn teimlo y byddai'n well iddo fo ddod yn ôl am flwyddyn eto at Miss Parry yn Nosbarth 1".'

Aeth Peter yn ei flaen dan wenu, 'Ac Aelwyn, rwy'n siŵr eich bod fel offeiriad wedi dangos i'ch plwyfolion bwysigrwydd byw bywyd llawn a ffrwythlon ar y ddaear 'ma, gan ymgyrraedd gymaint ag sydd bosibl at berffeithrwydd.' A dyma lle roeddwn innau'n nodio fy mhen ac yn cyd-weld â phob gair yr oedd yn ei ddweud nes i apostol ailymgnawdoliad dynnu llinyn y trap. 'Wel, Aelwyn,' meddai, 'os ydi'r profiad a'r addysg sydd ar y ddaear mor bwysig ac mor hanfodol ag yr ydych chi, weinidogion yr efengyl, yn dweud eu bod, beth am y miliynau o blant bach sydd wedi cael eu herthylu, wedi marw ar enedigaeth neu wedi cael eu lladd mewn damweiniau? Chafodd dim un o'r plant bach hynny gyfle i brofi addysg a phrofiadau daearol. Beth sydd yn mynd i ddigwydd i'r rhain?' Roeddwn i eisiau dweud wrtho fod fy nghyfeillion, yr ysbrydegwyr, yn gallu ateb y cwestiwn hwn trwy ddweud fod yna yng Ngwlad yr Hafau ysgolion a cholegau i hyfforddi'r plant bach yma. Ond tewi wnes i a gadael iddo fynd yn ei flaen; ac ymlaen yr aeth i sôn am ei waith fel seicolegydd yn Awstralia. Dywedodd ei fod, yn ystod ei ymchwiliadau, wedi dod ar draws nifer fawr o enghreifftiau o blant oedd wedi cael eu herthylu, a rhai oedd wedi marw'n ifanc, yn cael eu haileni o fewn ychydig fisoedd ar ôl marw – i rieni eraill; babi gwryw ambell waith yn cael ei aileni fel babi benywaidd yr ail dro a *vice versa*. Ac roedd ganddo hefyd ambell enghraifft syfrdanol o fabi bach yn marw ac yn cael ei aileni i'r un rhieni.

Roedd y pethau roedd y dyn yma yn eu dweud wrthyf yn gwneud synnwyr ac yr oedd yn amlwg yn ŵr hynod o ofalus efo'i ymchwiliadau. Roedd Mary Harrison yn cyd-weld ag o. Dyma hefyd ei phrofiad hithau, fod yna gannoedd o blant yn y wlad yma a oedd yn honni iddynt fyw ar y ddaear mewn bywyd arall. Byddai'r plant yn dechrau sgwrs trwy ddweud, 'Rydw i'n cofio dod yma efo fy mam arall.' Fe ddangosodd Mary lythyr i ni yr oedd wedi ei dderbyn yr wythnos honno gan fam i blentyn tair oed:

Euthum â Tom, fy mhlentyn tair oed, rai misoedd yn ôl gyda mi i dref Derby. Cyn belled ag y medraf gofio, hwn oedd f'ymweliad cyntaf â Derby – ac yn sicr hwn oedd ymweliad cyntaf Tom â'r dref. Gynted ag y cyrhaeddom ganol y dref dyma Tom yn gofyn i mi ble'r oedd y tŵr. Fe ddywedodd fod yna dŵr yng nghanol y fan lle'r oedd y siopau, pan oedd o wedi dod yma o'r blaen efo'i fam arall, ac roedd am wybod beth oedd wedi digwydd i'r tŵr. Fe geisiais ei berswadio mai wedi breuddwydio yr oedd ond na, roedd Tom wrthi fel tôn gron am y tŵr yma. Echdoe fe ddarllenais mewn papur newydd fod gweithwyr yn nhref Derby wedi dod ar draws sylfeini hen dŵr wrth ddymchwel adeiladau yng nghanol y dref.

Fe ofynnwyd i Mary a oedd hi'n tybio fod y stori yma'n rheswm dros gredu fod o leiaf rhai pobl yn cael eu hailymgnawdoli. Ateb Mary oedd, 'Ydi' a 'Nac ydi'. 'Ydi', am y gallai Tom fod yn iawn yn dweud iddo fod yn Derby gyda'i fam arall mewn bywyd arall. 'Nac ydi' am ei bod yn bosib nad oedd Tom wedi bod yn Derby o'r blaen yn y bywyd yma nac unrhyw fywyd arall. Gallai fod yn gwybod am y tŵr oherwydd ei fod, ar ei enedigaeth, wedi etifeddu peth o gof genetig ei nain neu ei hen hen dad-cu. Yn union fel yr ydym yn etifeddu nodweddion corfforol teulu – llygaid glas teulu mam a thrwyn mawr teulu dad – yr ydym hefyd yn etifeddu peth o gof genetig dau deulu. Cyn dyfarnu, felly, rhaid fuasai gwybod dipyn mwy am y teulu ac a oedd cysylltiad teuluol â thref Derby yn rhedeg yn nheulu Tom.

Mae nifer fawr o seicolegwyr, ar wahân i Peter Ramster, yn tystio fod yna nifer fawr o blant sy'n honni eu bod wedi byw yn y byd yma o'r blaen. Maent yn dechrau sôn am y peth pan fyddant yn dair neu bedair oed – sôn am eu mam arall a'u tad arall, beth oeddynt wedi ei wneud a lle roeddynt wedi bod. Byddai'r straeon yma'n gwneud i'w rhieni deimlo dipyn yn annifyr a pheri iddynt anwybyddu'r hyn yr oedd eu plant yn ei ddweud neu roi dŵr oer arno o'r cychwyn. Yn aml iawn roedd hyn yn gweithio ac erbyn i'r plant gyrraedd chwech neu saith oed roeddent wedi peidio â siarad rhagor am eu profiadau o fywyd o'r blaen.

Ond roedd clywed am brofiadau fel hyn yn cynhyrfu dipyn ar hen ŵr fel fi sydd yn erbyn y syniad o ailymgnawdoliad. Ond fe gysgais arno, ac yn y bore, fel y curad a'i wy, deuthum i'r casgliad fod yna rannau o'r ddysgeidiaeth hon y gallwn dygymod â hwy. O leiaf, roedd yn haws gen i ddygymod â'r syniad hwn am hynt babanod oedd wedi eu herthylu na'r syniad oedd gan Dr McAll ym Manceinion am y plant bach yma.

Seiciatrydd, neu feddyg clwyfau meddyliol, oedd Dr McAll; gweithiai ym Manceinion yn y 1960-1970au. Fe sylweddolodd y meddyg fod ganddo nifer annaturiol o fawr o ferched rhwng 20 a 30 oed yn dioddef oddi wrth iselder a *schizophrenia* a chlwyfau meddyliol eraill. Bu iddo drin cymaint â 200 o ferched o fewn yr oedran yma mewn deunaw mis. Canfu hefyd fod gan nifer fawr ohonynt un ffactor cyffredin, sef eu bod i gyd un ai wedi cael

133

erthyliad neu wedi colli babi ar ei enedigaeth yn ystod y saith mlynedd cyn hynny. Roedd Dr McAll yn ddyn hynod grefyddol a'r casgliad y daeth iddo oedd fod y mamau yr oedd yn eu trin, a'u teuluoedd hefyd yn aml iawn, yn cael haflonyddu arnynt gan ysbrydion y plant bach oedd wedi methu cael eu geni i'r byd.

Fe ofynnodd y meddyg am gymorth 70 o glerigwyr o esgobaeth Manceinion. Gwahoddodd hwy i gynnig gwasanaethau claddu, heb gorff, o fewn patrwm y Cymun Bendigaid i bob un o'r plant bach yma. Yn y gwasanaethau hyn, pryd yr oedd y rhieni a'r teulu'n bresennol, rhoddwyd enwau i'r plant a chyflwynwyd eu heneidiau i ofal Duw. Fe dystiolaethodd y clerigwyr a nifer fawr o'r rhai oedd yn bresennol yn y gwasanaethau hyn eu bod wedi gweld pethau hynod yn digwydd yn ystod y gwasanaethau – ac yn y mwyafrif mawr o achosion roedd yna welliant yn iechyd y dioddefydd.

Canfu Dr McAll hefyd fod aelod o'r teulu ambell dro yn dioddef mwy oherwydd y sefyllfa ryfedd yma na hyd yn oed fam y plentyn. Roedd yn trin merch ifanc 17 oed oedd mor isel ei hysbryd nes iddi geisio lladd ei hun sawl tro. Rywsut wrth drin y ferch, daeth y meddyg i wybod fod ei mam, cyn iddi briodi, wedi'i chael ei hun yn feichiog ac wedi cael erthyliad heb ddweud gair wrth ei gŵr na neb arall o'r teulu am hyn.

Fe drefnwyd y gwasanaeth claddu arferol yn achos y plentyn yma. Daeth y meddyg ei hun yn ôl ei arfer i'r gwasanaeth. Dywedodd Dr McAll iddo, yn ystod y gwasanaeth, weld yr Iesu'n dod oddi ar y groes oedd ar yr allor a chofleidio mam y plentyn. A dywedodd y fam, 'Fe welais yr Iesu yn y gwasanaeth ac fe ddywedodd wrthyf mai enw fy mhlentyn oedd June. Felly mae'n rhaid mai geneth fach oedd hi.'

Ar ôl y gwasanaeth aeth y fam adref a dweud yr holl hanes wrth ei merch oedd yn dioddef oddi wrth yr iselder: y bu iddi fod yn feichiog cyn priodi a chael erthyliad heb i neb wybod, iddi weld Iesu Grist yn y capel ac iddo ddweud wrthi mai enw'r babi a erthylwyd oedd June. 'O Mam,' meddai'r ferch oedd yn wael. 'Pam na fuasech chi wedi dweud hyn o'r blaen? Mae June wedi bod yn dod i'm hystafell laweroedd o weithiau, gan ddweud mai hi ydi fy chwaer fawr, ac yn gofyn i mi ei helpu.' O'r diwrnod hwnnw fe adawodd yr iselder y ferch a'r un flwyddyn aeth ati i sefyll ei harholiadau lefel A i gael cychwyn ei gyrfa yn y coleg.

Fe dystiodd gweithiwr cymdeithasol o Fanceinion fel y bu i Dr McAll drin ei wraig oedd hefyd yn dioddef oddi wrth felancolia. Llwyddodd y meddyg i'w chael i gyfaddef ei bod wedi cael erthyliad saith mlynedd ynghynt, heb ddweud yr un gair wrth neb am y peth. Yna aeth y gweithiwr cymdeithasol ymlaen i ddweud, 'Y bore wedyn fe ddeffrowyd fy ngwraig a minnau gan y teimlad fod rhywun yn sefyll yn ein hystafell wely. Roedd yna ryw gysgod cymylog fel siâp plentyn i'w weld yn syllu arnom. Yna dyma fy ngwraig yn dweud, "Os mai ti yw fy machgen bach i, yna croeso i ti i'n cartref ni." Fe eisteddodd y ffigwr niwlog yma ar ochr y gwely a dyma fy ngwraig yn dechrau beichio crio. Y diwrnod hwnnw fe gawsom wasanaeth i'r plentyn bach. O hynny ymlaen, fe ddechreuodd fy ngwraig wella ac fe newidiodd ein tŷ i fod yn dŷ hapus braf i fyw ynddo, yn hytrach nag yn dŷ llawn aflonyddwch.'

Does 'na ddim amheuaeth na fu i Dr McAll a'i lu o glerigwyr ddod â iachâd a thawelwch meddwl i lawer oedd yn byw yn esgobaeth Manceinion. Ond mae fy holl fod yn gwrthryfela yn erbyn y ddogma, neu'r athrawiaeth, neu'r syniad sydd wrth wraidd yr holl beth. Mae'n gofyn i ni gredu fod yna, efallai, filoedd ar filoedd o blant bach sydd wedi marw ac a ddylai fod ym mharadwys neu yng Ngwlad yr Hafau neu ym mha le bynnag y credwn fod plant bach yn mynd ar ôl marw. Ond na, yn ôl Dr McAll, maent yn parhau i rodio'r ddaear wedi eu gwisgo yn eu cyrff daearol, yn anhapus ac yn chwilio am fymryn o gariad a mymryn o gymorth gan eu teuluoedd daearol. Maent hefyd yn tyfu ar yr un raddfa â phlant y ddaear. Roedd June, oedd yn gofyn am help gan ei chwaer 17 oed, yn edrych fel y dylai edrych, gryn saith mlynedd yn hŷn na hi. Roedd y bachgen bach oedd wedi ei erthylu saith mlynedd yn ôl ac a ddaeth i eistedd ar ochr gwely ei fam yn edrych tua saith oed. Oedd y plant bach yma i gyd yn gaeth i'r ddaear nes i'r Dr McAll a'i glerigwyr eu rhyddhau yn y gwasanaeth enwi a chladdu? Fe ddywedodd y ferch yn y stori wrth ei mam fod ei chwaer fawr, oedd wedi ei herthylu, yn dod i'w hystafell yn aml i ofyn am help. Rydw i fy hunan wedi dod ar draws nifer o blant sydd wedi eu herthylu neu wedi marw ar enedigaeth, yn byw ac yn tyfu i fyny yng nghartrefi eu rhieni. Mae'r rhai rydw i wedi eu cyfarfod yn berffaith hapus yn byw yn y bywyd hwn rhwng dau le. Ond a ydynt yn gaeth ac yn methu croesi? Nac ydynt, meddai fy nghyfeillion, yr ysbrydegwyr. Anaml iawn iawn y ceir plentyn sydd wedi ei gaethiwo i'r ddaear. Ond y ffaith yma eu bod yn tyfu i fyny ar yr un raddfa â phlant y ddaear sydd yn creu pryder i mi. Rwy'n gwybod am un plentyn ysbryd sydd tua 13 oed, sydd â llygaid glas, glas a gwallt melyn cyrliog. Roedd y bobl yn dweud iddynt ei weld ddeugain mlynedd yn ôl yn ei ddisgrifio fel plentyn 13 oed ac yn dweud fod ganddo bêl yn ei law a'i fod yn lluchio'r bêl yn erbyn wal y gegin. Roedd y bobl a'i gwelodd yr wythnos ddiwethaf yn dweud yn union yr un peth amdano – ei fod tua 13 oed, llygaid glas, glas a gwallt melyn cyrliog, a'i fod o'n lluchio ei bêl yn erbyn wal y gegin. Rwy'n gallu deall hyn; mae'n gwneud rhyw fath o synnwyr, o leiaf synnwyr yn y byd ysbrydol. I mi, tydi'r bychan yma ddim yn gaeth i'r ddaear. Dod yn ôl mae hwn am dro bach i weld ei hen gartref ac yna mynd yn ôl i'w le ei hun. A phan fydd yn dŵad yn ei ôl, mae'n gwisgo'r corff a'r un dillad ag a oedd ganddo pan oedd yn dair ar ddeg oed – a hefyd yn dod â'i bêl gydag o.

Mae ysbrydion o'r byd arall bob amser yn fodlon gwisgo dillad daearol ac rydw i wedi gweld rhai o'r dynion yn gwisgo tsiaen wats o un boced wasgod i'r llall. Mae yma batrwm; mae llawer ohono'n anodd ei ddeall, ond mae o'n batrwm. Ond dydi babanod Dr McAll ddim yn ffitio i mewn rywsut. Maent yn wahanol, yn anhapus ac yn anniddig, ac yn achosi poen a phryder a salwch i deuluoedd ar y ddaear.

Rydw i wedi ailddarllen llyfr Peter Ramster, *The Search for Lives Past*. Mae ei ddaliadau ef yn fwy cysurus. Gobeithio'n wir mai y fo sydd yn iawn a bod plant bach na chafodd y cyfle i weld golau dydd ar yr hen ddaear yma'r tro cyntaf yn cael ail gynnig unwaith eto efo rhieni newydd.

O'r holl bethau hyfryd a ddigwyddodd i mi yn ystod fy nhri diwrnod yng Nghastell Caerdydd efo'r arbenigwyr, un peth yn unig sydd yn edifar gennyf. Mae'n biti nad oeddwn yn gwybod am brawf hypnosis Mary Harrison pan oedd yr hen Arnall Bloxham yn fyw. Fe fuasai wedi bod yn ddiddorol cael gofyn i Jane Evans pryd y clywodd hi gyntaf am Rebecca yr Iddewes oedd yn byw yn Efrog yn y ddeuddegfed ganrif, a phryd y clywodd Graham Huxtable am ei HMS *Aggie*.

Y Gêm Dysteb neu Gynllun Saith

Ym myd y bêl-droed, pan fo chwaraewr wedi rhoi oes o ddeg i bymtheng mlynedd o chwarae efo'r un tîm, bydd ei gyd-chwaraewyr yn aml yn trefnu gêm dysteb iddo a rhoi'r elw fel rhyw werthfawrogiad o'i wasanaeth ar hyd y blynyddoedd. Maen nhw'n dweud wrthyf fod elw o'r math yma yn aml yn filoedd o bunnau.

Rydw i wedi bod yn gweithio efo ysbrydion am dros ddeugain mlynedd a heb ennill dimai goch y delyn am f'ymdrechion. Yn aml iawn mae Elwyn a minnau wedi bod ar ein colled yn ariannol ar ôl rhoi cymorth i rai pobl oedd yn cael eu haflonyddu. Dros y blynyddoedd rydym wedi medru rhyddhau dau neu dri o ysbrydion caeth, ac wedi gallu cynghori nifer fawr o ysbrydion oedd yn ei chael yn anodd cartrefu'r ochr draw am fod ganddynt broblemau heb eu setlo yr ochr yma. Do! rydym ein dau wedi gweithio'n eithaf caled fel gweithwyr cymdeithasol i'r frawdoliaeth ysbrydol am amser maith, ac yn aml iawn yn gweithio hyd oriau mân y bore, ond does 'na ddim sôn am gêm dysteb i'r un ohonom, na hyd yn oed 'Diolch yn fawr'.

O leiaf, dyna oeddwn i'n ei feddwl hyd yn ddiweddar. Yn ystod y misoedd diwethaf rwyf wedi dechrau amau tybed a oedd fy nghyfeillion yr ochr draw wedi ceisio trefnu gêm dysteb i'r ddau ohonom. Fe gymerodd bron bum mlynedd i mi ddod i sylweddoli beth oeddynt wedi ei wneud. Nid gêm dysteb efo arian oedd yr hyn a drefnwyd i ni, oherwydd tydi ysbrydion ddim yn delio ag arian. Y peth a roddodd rhai o'r ysbrydion yr ochr draw i mi, neu o leiaf yr wyf yn meddwl iddynt ei roi i mi, oedd cynllun anghyffredin i stori. Mae yna ddywediad ymhlith ysgrifenwyr proffesedig nad oes ond chwe chynllun neu chwe phlot i'w cael ym myd ysgrifennu llyfrau. Amrywiad ar un o'r chwe chynllun neu'r plotiau hyn ydi pob stori ffug, pob drama a phob rhaglen deledu. Mae awduron llyfrau hefyd yn dweud pe bai awdur yn gallu darganfod y 'seithfed plot' fe allai ei gael ei hun yn Jeffrey Archer neu yn Catherine Cookson dros nos. Wel! mae gen i ryw syniad fod fy nghyfeillion o'r ochr draw wedi ceisio rhoi 'plot 7' yn bresant i mi.

Tydw i ddim wedi darllen stori ysbryd erioed. Rydw i wedi gweld llyfrau o straeon ysbryd ar silffoedd llyfrau fy mhlant. Mae'n sicr gen i hefyd fod awduron straeon ysbryd, fel pob awdur arall, yn gyfyngedig i'r chwe phlot. Rwy'n rhyw hanner amau eu bod 'hwy o'r ochr draw' wedi dyfeisio ac wedi actio stori 'plot 7', ac wedi ceisio ei rhoi i mi, ond mae'n gwestiwn a ydw i'n awdur digon da i fanteisio ar eu cynnig.

Fis Medi bum mlynedd yn ôl, daeth Mrs Gillian Eames, gwraig ganol oed landeg a siriol, i'm gweld. Roedd wedi byw am y rhan fwyaf o'i bywyd priodasol ar stad o dai cyngor ym Mangor. Roedd iddi bedair merch, dwy ohonynt yn briod ac yn byw oddi cartref, un arall newydd briodi ac yn byw gartref tra oedd hi a'i gŵr yn chwilio am le bach eu hunain, a'r ferch ieuengaf yn 19 oed, yn sengl ac yn byw gartref. Allwn i ddim bod yn siŵr pam roedd Mrs Eames wedi galw i 'ngweld. Roedd ganddi ysbryd yn ei thŷ, doedd dim amheuaeth am hynny. Ar y llaw arall, doedd yr ysbryd ddim i'w weld yn poeni rhyw lawer arnynt a doedd ganddi hi, na'i theulu, ddim mymryn o'i ofn. Allai hi na'i gŵr ddim cofio adeg pan nad oedd ysbryd yn rhannu'u cartref efo nhw. Roedd ganddynt ysbryd, meddai, pan oedd y plant yn fychan. Pan fu iddynt symud i dŷ mwy, fe symudodd yr ysbryd efo nhw. Roedd y plant wedi dod i feddwl fod cael ysbryd mewn cartref yn beth hollol naturiol, ac yn rhyw hanner meddwl ei fod o'n beth oedd yn rhan o bob cartref, gymaint felly fel nad oedd yr un o'r genod wedi meddwl sôn am y peth wrth y plant eraill yn yr ysgol. I dorri'r stori'n fyr, roeddynt yn ystyried bod eu hysbryd yn un o'r teulu, bron. Roeddynt i gyd wedi dod i'r casgliad mai ysbryd benywaidd ydoedd ac roeddynt i gyd yn edrych arno neu arni fel tipyn o jôc. Pe byddai i ddrws glepian neu fod yna ystafell yn mynd yn oer neu fod yna oglau dŵr lafant ar y landin, y hi oedd bob amser yn cael y bai. 'Mae hi wrthi eto,' oedd y gri. Pe byddai un o'r genod yn sicr ei bod wedi gadael ei modrwy ar y bwrdd amser brecwast ac yn methu dod o hyd iddi, fe glywid y lleill yn dweud,

'Paid â phoeni, y hi sydd wedi ei chadw mewn lle diogel i ti; fe ddaw i'r fei.'

Roedd y lojer ysbrydol hefyd yn hoffi taclusrwydd ac yn stacio pethau'n fwndeli bach taclus. Pan soniodd Mrs Eames wrth y cymdogion am ei hysbryd glanwaith a theidi, roeddent i gyd wedi dweud ei bod yn swnio yn debyg iawn i Elizabeth Pritchard, cyn-denant y tŷ. Sgwrio a sgrwbio oedd pethau'r hen Mrs Pritchard. Roedd ei gŵr druan yn gorfod tynnu ei sgidiau wrth y drws cefn cyn cael mynd i mewn i'r tŷ.

Ar ôl clywed yr hanes eithaf diddorol yma i gyd, fe fentrais holi Mrs Eames beth oedd pwrpas ei hymweliad. Oedd hi'n gofyn i Elwyn a minnau alw? Oedd yna rywbeth allem ni ei wneud? Nac oedd, meddai hi, fuasai hi ddim yn meddwl gofyn i Elwyn a minnau alw, oherwydd roedd hi'n gwybod mor brysur oeddem ni. Ar ôl dweud ei stori, roedd Mrs Eames bron iawn yn ymddiheuro ei bod wedi gwastraffu fy amser. Ond i'r gwrthwyneb, roedd yn dipyn o newid dod ar draws rhywun fel Mrs Eames oedd yn medru trin un o bobl ddoe mor naturiol ag yr oedd pobl eraill yn trin pobl heddiw.

Ond ymhen pum mis roedd Mrs Eames yn ei hôl. Roedd pethau wedi newid; roedd yr ysbryd wedi dysgu triciau newydd. Cyn dod yn ôl, roedd Mrs Eames wedi bod yn gweld ei pherson plwyf. Roedd yntau, gyda'r teulu i gyd yn bresennol, wedi gweinyddu'r Cymun Bendigaid yn y tŷ, ond doedd pethau ddim gwell. Yna roedd y curad wedi bod ac wedi dweud gweddi ym mhob ystafell ac aeth pethau, os rhywbeth, dipyn yn waeth. 'Dim byd y gallwch roi eich bys arno,' meddai Mrs Eames, 'yr un hen sŵn a'r symudiadau ond eu bod yn uwch ac yn amlach.' Ac wedyn dyma hi'n dweud, 'Rydyn ni i gyd yn meddwl mai o achos y babi mae hyn yn digwydd.'

Roedd Heather, y ferch briod oedd yn byw efo nhw, yn feichiog ers chwe mis. Bron cyn gynted ag y bu iddi wybod ei bod yn disgwyl babi, roedd Heather wedi rhuthro i siopa. Roedd wedi prynu crud – crud wedi ei wneud o wiail. O'r noson gyntaf i'r crud gymryd ei le yn ei hystafell wely roedd hi wedi clywed sŵn y gwiail yn gwichian yn union fel pe bai rhywun yn symud neu yn siglo'r crud. Roedd hefyd wedi prynu pentyrrau o ddillad babi a'u lapio mewn papur sidan a'u rhoi i gadw yn nrôr y gist ddroriau yn yr un ystafell. Fe ddeffrodd un noson ac fe glywodd hi a'i gŵr sŵn fel pe bai'r drôr yn cael ei hagor a phapur sidan yn cael ei agor. Ond gynted ag y bu iddynt droi'r golau ymlaen roedd y sŵn wedi peidio.

Fe ddywedodd Mrs Eames eu bod nhw i gyd dipyn yn bryderus o achos y babi, yn teimlo dipyn bach yn anniddig fod ysbryd yn cymryd cymaint o ddiddordeb yn y ffaith fod yna fabi ar y ffordd. Fe ddywedais wrthi am beidio â phoeni ac nad oeddwn yn gwybod am unrhyw enghraifft o ysbryd yn anafu neb yn gorfforol. Erbyn i chi feddwl, mae hyd yn oed y peth rhyfedd hwnnw rydyn ni'n ei alw'n 'poltergeist', sy'n taflu llestri a phethau eraill, yn gwneud yn siŵr nad ydi o'n taflu i anafu neb. Fe ddywedais y buaswn yn cael sgwrs efo Elwyn ac y buasai'r ddau ohonom yn galw.

Galwasom ychydig ddyddiau'n ddiweddarach. Pnawn braf o haf oedd hi. Roedd Mrs Eames gartref ond roedd y gweddill o'r teulu wrth eu gwaith. Aethom o un ystafell i'r llall. Fe allai Elwyn, hyd yn oed ar y pnawn braf yma, deimlo presenoldeb yn y tŷ. Arweiniodd ni at y llecyn yn y tŷ lle roedd yr ysbryd yn hoffi bod, yn ôl Elwyn. Yna dyma fo wedyn yn dweud peth digon rhyfedd. 'Dyma'r fan,' meddai, 'mae'r ysbryd yn ei ystyried fel ei gilfach fach ei hun. Ond tydi o ddim rŵan,' meddai. 'A dweud y gwir, tydw i ddim yn meddwl ei fod yn y tŷ o gwbl ar hyn o bryd.' Roedd y syniad o ysbryd yn mynd allan am dro yn un newydd i mi ac yn swnio dipyn bach yn chwithig. Bu bron i mi ddweud, 'Wedi mynd i Safeways,' efallai. Ond ddaru mi ddim.

Yna dyma Elwyn yn edrych allan drwy ffenest yr ystafell wely ffrynt. 'Beth ydi enw'r fferm fach yna sydd oddi tanom?' meddai wrth Mrs Eames. Er iddi hi a minnau syllu drwy'r ffenest, y cwbl yr oeddem yn ei weld oedd rhes ar ôl rhes o dai cyngor, a dim golwg o fferm. Ond na, roedd Elwyn yn benderfynol fod yna, reit yn union oddi tanom, dyddyn bach wedi'i wyngalchu. Roedd hyd yn oed yn gallu disgrifio'r ddau gi yn gorwedd ar y cowt a'r tractor oedd yn sefyll ar y buarth. Yna dyma fo'n dweud, 'Ac mae yna enw yn dod i mi hefyd – Bryn Llwyd Isaf – a synnwn i ddim nad oes gan y ffarm yma rywbeth i'w wneud â'ch ysbryd chi, Mrs Eames, neu o leiaf ag un o'ch ysbrydion chi.' Pan fydd Elwyn yn dweud ei fod o'n gweld rhywbeth, fydda i byth yn dadlau efo fo, oherwydd fydda i byth yn gwybod pa bâr o lygaid fydd o'n eu defnyddio ar y pryd.

Aethom ein tri i lawr y grisiau a chael cwpanaid o de ac addo galw eto pan fyddai'r teulu i gyd gartref. Ond er ein haddewid, roedd yn ychydig wythnosau ar ôl i'r babi gael ei eni cyn y bu i ni gael y cyfle i alw. Roedd y babi yn 6 phwys 5 owns pan aned hi, ac o'r noson gyntaf iddi gael ei rhoi yn y crud gwiail i gysgu, roedd y crud wedi gwichian yng nghanol y nos. Ac fel roedd Heather yn dweud, allai babi chwe phwys a hanner fyth â gwneud i hyd yn oed grud o wiail wichian. Roedd hi hefyd yn sicr fod y dillad yn y papur sidan wedi cael eu symud a'u hail blygu.

Prin yr oeddem wedi cael cyfle i eistedd i lawr yn y parlwr ffrynt nag oedd Elwyn yn dweud fod yna ferch ifanc o ymwelydd yn yr ystafell efo ni. 'Merch ifanc ydi hi,' meddai, 'wedi ei gwisgo mewn rhyw fath o glogyn llaes a hŵd arno – tebyg i nyrs. Ar y llaw arall,' meddai wedyn, 'mae'r wisg yn rhyw felyn fel lliw hufen ac mae'r brethyn yn edrych yn debycach i wlân na'r cotwm mae nyrsys yn ei wisgo. Mae hi'n edrych, efallai, yn fwy tebyg i leian nag i nyrs. Mae hi'n ailadrodd y ffigur 34 wrthyf drosodd a throsodd.'

Bellach daeth fy nhro i, yr holwr, efo fy mhapur ysgrifennu ar fy mhen-glin a beiro yn fy llaw, i ddechrau sgwrsio efo'r ymwelydd newydd. 'Pam ydych chi'n dweud 34, 'nghariad i?' meddwn. 'Ai dyma eich oed, neu efallai y flwyddyn pan fu i chi farw?' 'Mae hi'n dweud mai 1934 oedd y flwyddyn y bu hi farw,' meddai Elwyn. Ac yna dyma fo'n ei gywiro ei hun. 'Na, mae hi'n dweud mai 1934 oedd y flwyddyn y bu iddi ladd ei hun. Mae hi'n byrlymu siarad.' Ac meddai Elwyn wedyn, 'Catherine Anne Hughes ydi ei henw, nyrs oedd hi ac mae hi am i Aelwyn wybod mai Anne efo 'e' yn ei henw ydi hi.'

'Catherine Anne efo "e",' meddwn innau wrthi hithau, 'tybed fuasech chi'n dweud wrthym ddyddiad eich marwolaeth yn 1934?'

Ac fel bwled o wn, fe ddaeth yr ateb, 'Mehefin 15, yn gynnar yn y bore.' Ac yna dyma'r holl stori'n byrlymu. Roedd ei chartref yn Llanberis, 10 milltir i ffwrdd. Roedd hi wedi dod i Ysbyty Dewi Sant ym Mangor, rhyw 400 llath o'r fan lle'r oeddem ar y pryd, i ddysgu nyrsio. Ei huchelgais oedd bod yn genhades dros y môr fel ei brawd. Ond ar ôl dod i Fangor roedd hi wedi syrthio mewn cariad ag Arthur, oedd yn fyfyriwr, ac wedi'i chael ei hun yn feichiog. Doedd hi ddim wedi dweud wrth Arthur am y babi ac allai hi fyth ddweud wrth ei rhieni oherwydd roedd hi'n gwybod y buasai'r sioc a'r cywilydd yn eu lladd nhw. Roedd ei thad yn swyddog ar staff Chwarel Dinorwig, Llanberis, ac roedd hefyd yn flaenor yn y capel.

Rydw i'n gwybod o brofiad sut y gall ysbrydion siarad a siarad heb roi unrhyw ffaith y gall rhywun ei gwireddu wedyn. Felly dyma fi'n penderfynu gofyn i Catherine Anne gwestiynau y gellid gwireddu'r atebion iddynt.

'Beth oedd enw eich tad?'

'Robert Godfrey Hughes, ac enw mam oedd Catherine Eluned Hughes.'

'Ymhle yn Llanberis oeddech chi'n byw?'

'Mewn tŷ mawr o'r enw Wenfro oedd wedi ei amgylchynu â wal uchel wedi ei hadeiladu o bennallifiau llechi.' Fe ofynnais iddi ailadrodd enw'r tŷ. Doedd 'Wenfro' ddim yn swnio'n iawn i mi. Doedd y treiglad ddim yn iawn, rywsut. Roeddwn yn disgwyl cael un ai 'Y Wenfro' neu 'Gwenfro' ac nid 'Wenfro'. Ond mi roedd Catherine Anne yn bendant mai 'Wenfro' oedd y ffurf, ac roedd rhywun bron yn ei theimlo'n dweud, 'Ty'd yn dy flaen, hen ŵr, does dim amser i hollti blew'.

Fe aeth yn ei blaen i ddweud sut y bu iddi, ar ôl darganfod ei bod yn feichiog, benderfynu lladd ei hun yn hytrach na dod â sarhad ar ei theulu. Yn gynnar ar fore'r 15 o Fehefin, fe gerddodd o'r ysbyty ar hyd y llwybr bach, troi i'r chwith ac i fyny at lan yr afonig fach oedd yn rhedeg drwy'r cae. Yn y fan yma roedd hi wedi gwneud y peth, meddai.

'Sut?' gofynnais innau.

'Fe dorrais fy ngarddyrnau efo sgalpel roeddwn wedi ei chymryd o'r ysbyty,' meddai hithau.

Fe aeth yn ei blaen i ddweud fod y ffermwr o'r fferm gyfagos wedi dod ar ei thraws ymhen amser a'i chael yn gwaedu wrth lan yr afon. Fe'i cariodd i'r fferm ac yna rhedodd i'r ysbyty i ofyn am gymorth. Ond roedd hi wedi marw cyn i neb gyrraedd o'r ysbyty. Yna aeth ymlaen i ddweud wrthym mai enw'r fferm oedd Bryn Llwyd Isaf. Dyma'r enw roedd Elwyn wedi ei roi ar y fferm y bu iddo ef ei gweld drwy ffenestr llofft cartref teulu'r Eamesiaid wythnosau ynghynt. Roedd Elwyn hefyd wedi dweud efallai y byddai cysylltiad rhwng Bryn Llwyd Isaf a'r ysbryd. Fe aeth

Catherine Anne ymlaen i ddweud mai enwau'r cwpl oedd yn byw yn y ffarm oedd Griffith ac Elin Thomas. Roedd Griffith, meddai hi, wedi croesi i'r byd tu hwnt yn 1939 ac roedd Elin wedi marw yn 72 oed yn 1940. Roedd dyddiadau, enwau lleoedd, enwau pobl – pob math o fanylion yn cael eu rhoi, eu hailadrodd a'u pwysleisio. Roedd yna rywun, yn rhywle, oedd yn hynod o bryderus fod yr hen ŵr penwyn yma, yn y tŷ cyngor hwnnw ym Mangor, yn cael ei ffeithiau i gyd i lawr. Fe ofynnais gwestiwn arall yr oeddwn yn meddwl y gellid gwirio'r ateb iddo yn nes ymlaen.

'Ym mhle y claddwyd chi?'

'Llanberis,' meddai hithau.

'Ym mhle yn Llanberis?' gofynnais. 'St Padarn ynteu St Peris, eglwys y plwyf?'

Saib wedyn am funud neu ddau ac yna dyma'r ateb yn dod yn ofalus ac araf. 'Fe gefais i fy nghladdu yng Nghapel Coch.' Nawr, mae'r rhan fwyaf o gapeli ymneilltuol Cymru wedi ei henwi ar ôl trefi a phentrefi gwlad Canaan: Bethlehem, Beulah, Jeriwsalem, Engedi, ac yn y blaen. Deuthum i'r casgliad pe byddai yna gapel o'r enw Capel Coch yn Llanberis na fuasai'n anodd dod o hyd iddo. Roeddwn i'n berffaith fodlon symud ymlaen. Ond doedd Catherine ddim. Roedd hi am wneud yn siŵr na fyddai 'na ddim camgymeriad efo man ei chladdu. 'Mae gan y Capel Coch dri drws yn y ffrynt,' meddai, 'ac mae yna risiau'n arwain i fyny atynt. Uwch ben pob drws mae yna ffenest uchel ac fe welwch bileri rhwng pob ffenest. I ddod o hyd i 'medd i, cerddwch i fyny'r grisiau at y drws canol. Ar ôl cyrraedd pen y grisiau, trowch i edrych i'r chwith ac yna fe allwch weld fy medd i yn y gornel bellaf o'r capel. Ar y bedd fe welwch groes fechan o farmor gwyn.' Allai neb roi cyfarwyddiadau cliriach na hyn.

Doedd Elwyn a minnau erioed wedi cael yr un ysbryd i roi cymaint o fanylion am ei fywyd ag yr oedd Catherine Anne o Lanberis wedi eu rhoi.

Roedd hi hyd yn oed yn taflu rhyw fân bethau i mewn nad oedd iddynt gysylltiad o gwbl â'i stori: y ffaith fod i'w hen ysgol dalcen uchel a bod hwn wedi ei smentio, mai enw'r athro oedd Huw Thomas a bod ganddo wallt cyrliog a chlamp o fwstás. Tra oedd Catherine yn siarad, roedd Elwyn yn teimlo fod yna ddyn yn sefyll yn ei hymyl. Roedd ganddo syniad hefyd mai Griffith

Thomas oedd y dyn yma – y ffermwr oedd wedi dod ar ei thraws yn marw yn y cae ac a oedd wedi ei chario i'w dŷ lle bu hi farw.

Ein pwrpas y noson honno oedd rhoi cyfle i aelodau teulu'r Eamesiaid gael rhyw syniad beth neu pwy oedd yr ysbryd oedd yn achosi petruster iddynt ac yn enwedig ceisio dod i wybod pam roedd yr ysbryd yn dangos y fath ddiddordeb yn y babi newydd oedd yn y tŷ. Dyma ni felly yn eu gwahodd i ofyn eu cwestiynau eu hunain yn uniongyrchol i'r 'nyrs'. Rachel oedd y gyntaf i ofyn cwestiwn. Roedd Rachel wedi colli ei babi cyntaf rhyw bedair blynedd yn ôl ac roedd hefyd wedi dweud wrthym mai hi oedd prif wrthrych sylw'r ysbryd ar un adeg ond fod hyn wedi newid o'r diwrnod y dywedodd Heather ei bod hi'n disgwyl. 'Oedd ganddoch chi biti drosof pan gollais fy mabi cyntaf?' gofynnodd. A chyn cael ateb dyma Heather yn tanio efo'i chwestiwn hithau. 'Ydych chi'n caru fy mabi bach i?' 'Ydw, ydw, ydw,' ydi'r ateb pendant i'r ddau gwestiwn, meddai Elwyn. 'Mae Catherine am i mi ddweud wrth Rachel ei bod wedi poeni drosti pan fu iddi golli ei babi, a dweud wrth Heather mor falch mae hi fod yna fabi bach arall wedi dod i'r tŷ a'i bod yn ei charu yn fawr.' Roedd hi hefyd am iddynt i gyd wybod ei bod hi, fel Rachel, wedi colli ei phlentyn bach ei hun ond rŵan y gallent i gyd garu a mwynhau babi newydd Heather. Ar ôl yr araith fach yma, roedd yn hawdd gweld fod Mrs Eames yn barod i dderbyn Catherine Anne fel pumed merch, ac roedd y genod i gyd yn dechrau meddwl amdani fel rhyw chwaer golledig. Roedd Mrs Eames wedi torri allan i wylo o ddifri ac roedd yna lot o sniffian yn dod o gyfeiriad y genod. Tra oedd y crio distaw, y chwythu trwyn a'r sychu dagrau'n mynd ymlaen, fe ddywedodd Elwyn wrthym fod Catherine Anne yn dod yn nes at y cylch. Yna dyma fo'n gofyn a oedd rhai ohonom yn gallu gweld rhywbeth.

'Ei llaw hi,' meddai'r pum benyw efo'i gilydd. 'Mae ei llaw yn gorffwys yn ymyl eich llaw chi ar fraich y gadair.'

Roedd hi dipyn ar ôl hanner nos pan gychwynnodd Elwyn a minnau'n ôl o Fangor i Landegai yn fy nghar i. Roedd y ddau ohonom yn siarad bymtheg y dwsin. Allai'r un ohonom gofio cael cymaint o wybodaeth a chynifer o ffeithiau gan ysbryd ag yr oeddem wedi eu cael gan Catherine Anne. Roedd gen i ryw syniad fod ystâd Coed Mawr ym Mangor wedi cael ei hadeiladu cyn 1934 ac os felly, allai'r nyrs fach ddim fod wedi cerdded o'r ysbyty ar hyd y llwybr bach at yr afon oherwydd mi fuasai'r llwybr a'r afon wedi eu claddu gan y tai. Roeddem bron adref pan sylwais fod rhyw olau glas yn fflachio'r tu ôl i ni. Car heddlu ydoedd; dyma fi'n aros ger y palmant a gweld yn y drych blismon yn dod allan o'r car gan gario rhyw fath o flwch du yn ei law.

'Oeddech chi'n meddwl 'mod i wedi meddwi?' meddwn wrth y swyddog pan ddaeth gyferbyn â ni. 'O, chi sydd 'na, ficer,' meddai'r swyddog. 'Rydych chi wedi newid eich car. Ond wyddoch chi, syr,' meddai, 'pan ydym ni'n gweld car yn mynd ar hyd heol wag am hanner awr wedi hanner nos ac yn teithio 20 milltir yr awr, rydyn ni'n dechrau amau tybed a ydi'r gyrrwr wedi cael dropyn bach yn ormod. Mae'n ddrwg gen i eich poeni, syr. Nos dawch eich dau.' Ac i ffwrdd ag o, a'i focs bach gydag o. Roeddwn i'n rhyw amau fod Elwyn dipyn bach yn siomedig sut roedd pethau wedi troi allan, oherwydd nid yn aml mae dyn yn cael cyfle i weld person plwyf yn cael ei orfodi i chwythu'r blwch alcohol o fewn terfynau ei blwyf ei hun!

Y bore wedyn, roeddwn ar binnau i gael cychwyn fy ymchwiliadau i'r holl bethau yr oedd Catherine Anne wedi eu dweud y noson cynt. Fe ffoniais Neuadd y Dref i ofyn pa bryd y codwyd ystâd dai Coed Mawr. Yn 1942, oedd yr ateb parod. Roedd hyn wyth mlynedd ar ôl yr hunanladdiad. Rhuthro wedyn i swyddfa'r archifydd yng Nghaernarfon. Gofyn am gael gweld y map ordnans mwyaf diweddar oedd ganddynt cyn 1942, a chael un 1918. Roedd hwn yn dangos Ysbyty Dewi Sant. Roedd yna hefyd lwybr bach yn rhedeg drwy'r lle roedd yr ystâd dai wedi ei hadeiladu wyth mlynedd yn ddiweddarach. Roedd Catherine Anne wedi dweud iddi droi i'r chwith a dod at afonig fechan, a dyma lle'r oedd yr afonig fechan roedd hi wedi sôn amdani – afon Adda.

Dyma'r union fan lle'r oedd y drychineb wedi digwydd. Ychydig lathenni'n is i lawr na'r fan yma, roedd tyddyn bychan wedi ei nodi. Enw'r tyddyn oedd yr enw roedd Catherine wedi ei roi i ni, a'r un enw hefyd â hwnnw roedd Elwyn wedi ei roi i ni wythnosau'n ôl – Bryn Llwyd Isaf. Allwn i ddim dod dros y peth. Doeddwn i erioed wedi cael cyfarwyddiadau mor glir gan unrhyw ysbryd, na neb arall ychwaith. Doedd hyd yn oed Syr William Crookes, Syr Oliver Lodge a'r Arglwydd Dowding erioed wedi cael profiadau mor real â phrofiadau Elwyn a minnau ar y noson yma. Dyma rywbeth y byddai raid i mi ei ymchwilio a'i groniclo'n hynod ofalus a'i anfon i gymdeithas y *Psychical Research*. Mi allwn i weld yr erthyglau, bron, mewn llythrennau bras yn y *Psychic News* a'r *Two Worlds*.

Fe ffoniais y cofrestrydd Genedigaethau, Marwolaethau a Phriodasau ym Mangor i ofyn a oedd yn bosib i mi gael rhestr o'r holl bobl oedd wedi marw ym Mangor ar 15fed o Fehefin, 1934. Fe ffoniodd y cofrestrydd yn ôl ymhen hanner awr i ddweud ei bod wedi edrych ar y cofrestri ac yn rhyfedd iawn doedd neb, dim enaid byw, wedi marw ar y diwrnod hwn. Mae gan Bangor boblogaeth o 15,000 ac roeddwn bron yn methu â chredu fod y diwrnod a roddodd yr ysbryd i ni yn ddiwrnod nad oedd yr un bod dynol – yn ddyn, dynes neu blentyn – wedi marw.

Alla i ddim dweud mor siomedig oeddwn i ar ôl cael y fath newydd. Ond ar y llaw arall, meddwn wrthyf fy hun, dyna sut mae ysbrydion. Does ganddynt fawr o syniad am amser ac am ddyddiadau. Gallasai'r flwyddyn fod yn 1924 ac nid 1934, a'r diwrnod ei hun yn 16eg neu'r 14eg o Fehefin ac nid 15eg fel roedd Catherine wedi ei ddweud. I godi fy nghalon, penderfynais fynd i Lanberis, i'r fan a'r lle'r oedd Catherine wedi cael ei chladdu.

Dyma barcio'r car ar ochr y stryd fawr yn Llanberis. Gofyn wedyn i'r person cyntaf a ddaeth heibio, 'Os gwelwch yn dda, allwch chi ddweud wrtha i ble mae'r Capel Coch,' a chael ateb parod. 'Cerddwch am ryw hanner canllath nes dowch chi at Siop Spar,' meddai'r wraig, 'trowch i'r chwith a rydych ar stryd Capel Coch. Mae'r capel ei hun ryw ganllath yn uwch i fyny.' Ar fy hynt, fe welais dŷ ac ar wal y tŷ roedd yna lechen, ac ar y llechen roedd enw'r tŷ wedi ei gerfio – 'Wenfro', nid 'Gwenfro' nac 'Y Wenfro' ond yn union fel roedd y nyrs fach wedi dweud, 'Wenfro'. Doedd yna ddim mur mawr uchel o benallifiau o'i amgylch chwaith, ond roedd yr enw'n ddigon i godi 'nghalon.

Fe ddilynais y cyfarwyddiadau roeddwn wedi eu cael, a dyna lle'r roedd: Capel Coch a '1777' wedi ei gerfio ar ei dalcen, y tri drws, yn union fel roedd Catherine wedi eu disgrifio, pob un â'r ffenest uchel uwchben a'r pileri cadarn rhyngddynt, a'r grisiau roeddwn i i'w dringo i gyrraedd y tri drws. Roedd y sefyllfa'n un mor gyffrous fel na ddarfu i mi edrych i'r dde nac i'r chwith wrth gerdded i fyny'r grisiau at ddrws canol y capel. Roedd hi wedi dweud, 'Cerddwch i fyny'r grisiau at y drws canol,' a dyna wnes i heb edrych i'r dde nac i'r chwith. Yna roedd hi wedi dweud, 'Trowch i edrych i'r chwith i gornel bellaf yr adeilad ac fe welwch fy medd wedi ei farcio â chroes fach o farmor gwyn'. A dyma fi'n troi. Y cwbwl a welais oedd tusw o ddrain a mieri yr oedd rhywun wedi eu torri fisoedd ynghynt ac wedi eu gadael i bydru, dim golwg o fedd na charreg o farmor gwyn. Efallai, meddwn, am mai bedd un oedd wedi lladd ei hun ydoedd, ei fod wedi cael ei symud i rywle heb fod mor flaenllaw. Fe redais i lawr y grisiau ac i gefn y capel i weld lle'r oedd y gladdfa. Ond doedd gan y Capel Coch na chladdfa na mynwent. Does neb erioed wedi cael ei gladdu yng Nghapel Coch. Mae gan bob tref a phentref ei gladdfa, ond roedd Catherine am ryw reswm wedi dewis dweud wrthym ei bod wedi ei chladdu mewn capel nad oedd iddo gladdfa ac oddi mewn i bentref nad oedd iddo gladdfa.

Holi wedyn a oedd rhywun yn gwybod am Robert Godfrey Hughes neu Catherine Eluned Hughes, oedd yn byw yno hanner can mlynedd yn ôl. Roedd pawb yn medru dweud mai yng Nghapel Coch yr oedd y mwyafrif mawr o swyddogion y chwarel yn aelodau yn y cyfnod hwn a bod nifer ohonynt yn y sêt fawr, ond doedd yna neb allai gofio Robert Godfrey Hughes.

Doedd yna ddim sôn chwaith am Robert Godfrey na'i wraig ar gyfrifiad gwlad. Mae'r cyfrifiad yn cael ei gymryd bob deng mlynedd. Ambell waith fe all teulu fyw mewn lle am ddeng mlynedd heb gael eu henwau ar gyfrifiad am eu bod wedi symud i ffwrdd wythnosau, efallai, cyn y cyfrifiad nesaf. Ond doeddwn i ddim yn meddwl mai dyma oedd y rheswm yn yr achos hwn. Doedd yna ddim sôn amdanynt ychwaith yng nghyfrifon Capel Coch. Roedd gan yr hen ysgol dalcen uchel wedi ei smentio, ond doedd gen i mo'r amynedd hyd yn oed i holi ai un â gwallt du cyrliog a mwstás mawr oedd yr athro. Roeddwn wedi fy siomi, wedi digio, ac wedi dechrau colli diddordeb yn y peth. Deuthum adref ac eistedd i lawr i wylio'r teledu, ac yna fe es i 'ngwely.

Y diwrnod wedyn, meddyliais tybed a oedd Ysbyty Dewi Sant ei hun wedi croniclo hanes nyrs a laddodd ei hun 'yn gynnar ar fore Mehefin 15fed, 1934'. Fe ffoniais adran gofrestru'r ysbyty a dweud wrth y clerc am fy mhenbleth. Fe ddywedodd fod yna lyfr mawr ar gael oedd fel llyfr lòg capten llong. Yn y dyddlyfr yma yr arferai'r metron gofnodi digwyddiadau'r dydd. Fe gytunodd y clerc y buasai hunanladdiad un o'r nyrsys yn sicr o fod wedi cael ei le yn Llyfr Mawr Metron. Fe addawodd fy ffonio ymhen hanner awr. Chwarter awr yn ddiweddarach dyma'r ffôn yn canu; y clerc i siarad â mi. 'Wel, mae'r peth rhyfeddaf wedi digwydd,' meddai. 'Mae gennym gofnodion manwl am bob blwyddyn er pan agorwyd yr ysbyty, ond mae'r flwyddyn 1934 yn hollol wag. Does yna na metron na neb arall wedi sgrifennu gair am 1934.'

Y noson honno fe ffoniais Elwyn i ddweud wrtho fod y pethau roeddwn yn dod ar eu traws yn hollol anhygoel. Dywedais wrtho am y llwybr a'r afon Adda ar y map ordnans, ac am y fferm Bryn Llwyd Isaf oedd hefyd ar y map. Dywedais hefyd fy mod wedi darganfod, ar ôl rhoi map 1918 o'r ardal ar ben map modern o ystâd Coed Mawr a rhoi blaen pìn drwy'r lle'r oedd yr afon a'r llwybr yn cyfarfod, sef y lle'r oedd hi'n dweud ei bod wedi'i lladd ei hun, fod y pìn ar yr ail fap yn dod allan yn yr union fan lle'r oedd tŷ'r teulu Eamesiaid yn sefyll. Oddi wrth y ddau fap, roedd yn amlwg fod y nyrs o Lanberis wedi'i lladd ei hun yn yr union fan yr adeiladwyd tŷ teulu'r Eamesiaid arno wyth mlynedd yn ddiweddarach. Ac eto doedd yna ddim cofnod o'r peth yng nghofnodion cofrestrydd y dref nac ychwaith yn llyfr y metron yn yr ysbyty. Dweud wedyn wrth Elwyn fod union hanner yr hyn roeddem wedi ei glywed yn y tŷ yng Nghoed Mawr yn wir, a bod yr hanner arall yn gelwydd noeth. Roeddwn yn berffaith barod i dderbyn y buasai ymchwil dipyn dyfnach efallai yn dod â ni ar draws hanes bodolaeth gŵr o'r enw Robert Godfrey Hughes oedd yn swyddog yn y chwarel ac yn flaenor yn y Capel Coch hanner can mlynedd yn ôl. Ond ni allai unrhyw ddewin fy mherswadio nad oedd yr ysbryd, oedd yn ei galw ei hun yn Catherine Anne efo 'e', wedi dweud celwydd golau iddi gael ei chladdu yng Nghapel Coch Llanberis.

Mae Elwyn yn greadur mwy rhadlon ac amyneddgar na fi. Ei gyngor ef oedd gadael llonydd i'r peth am ryw wythnos neu bythefnos a gobeithio y deuai un neu ddau o ffeithiau newydd i'r golwg yn ystod yr amser hwnnw. Ond doeddwn i ddim yn hapus. Roeddwn wedi cael fy mrifo; roedd rhywun yn chwarae triciau â mi ac yn gwneud hwyl am fy mhen. Ac nid bod dynol oedd yn gwneud hyn, ond ysbryd neu ysbrydion o'r byd arall. Dyma ofyn i Elwyn a fuasai'n fodlon dod i'r tŷ eilwaith a cheisio cysylltu unwaith eto â'r ferch yma oedd yn ei galw ei hun yn Catherine Anne. Ond gwrthod wnaeth Elwyn. 'Wna i ddim ond cael yr un darluniau ag a gefais y noson o'r blaen,' meddai. 'Roedd y darluniau hynny mor gryf ac mor glir.'

Ond doedd y mater ddim i gael gorffwys yn y fan yma. Cyn pen yr wythnos fe ddaeth Heather i 'ngweld ac roedd yn amlwg ei bod yn bryderus. Fe ddywedodd mor hapus yr oeddynt i gyd ar ôl i Elwyn a minnau alw. Dros nos, bron, roedd Catherine Anne wedi dod yn un o'r teulu. Ar ôl clywed lle'r oedd ei bedd, roeddent wedi penderfynu mynd ar bererindod teuluol i Lanberis y Sadwrn dilynol. Roedd rhywun wedi rhoi cyfarwyddiadau iddynt sut i ddod o hyd i Gapel Coch. Roeddent wedi mynd i bob cornel o gowt y capel i geisio dod o hyd i'r bedd ac, fel finnau, wedi methu. Roeddent hefyd wedi holi am y tŷ mawr o'r enw 'Wenfro' a'r wal uchel o gerrig benallifiau o'i gwmpas, ond doedd neb yn Llanberis wedi clywed am y fath dŷ. Roedd yna Wenfro ond doedd o ddim byd tebyg i Wenfro Catherine Anne. Yn fuan iawn roedd y teulu bach yma wedi sylweddoli eu bod wedi cael eu twyllo, yn union fel roeddwn i wedi fy nhwyllo, ac roeddynt wedi cael eu brifo. Yna, dyma Heather yn dweud, 'Rydym i gyd yn dechrau poeni am y babi eto rŵan. Tydi ysbryd sydd yn gallu dweud celwydd a thwyllo mor greulon ag y gwnaeth yr un yn ein tŷ ni ddim yn un y gallwn ei drystio mwyach. Rydyn ni i gyd yn teimlo y buasai'n well ganddom gael 'madael â hi o'r tŷ yn gyfan gwbl.'

Roedd ofn wedi dod i'r cartref bach yma – ofn yr oedd Elwyn a minnau'n gyfrifol amdano. Roeddwn yn teimlo dyletswydd arnaf i'w helpu a hefyd, a dweud y gwir, roeddwn i fy hunan bron â marw eisiau cael rhyw fath o esboniad am yr hyn oedd yn digwydd.

Felly dyma ffonio Elwyn eilwaith, a dweud wrtho beth oedd y sefyllfa newydd yn y tŷ a gofyn iddo a fuasai'n fodlon i mi ofyn i Winnie Marshall ddod i gael golwg ar yr hyn oedd yn mynd ymlaen. Roedd Elwyn yn cyd-weld â'r syniad yma o gael ail farn. 'Efallai,' meddai, 'y gall cyfryngwr ffres gael golwg hollol newydd.' Rhaid cofio hefyd mai gwyddonydd ymchwil oedd

Elwyn cyn iddo ymddeol, ac mae pob gwyddonydd ymchwil yn hoffi gweld ei arbrofion yn darfod yn deidi. Dyma ffonio Winnie Marshall.

Mae Winnie Marshall yn enwog yn y wlad hon ac ar y cyfandir fel cyfryngwr ac am ei dawn i iacháu. Gwyddonydd a ganfu yn gynnar yn ei fywyd fod ganddo ryw bwerau rhyfedd nad oedd sôn amdanynt yn ei lyfrau ffiseg ydi Elwyn. Ond roedd Winnie Marshall, ar y llaw arall, wedi ei dwyn i fyny er yn blentyn yn nysgeidiaeth yr ysbrydegwyr a bellach yn cael ei hystyried yn weinidoges yn y ffydd hon. Tydw i erioed wedi cyfarfod neb tebyg i'r wraig yma. Mae hi'n edrych drwy ffenest ffrynt ei phersonoliaeth ac yn gweld popeth mae pobl eraill yn ei weld: ydi hi'n ddiogel iddi groesi'r ffordd, sut i roi edau yn y nodwydd, pwy ydi'r person sydd yn cerdded i fyny llwybr yr ardd. Ond mae gan Winnie hefyd ffenest gefn, a thrwy'r ffenest yma mae hi'n gweld pethau sydd i ddigwydd iddi hi ac eraill yn y dyfodol, a phethau sydd wedi digwydd i eraill yn y gorffennol. Mae ganddi'r ddawn o fod yn gwybod beth sydd yn mynd i ddigwydd i'r rhai sydd yn dod ati am gyngor cyn iddo ddigwydd. A heb unrhyw amheuaeth mae Winnie Marshall hefyd, drwy'r ffenest gefn yma, yn gallu gweld llawer o'r hyn sydd yn mynd ymlaen yn y byd tu hwnt. Mae hi'n medru gweld drwy'r llen denau sydd rhyngom. Byddaf yn teimlo ambell waith nad yw'n hollol deg fod ysbrydion o'r ochr draw yn gallu croesi yma atom ni a ninnau heb y gallu i groesi drosodd a chael cip ar eu byd nhw. Yna byddaf yn cofio am Winnie Marshall a'i ffenest gefn. Mae Winnie yn eu gweld nhw mor glir ag y maent hwy'n ein gweld ni. Felly fe ofynnais iddi a fuasai'n dod gyda mi i dŷ'r Eamesiaid ym Mangor.

Fe euthum i Fae Colwyn i'w nôl. Ar ein siwrnai i Fangor ni fu yna unrhyw sôn am y tŷ roeddem yn mynd iddo, dim gair am Catherine Anne na bod Elwyn a minnau wedi bod yno o'r blaen. Roeddwn wedi rhybuddio teulu'r Eamesiaid hefyd i ddweud dim. Nid twyllo ydi hyn; dyma'r fordd sydd gennym o weithio. Fe gymerasom ein lle yn y tŷ ac fe gafodd Winnie yr unig beth y bydd yn gofyn amdano ar achlysuron fel hyn: cadair uchel â chefn syth.

'Wel,' meddai Winnie, mewn llais yn union fel pe bai'n siarad am y tywydd, 'mae'n ymddangos i mi fod gennych ddwy hen wreigan lanwaith yr olwg, o'r byd ysbrydol, yn byw hefo chi yma. Mae un ohonynt, fel Martha drafferthus, yn or-ofalus ynghylch cadw'r tŷ'n lân ac yn deidi; ac mae hi'n cwyno ychydig amdanoch eich bod fel teulu braidd yn flêr. Mae'r ladi arall yr wyf yn ei gweld yn tynnu at ei saithdegau: gwraig hawddgar sydd yn cario'i hun yn urddasol, gwallt gwyn wedi ei dynnu'n fynsan ar ei gwar ac yn cael ei ddal yn ei le â chlip coch anghyffredin ar ffurf cath.'

'Dyna fy mam,' meddai Mrs Eames mewn llais distaw, 'ac mae clip y gath goch gen i o hyd.'

Ac fel yna, dyma ni'n dechrau dod yn ôl yn araf deg i'r sefyllfa yr oedd y teulu wedi arfer â hi. Yr ysbryd bach oedd yn ceisio cadw'r tŷ yn deidi, a bellach Winnie yn dweud wrthynt fod mam Mrs Eames yn byw efo nhw hefyd. Ond doedd yna ddim sôn am nyrs, na hunanladdiad, na neb o'r enw Catherine Anne – efo 'e' na heb 'e' ynddo.

Yn sydyn, dyma Rachel yn gofyn i Winnie, 'Ydych chi'n meddwl fod ein dau ysbryd yn hoffi'n babi ni?' 'Mae eich nain wedi gwirioni ar y babi,' meddai Winnie. 'Tydw i ddim yn meddwl fod raid chi boeni llawer am y ladi fach deidi. Mae hi'n ymddangos fel petai'n pacio'i bagiau, fel pe bai rhywun neu rywbeth wedi troi'r drol efo hi.'

Yna, dyma Heather yn gofyn, 'Ai ein nain ynte'r ysbryd bach teidi sydd yn ysgwyd y crud ac yn agor droriau dillad y babi yn y nos?' 'Yr un o'r ddwy,' meddai Winnie. 'Mae'r lodes fach sydd yn chwarae efo'r còt ac yn agor y drôr ddillad yn un hynod o brydferth.' Yna dyma hi'n troi at Rachel ac yn gofyn, 'Ydw i'n iawn, 'nghariad i, yn meddwl eich bod wedi cael erthyliu plentyn rhyw bedair neu bum mlynedd yn ôl?' Ar hyn dyma'r dagrau'n dod a merched y tŷ yn dechrau estyn at y bocs hancesi papur. 'Do,' meddai Rachel drwy ei dagrau. 'Y meddyg ddaru gynghori – roedd o'n dweud na allwn i byth ei gario ac mai dyma oedd y peth mwyaf caredig.' Erbyn hyn roedd y dagrau'n llifo yn y parlwr yng Nghoed Mawr.

'Ydych chi'n gwybod p'run ai hogyn bach ynte geneth fach oedd eich babi?' meddai Winnie unwaith eto.

'Dw i ddim yn gwybod,' meddai Rachel. 'Ddaru mi ddim gofyn.'

'Wel,' meddai Winnie, 'fe allaf ddweud wrthych. Merch fach gawsoch chi ac mae hi'n hynod o brydferth. Mae ganddi eich llygaid chi a'ch lliw gwallt. Mae hi i fyny'r grisiau y funud yma. Mae hi yn yr ystafell sydd yn union ar ben y grisiau, yn sefyll o flaen cist ddroriau. Mae'n agor y drôr ac mae'r wên fach fwya direidus ar ei hwyneb; mae hi'n pwyntio i mewn i'r drôr ac eisiau i mi weld beth sydd ynddi. Rydw i'n meddwl eich bod wedi cadw dillad babi yn y drôr yna ar un amser. Ond heddiw does ynddi ond tri phâr o sanau dyn, beiro, camera, ffilm a sbectol haul.'

Erbyn hyn roedd y teulu'n edrych yn hurt ar ei gilydd. Roedd yn berffaith amlwg fod 'na ystafell wely ar ben y grisiau, a bod yna hefyd gist ddroriau wrth y drws a bod y pethau a ddywedodd Winnie i'w gweld yn y gist ddroriau yma.

'Pa enw fuasech chi wedi ei roi i'ch merch fach pe bai hi wedi byw?' gofynnodd Winnie. A thrwy lot a sniffian a sychu dagrau dyma Rachel yn dweud 'Ceri'.

'Ydi, mae Ceri yn enw bach pert,' meddai Winnie. 'O,' meddai hi wedyn, 'mae'r fechan yn hoffi'r enw yna hefyd. Mae hi'n pwyntio ati hi ei hun ac yn gwenu. Mae hi wrth ei bodd ei bod wedi cael enw mor bert â Ceri. Fe ddylech i gyd o hyn allan feddwl amdani fel Ceri. Ac os bydd i chi deimlo ei bod yn agos, galwch arni wrth ei henw. Mae hi'n beth bach hynod o annwyl ac mae hi wrth ei bodd efo'i chyfnither bach newydd.'

Roeddwn yn yr un tŷ efo'r un teulu, ond efo cyfryngwr gwahanol. Roedd y cyfryngwr newydd wedi rhoi eglurhad hollol wahanol i'r hyn oedd yn achosi pryder i'r teulu. Roedd Winnie wedi gweld plentyn bach pedair oed ac roedd hi'n un o'r teulu. Roedd hi hefyd wedi gweld dwy wraig mewn tipyn o oed; nain neu fam-gu'r genod oedd un ohonynt, a'r llall oedd yr hen Mrs Pritchard oedd wedi byw yn y tŷ rai blynyddoedd yn ôl ac a oedd wedi dechrau hel ei phethau at ei gilydd i ymadael. Roedd popeth bellach yn gwneud synnwyr. Roedd y darlun arall o nyrs o bentref anadnabyddus, yn dweud ei bod wedi'i lladd ei hun ac wedi cael ei chladdu yn rhyw gapel efo enw chwithig, bellach yn hunllef i deulu'r Eamesiaid. Cymeriad ffug oedd Catherine Anne iddynt bellach a chymeriad ffug digon di-chwaeth hefyd.

Tydw i ddim yn meddwl am funud y dylai unrhyw un geisio damcaniaethu pa un o'r ddau gyfryngwr oedd y gorau, na pha un oedd wedi dod ar draws y gwirionedd. Roedd Elwyn, pan oedd o yn y tŷ, wedi cysylltu â 'Rhywun'. Roedd pob un o'r teulu wedi gweld llaw merch yn gorffwys ar fraich cadair Elwyn.

Doedd yna ddim amheuaeth nad oedd yna fferm wedi bod yn agos i'r lle'r oedd eu tŷ nhw ac mai enw'r ffarm honno oedd Bryn Llwyd Isaf – yr enw roedd Catherine Anne wedi ei roi arni. Y teimlad oedd fod yna ryw linellau wedi croesi y noson y bu Elwyn yn y tŷ. Mae hyn yn digwydd ambell waith pan fo rhywun yn ffonio. Mae'n bosib codi'r ffôn a chlywed eraill yn siarad â'i gilydd: dau o bobl ddieithr yn siarad efo'i gilydd ar ein ffôn ni, ninnau wedyn yn methu'n lân â gwybod beth i'w wneud – ai dweud mewn llais uchel, 'Hei, chi eich dau, fy ffôn i ydi hwn. Defnyddiwch eich ffôn eich hunain.' Ynteu efallai gwrando'n ddistaw ar yr hyn mae'r ddau yn ei ddweud, neu roi'r ffôn i lawr a dod yn ôl yn ddiweddarach.

Rhywbeth tebyg i hyn oedd wedi digwydd y noson gyntaf yn y tŷ yng Nghoed Mawr. Ai ysbryd rhywun arall oedd y Catherine Anne yma, oedd rhywsut wedi dod drwodd i Elwyn ar y llinell anghywir?

Ddywedodd neb ddim, ond roeddem i gyd erbyn hyn yn tybio mai Winnie Marshall oedd wedi dod o hyd i'r esboniad cywir. Roedd y neges am Ceri fach yn gwneud synnwyr oherwydd roedd Rachel wedi colli plentyn bach bedair blynedd yn ôl. Roedd yn hawdd meddwl mai plentyn bach pedair oed oedd yn ceisio siglo crud y babi yn oriau mân y bore, ac nid rhyw nyrs oedd wedi lladd ei hun. Ac roeddem i gyd yn teimlo hefyd mai dim ond ysbryd teuluol fuasai eisiau siglo crud ac ymyrryd â dillad y babi.

Ar y ffordd yn ôl i Fae Colwyn fe ddywedais y cwbwl oedd wedi digwydd i ni'r tro cyntaf wrth Winnie: hanes Catherine Anne a'i Chapel Coch, fy mod wedi dod i'r casgliad fod union hanner yr hyn yr oeddem wedi ei glywed y noson cynt yn wir a bod yr union hanner arall yn gelwydd noeth. Ddywedodd Winnie'r un gair.

Dyma fi'n ailgynnig. 'Ddaru chi weld y nyrs ifanc yma heno?'

'Naddo,' meddai Winnie.

'Wel, allwch chi esbonio i mi sut y bu i Elwyn a minnau gysylltu a chael cymaint o wybodaeth gan yr ysbryd yma oedd yn ei galw'i hun yn Catherine Anne?'

Dim ateb. A dweud y gwir, roeddwn yn dechrau meddwl ei bod wedi mynd i gysgu. Yna dyma hi'n dweud, 'gan eich bod yn gofyn, Aelwyn, fy nghred ydi fod y ddau ohonoch wedi cael eich

153

twyllo'n fwriadol y noson o'r blaen. Fy nghred i ydi fod rhai o bobl ddoe wedi hel at ei gilydd i chwarae tric ar y ddau ŵr yma sydd yn cymryd cymaint diddordeb yn eu ffordd nhw o fyw.'

'Ond pam Elwyn a minnau?' meddwn innau.

'Wel, Aelwyn,' meddai Winnie dan wenu o glust i glust, 'rydych chi wedi sgwennu llyfr, *Yr Anhygoel*, yn sôn fel yr ydych chi ac Elwyn yn medru datrys problemau'r rhai sydd tu hwnt i'r llen. Os ydw i'n cofio'n iawn, rydych chi hyd yn oed yn brolio yn y llyfr mor llwyddiannus yr ydych eich dau yn y gwaith yma.'

'Ond Winnie,' meddwn innau, 'tydi ysbrydion ddim yn darllen llyfrau.'

Ac yna dan chwerthin fe ddaeth yr ateb, 'Wel, rydw i'n credu, Aelwyn, eu bod wedi darllen eich llyfr chi, ac yn teimlo fod yr amser wedi dŵad i dynnu'r ddau ŵr yma sydd mor annwyl iddynt i lawr beg neu ddau.'

Fe aeth Winnie ymlaen i ddweud ei bod hi'n berffaith sicr yn ei meddwl mai'r hyn oedd wedi digwydd oedd fod yna nifer o rai y tu hwnt i'r llen wedi cynllunio drama Catherine Anne efo 'e'. Roeddynt wedi hel eu ffeithiau'n ofalus, hanner yn wir a hanner yn gelwydd, yn bwrpasol. Roedd hefyd yn sicr, tra oeddwn i'n rhuthro fel ffŵl o swyddfa'r cofrestrydd ym Mangor i risiau'r Capel Coch yn Llanberis ac yn ôl i swyddfa'r archifydd yng Nghaernarfon, fod yna nifer o bobl ddoe yn rowlio chwerthin am fy mhen yn y man hwnnw lle 'mae llawer o drigfannau'. Ac mae hi'n iawn. Ar ôl cael amser i feddwl, rwyf wedi dod i'r casgliad fy mod yn gwybod pwy oedd dau ohonynt – y fi ddaru gladdu un ohonynt bron bum mlynedd yn ôl.

Mae'n beth rhyfedd, ond pan fu i mi feddwl gyntaf am ysgrifennu'r llyfr hwn, stori'r 'Jôc o'r Tu Draw' a ddaeth i'm meddwl gyntaf. Roeddwn yn teimlo rhyw ysfa i ysgrifennu'r stori hon. Er bod y golygydd wedi awgrymu mai'r lle priodol iddi oedd ar ddiwedd y llyfr, y stori hon, serch hynny, oedd y pwt cyntaf i mi fynd ati i'w ysgrifennu cyn y gallwn gael llonydd i fynd ymlaen â gweddill y llyfr. Mae fy nghefndir fel Cristion yn ei gwneud yn anodd i mi dderbyn y syniad fod ysbrydion gwarchodol ac ysbrydion arweiniol o'r ochr draw yn gallu perswadio neu roi'r ysfa mewn dyn i wneud rhyw weithred neilltuol. Ar y llaw arall, rydw i bron yn sicr nad fy stori i ydi stori Catherine Anne efo 'e'. Nid y fi a'i sgwennodd efo'i 50% o gelwydd a'i 50% o wirionedd. Y nhw ysgrifennodd y plot a theimlaf y gellid galw plot sydd yn sôn am gymeriadau yn y byd tu hwnt yn chwarae triciau ar y rhai sydd yn byw ar y ddaear yn 'Plot 7'. Os felly, y fi sydd wedi cawlio pethau!

Efallai, hefyd, fod yna bwrpas arall i'r stori hon. Tybed a ydi'r awduron am i ni, sy'n coleddu syniadau mor geidwadol, henffasiwn am y byd tu hwnt ddod i wybod yn wahanol? Dod i wybod nad lle i bawb gysgu a gorffwys ydi Gwlad yr Hafau, ond yn hytrach y math o le y mae dipyn go lew o chwerthin a rhialtwch a thynnu coes yn mynd ymlaen yno – lle mae pobl yn cael lot o hwyl ynddo.

Y Golau Gwyn

Petawn i ond yn crybwyll wrth y giawdi fach yma sydd yn cuddio hefo mi tu ôl i'r sofa, yn y fan yma, am ryw dwnnel marwolaeth, a'r golau gwyn, rydw i'n credu y byddai'r rhelyw ohonynt yn gwybod at beth y buaswn yn cyfeirio. Mae hyd yn oed pobl nad ydynt wedi darllen llyfr yn eu bywyd, rywsut neu'i gilydd, wedi clywed am y twnnel mae'n rhaid mynd drwyddo ar ôl marw, a'r cyfarfyddiad efo'r golau gwyn. Mi fuasai un neu ddau o'r rhai mwyaf goleuedig yn medru ymhelaethu a dweud, 'Rydych yn cyfeirio at lyfr a gafodd ei ysgrifennu gan feddyg yn America. Fe aeth y meddyg yma i weld rhai cannoedd o bobl oedd wedi marw'n glinigol, un ai ar ôl damwain neu yn ystod llaw-feddyginiaeth mewn ysbyty, ac o fewn munudau wedi cael eu dadebru. Roedd y meddyg am wybod ganddynt beth oeddent wedi ei weld yn y munudau hyn rhwng marw a chael eu dadebru.'

Enw'r llyfr ydi *Life after Life*, ac fe'i hysgrifennwyd gan Dr Raymond Moody. Does gen i ddim syniad sawl copi o'r llyfr a werthwyd ac a ddarllenwyd, ond rydw i'n gwybod bod y disgrifiadau a roir ynddo o'r modd yr ydym yn croesi o un byd i'r llall – y cerdded drwy'r twnnel a chlywed y miwsig a chyfarfod y golau gwyn – yn gyfarwydd i filiynau o bobl drwy'r byd. Anghofia i byth fy mhrofiad fy hun pan ddarllenais i'r llyfr yma gyntaf, sawl blwyddyn yn ôl. Mae'n siŵr o fod wedi dod â llawer o gysur i deuluoedd mewn profedigaeth, ac yn wir i bawb ohonom, oherwydd mae'r croesi yma yn beth mae'n rhaid i ni i gyd ei wneud pan ddaw'r alwad. Cyn mynd ar wyliau i wlad Groeg neu i Hong Kong, mi fuasai'r rhan fwyaf yn ceisio prynu llyfr i ddisgrifio'r siwrnai a beth i edrych amdano ar y daith. Ond cyn i Dr Moody ysgrifennu, doedd yna ddim llyfr ar gael a oedd yn disgrifio'r siwrnai fawr.

Erbyn heddiw, mae yna filiynau o bobl yn y wlad nad ydynt yn aelodau o gapel nac eglwys, nifer fawr nad ydynt wedi gweld y tu fewn i dŷ addoliad yn eu hoes. Roedd gen i drueni bob amser wrth weld y teuluoedd bach yma'n dod i mewn i gapel yr amlosgfa i gladdu rhywun annwyl iddynt, dim syniad beth oedd yn mynd i ddigwydd na sut i fyhafio – wyth neu naw yn ceisio stwffio i sedd oedd wedi ei gwneud ar gyfer chwech, pob un yn cadw'i ben i lawr rhag ofn i'r gweinidog ofyn iddynt ddweud neu wneud rhywbeth, a hwythau ddim yn siŵr hyd yn oed sut i adrodd Gweddi'r Arglwydd. Yna byddent yn shwfflian allan heb fath o syniad beth oedd wedi digwydd yn ystod yr hanner awr roeddent hwy wedi rhoddi eu pennau i lawr, nac ychwaith i ble roedd eu hanwylyd wedi diflannu.

Mae'n rhaid i bob amlosgfa ddogni'r amser ar gyfer pob angladd – hanner awr fel rheol, llai na hynny mewn rhai prysur yn y trefi. Mewn gwirionedd, mae hanner awr yn ddigon o amser i gynnal y gwasanaeth, i dalu teyrnged fach a chanu emyn neu ddau. Ond pan fo'r teulu bach heb fath o gefndir Cristnogol, mae'n amhosibl rhoi unrhyw fath o gyfarwyddyd mewn cyn lleied o amser, na hyd yn oed ddechrau dweud wrthynt am y dystiolaeth gref sydd dros gredu fod eu hanwylyd bellach allan o'r hen gorff roedd y cancr wedi ei ddryllio, ei fod wedi ei wisgo mewn corff ysbrydol a'i fod efo hen deulu a chyfeillion yng Ngwlad yr Hafau. Ac wedi iddo gyrraedd y lle yma, fuasai o ddim yn dod yn ei ôl am bensiwn.

Rai blynyddoedd yn ôl cefais wyliau hyfryd yng ngwlad Bwlgaria. Fe euthum draw i Borovets ddiwedd yr haf. Dyma'r lle bydd sglefrwyr yn mynd yn eu miloedd yn y gaeaf. Roedd o'n lle bythgofiadwy. Po fwyaf roedd dyn yn ei gerdded yn ei fynyddoedd, y mwyaf oedd yn aros o hyd i'w fwynhau. Roedd angen misoedd ar fisoedd i weld y cyfan roedd gan fynyddoedd Borovets i'w gynnig. Bob bore wrth i mi fynd i gerdded, a 'mhac ar fy nghefn, arferwn fynd heibio gwraig a phump neu chwech o blant oedd yn sefyll dan gysgod coeden dipyn tu allan i'r pentref. Roedd ganddynt bump neu chwech o geffylau digon cyhyrog yr olwg ac roeddent ar gael i'w llogi. Fe ddaeth rhyw syniad *don't try this at home* i 'mhen. Ymhlith y ceffylau roedd yna un gwyn, tal a chefn llydan ganddo. Roedd gan hwn hefyd yr hyn mae'r cowbois yn ei alw'n bwmel yn sticio allan o'i sedd ledr.

Y pwmel yma a dynnodd fy sylw. Euthum i fyny at y wraig a dweud wrthi, 'Madam, rwyf yn 76 oed a tydw i erioed wedi reidio ceffyl. Ydych chi'n meddwl y buaswn yn medru reidio'r ceffyl gwyn yn y fan acw? Ydi o'n bosib?'

A dyma hithau'n ateb, 'Ydych chi'n gofyn i mi eich dysgu chi i reidio ceffyl mewn diwrnod?'

'Wel, na,' meddwn innau. 'Rhyw feddwl oeddwn i y buasech chi'n medru fy nysgu yn yr hanner awr nesa 'ma.'

'Fe wna i eich dysgu chi sut i reidio'r ceffyl gwyn mewn pum munud,' meddai hithau wedyn. A dyma roi'r cyfarwyddiadau i mi: 'Wrth reidio i fyny'r mynydd, pwyso 'mlaen; wrth reidio i lawr y mynydd, pwyso'n ôl.' Dyma fi'n ysgrifennu ar damaid o bapur beth oedd 'cerdda 'mlaen' ac 'aros' yn iaith Bwlgaria. Enw'r ceffyl, yn ôl y wraig, oedd April. Telais y pris llogi a chydio yn y pwmel lledr ac yna dyma'r wraig a'i phum plentyn yn fy nghodi ar gefn y gaseg wen.

'Bwrwwrw,' meddwn i, ac i ffwrdd â ni'n dau. Fe gafodd April a minnau oriau o bleser yng nghwmni ein gilydd ar ôl y wers bum munud.

Ond pe bai teulu sydd mewn galar yn gofyn i mi roi cwrs pum munud iddynt ar alaru, mi fuasai'n rhaid i mi ddweud fod y peth yn amhosib. Ond ar ôl dweud hynna, mae'n rhaid i mi gael dweud hefyd fy mod i'n gwneud ymdrech weddol o fewn 90 munud.

Roedd hen sipsi reit annwyl o'r plwyf, oedd wedi rheoli ei thylwyth am flynyddoedd maith, wedi marw. Roedd ganddi chwech o feibion yn eu canol oed, nifer o ferched, a mwy o wyrion a wyresau nag sydd gen i fy hunan hyd yn oed. Gelwais yng ngharafán y mab hynaf i wneud y trefniadau claddu. Gynted ag yr euthum dros drothwy'r garafán, dyma fo'n gofyn i mi, 'Dwedwch wrthyf, Dad, beth ydych chi'n ei feddwl sydd wedi digwydd i Mam? Ble mae hi rŵan?'

Fe ddechreuais innau ar fy nghredo. 'Wel, rydw i'n credu,' meddwn i, 'pan fo rhywun yn marw, ei . . .' Ond cyn i mi fynd ymlaen, dyma'r sipsi'n agor ffenest y garafán, yn galw plentyn bach a dweud wrtho, 'Rhed, 'ngwas i, i chwilio am fy mrodyr. Dweud wrthynt fod y Tad Protestannaidd yma hefo mi, ac iddynt i gyd ddod oherwydd mae o'n mynd i ddweud beth sydd wedi digwydd i Mam a ble mae hi rŵan. Rhed, 'machgen i.' Cyn pen dim, roedd gen i gynulleidfa dda o feibion a merched, a merched-yng-nghyfraith, yn disgwyl am fy natganiad. Roedd hi'n bregeth hir a phan daeth i ben fe gododd y gynulleidfa a cherdded allan fesul un. Fel roeddynt yn mynd heibio i mi, roedd pob un ohonynt yn diolch efo'r un geiriau, 'Diolch, Dad,' 'Diolch, Dad.'

Mae'n rhaid ei bod yn bregeth gweddol dda oherwydd, ar ôl i bawb fynd allan o'r garafán, fe dynnodd y mab hynaf ei waled o'i boced. (Wnaiff sipsi byth dynnu ei waled allan os bydd ei wraig neu unrhyw fenywod eraill o gwmpas.) Gwagiodd ei waled ar gledr ei law; fe'u gwasgodd, yn arian ac arian papur, nes oeddynt yn lwmp ac yna, heb eu cyfrif, fe'u pwysodd i'm llaw. 'I brynu blodau i'ch eglwys,' meddai. Mi gyfrais yr arian ar ôl dod adref. Fe ddigwyddodd hyn flynyddoedd lawer yn ôl, ond hyd heddiw rwyf yn dal i gofio'r tâl mwyaf a gefais erioed am un bregeth, sef £68.73.

Roeddwn yn falch o'r cyfle i gael siarad efo fy mhlwyfolion o Greenacres am farwolaeth, oherwydd mae gan y sipsi ofn hyd yn oed sôn am farw a chladdedigaethau. Yr unig amser y byddwn yn eu cael at ei gilydd dan yr unto oedd yn ystod claddedigaethau, priodasau a bedyddiadau. Yn ystod y cyfnod hwn y deuthum o hyd i'r llyfr *Life After Life*.

Roedd Raymond Moody yn feddyg ifanc mewn ysbyty fawr yn yr America pan ddechreuodd y busnes yma o adfer pobl oedd wedi marw am funudau bwy'i gilydd, a dod â nhw'n ôl i fywyd drachefn. Roedd yn yr ysbyty ar yr adeg pan oedd timau o arbenigwyr yn cael eu dysgu sut yr oedd yn bosib, drwy bwmelu'r corff marw, neu drwy basio trydan drwyddo, adfer y corff unwaith eto i fywyd. Roedd yn naturiol i'r meddyg ifanc ofyn iddo'i hun, wrth weld y gwyrthiau newydd hyn yn digwydd, 'Tybed a oeddynt wedi agor eu llygaid yn y byd tu hwnt cyn i hogiau'r *cardiac arrest* eu llusgo yn ôl i fywyd?' Dyma fo'n penderfynu mynd a gofyn i dros 200 o'r bobl roedd hyn wedi digwydd iddynt am eu profiadau. Ac fe ddaeth y profiadau roedd y rhan fwyaf ohonynt wedi eu cael yn destun siarad drwy'r byd. P'run bynnag a oedd pobl wedi darllen y llyfr ai peidio, roeddent rywsut, drwy wrando ar y radio neu edrych ar y teledu, neu ddarllen y papur newydd, yn gwybod am y peth. Roeddent hefyd wedi dod i sylweddoli fod profiadau'r bobl hyn yn eithaf tebyg i'w gilydd. Roedd nifer fawr ohonynt yn cofio cerdded drwy rhyw dwnnel a chlywed miwsig hyfryd, ac yn ystod y siwrnai roeddent wedi cyfarfod â rhyw olau gwyn llachar.

Fe welais yn y llyfr hwn yr ateb i broblem galar y rhai nad oedd iddynt gefndir Cristnogol. Defnyddiais y taliad cyntaf a ddaeth i law am gynnal gwasanaeth yn yr amlosgfa i brynu tri chopi o *Life After Life*. Cadw llygad yn agored wedyn i ddod o hyd i'r rhai oedd mewn mwyaf o angen am fy elusen newydd. Os oedd teulu'n gallu ymuno yn y 'Gogoniant i'r Tad . . .' neu'n gwybod pa bryd i sefyll a phryd i eistedd yn ystod y gwasanaeth, yna doedd y teulu yma ddim yn cael llyfr am ddim. Roeddwn yn cymryd yn ganiataol fod ganddynt ddigon o ddysgeidiaeth eglwysig i'w cynnal. Y rhai nad oedd hyd yn oed yn gallu adrodd 'Ein Tad' yr oeddwn i'n chwilio amdanynt.

Am beth amser roedd yn ddirgelwch i'r trefnwyr angladdau pam yr oeddwn yn rhoi llyfr yn bresant i rai ac nid i eraill. A chwarae teg iddynt, pan esboniais y peth bu iddynt i gyd gyfrannu at y gronfa i brynu rhagor o lyfrau. Roedd yna ddigon bellach i adael un ar y ddesg yn yr amlosgfa er addysg i'r rhai oll oedd yn gweithio yn y winllan hon. Fe aeth yr elusen lyfrau ymlaen am amser.

Bridget fy merch, y seicolegwraig, daflodd dipyn o ddŵr oer ar y syniad. Ar ôl darllen y llyfr, fe'm rhybuddiodd i fod yn ofalus i bwy i roi y llyfr. 'Dad', meddai, 'rydw i'n gweithio efo math arbennig o bobl; pe byddai rhai o'r rhain yn dod i wybod am y twnnel hapusrwydd yma a'r miwsig, ac am gael cyfarfod golau gwyn cariad, mi fuasent am ei gael y munud hwnnw. Mi fuasai raid i'r crwner gael gweithwyr ychwanegol ac mi fuasai gennych chithau fwy o angladdau nag sydd o oriau yn y dydd.' Rwy'n gwybod mai tynnu 'nghoes i oedd hi, ond roedd yna beth gwirionedd yn yr hyn oedd ganddi i'w ddweud. Mae'r llyfr yn tynnu ymaith ofn marw a rhywsut yn gwneud y weithred o farw, a chroesi'r Iorddonen, yn hudol swynol, yn rhywbeth y dylid amcanu ato yn y dyfodol agos.

Mae Dr Moody yn berffaith onest ac yn dweud ar y cychwyn fod yna nifer o'r rhai y bu iddo eu holi nad oeddynt yn cofio dim o'r pryd y bu iddynt farw nes eu cael eu hunain yn fyw unwaith eto yn y gwely yn yr ysbyty. Roedd yna eraill, oedd wedi cael eu hadfer ddwywaith, a oedd yn medru cofio gweld pethau yn ystod un farwolaeth ond nid yn y llall. Ond wedi dweud hynna, roedd y rhelyw ohonynt yn gallu cofio'u profiadau'n weddol glir. Roedd yna batrwm o ryw ddeuddeg profiad yn cael eu disgrifio ac fe wnaeth y meddyg restr ohonynt. Doedd fawr neb wedi profi'r deuddeg symptom, ond roedd nifer wedi profi chwech, a hyd yn oed saith, ohonynt. Dyma'r rhestr:

1. Clywed llais y meddyg neu rywun arall yn dweud eu bod nhw wedi marw.
2. Clywed rhyw sŵn cras ac anniddig.
3. Symud drwy dwnnel tywyll a oedd yn cael ei ddisgrifio droeon eraill fel ogof neu ffynnon neu ddyffryn.
4. Bod y tu allan i'w cyrff ac eto yn dal i fod yn yr un amgylchedd daearol.
5. Yn abl i weld eu hen gorff fel rhywbeth rhyfedd ar wahân.
6. Yn ymwybodol eu bod wedi eu gwisgo â chorff gwahanol.
7. Gweld aelodau o'r teulu a ffrindiau oedd wedi marw ers blynyddoedd yn symud yn araf tuag atynt.
8. Y profiad o weld y golau gwyn cynnes, llachar yn dod yn nes.
9. Rhai yn dweud fod eu bywyd yn fflachio o flaen eu llygaid ac eraill fod y golau gwyn yn eu hannog i fwrw golwg dros eu bywydau ar y ddaear.
10. Gweld teulu a chyfeillion ymadawedig yn gliriach, a'u gweld yn sefyll tu ôl i ffens, yn amneidio arnynt ac yn eu croesawu.
11. Gwneud penderfyniad pendant i droi'n ôl am fod ganddynt blant i'w dwyn i fyny, neu waith heb ei gwblhau; eraill yn dweud mai'r golau gwyn a'u cynghorodd i fynd yn ôl am nad oedd eu hamser addas wedi cyrraedd.
12. Teimlad o lawenydd tangnefeddus nas gŵyr y byd amdano.

Ond o'r holl brofiadau, cyfarfod y golau gwyn oedd uchafbwynt y croesi. Mae hwn yn llewyrchu gwynder perffeithrwydd, ac eto heb ddallu. Fel mae'n nesu, mae'n anfon ohono ei hun gynhesrwydd cariad a llawenydd, ac yn ennyn heddwch a bodlonrwydd a llwyr dangnefedd. Roedd llawer yn dweud mai Crist ei hun oedd y golau gwyn, a nifer yn dweud, fel yr oedd y golau gwyn yn dod yn nes, fod iddynt hwythau deimlo rhyw reidrwydd i feddwl meddyliau tosturiol a chariadus am eraill.

Allwn i ddim peidio â gofyn i'r rhai tu ôl i'r soffa faint ohonynt hwy fuasai'n medru meddwl meddyliau tosturiol a chariadus am gymdogion ac eraill yn hollol ddirybudd. Roeddwn yn dweud wrthynt am yr adeg y cafodd fy nghar bynctiar a doedd gen i ddim syniad sut i'w drwsio. Doeddwn i ddim hyd yn oed yn gwybod lle'r oedd yr offer i wneud y gwaith. Daeth ffrind oedd yn berchennog garej heibio ac mewn llai na dau funud yr oedd yr hen olwyn i ffwrdd a'r newydd yn ei le, yr offer wedi eu cadw a ninnau ar gychwyn unwaith eto. Roedd y gwaith yn hawdd iddo fo am ei fod wedi arfer trwsio pynctiars. Mae'r meddwl syniadau cariadus yma hefyd yn beth y dylid ei ymarfer. Felly, efallai nad ydi'r adnod yn y gwasanaeth claddu mor od ag yr oeddwn yn meddwl ei bod, 'Yng nghanol ein bywyd yr ydym mewn angau'. Mae'r adnod yn awgrymu y dylem, yn y byd yma, baratoi o hyd gogyfer â'r nesaf. Yn neilltuol felly, fe ddylem baratoi ac ymarfer sut i gyfarfod y golau gwyn. Os ydi Dr Moody a'r rhai y bu ef yn eu holi yn iawn, yna rydym yn gwybod ymlaen llaw beth ydi'r gofyniad cyntaf yn yr arholiad mawr. A dyma fo: 'Crea yn dy feddwl deimlad tosturiol, cariadus tuag at y ********* ddaru ddwyn dy beiriant torri gwair newydd di neithiwr!'

Mae llawer iawn o wybodaeth yn llyfr y meddyg sydd yn debyg i'r hyn a dderbyniais innau dros y blynyddoedd. Mae pobl ddoe wedi pwysleisio i mi, ddegau o weithiau, mor anodd ydi iddynt hwy esbonio a disgrifio drwy gyfrwng iaith ddaearol amseroedd, mesuriadau a digwyddiadau'r byd tu hwnt. Mae un o bobl Dr Moody yn ei roi fel hyn:

> Wel nawr, mae'n dipyn o broblem i mi geisio disgrifio i chi y pethau a welais ac a glywais oherwydd geiriau o'r byd tri dimensiwn ydi'r unig eiriau sydd gen i. Fel roeddwn yn mynd drwy fy mhrofiadau newydd yr ochr draw, allwn i ddim peidio â meddwl pan oeddwn i'n dysgu geometreg fod fy athrawon yn pwyso arnom nad oedd ond tri dimensiwn i'w cael. Ond mae hyn yn hollol anghywir. Mae yna fwy o lawer na thri dimensiwn. Yn ein byd ni mae'n debyg ei bod yn iawn i ddweud tri; ond yn y byd tu hwnt tydi hyn ddim yn wir. Dyma pam yr wyf yn ei chael yn anodd esbonio i chi yn iaith y ddaear fy mhrofiadau yn y byd goruwch daear. Dyna mor agos ag y gallaf ei ddisgrifio i chi ond nid yw'n ddarlun cyflawn o bell ffordd.

Mae llawer o bobl sydd wedi cael profiad o fod allan o'r corff wedi dweud fod edrych i lawr ar eu cyrff eu hunain wedi peri peth syndod iddynt. Mae pobl Dr Moody yn dweud yr un peth:

> Bachan, ddaru mi erioed freuddwydio fy mod yn edrych fel yna. Yr unig ffordd roeddwn i wedi gweld fy hun ar y ddaear oedd mewn drych neu mewn llun ohonof yr oedd rhywun wedi ei gymyd efo camera, ond lluniau fflat ydi lluniau drych a chamera. Y tro yma dyma fi'n edrych i lawr ac yn gweld fy nghorff fy hun, bum troedfedd i ffwrdd, yn union fel yr oedd. Mi gefais sioc o'i weld ac fe gymerodd gryn amser i mi ddod i adnabod fy hun.

Un peth a'm synnodd oedd hyn – er bod y bobl yma roedd Dr Moody wedi eu holi yn wahanol iawn i'w gilydd yn eu daliadau crefyddol, addysgiadol a chymdeithasol, eto roedd eu tystiolaeth am y cipolwg a gawsent o'r ochr draw yn drawiadol o debyg.

A dweud y gwir, roedd pobl ddoe eisoes wedi rhoi i mi lawer o'r wybodaeth sydd yn y llyfr. Roeddwn eisoes wedi clywed ganddynt am y gwahanol ffyrdd o fesur lleoedd ac amser. Roeddwn wedi clywed hefyd mor anodd ydi disgrifio yn iaith y ddaear y pethau sydd i'w gweld a'u profi allan o'r ddaear. Roedd sôn wedi bod am y twnnel a'r golau gwyn. Roeddwn hyd yn oed wedi clywed, ond heb fod yn gwybod faint o wirionedd oedd yn y si, fod ambell gyfryngwr yn medru cael gafael ar wybodaeth am y trydydd a'r pedwerydd bodolaeth sydd yn ein hwynebu. Ond, rywsut, mae'n well gen i beidio â gwybod am y pethau hyn!

Rwy'n cofio Peter Ramster yn dweud ei fod yntau hefyd yn gyfarwydd â'r syniad o dwnnel a'r golau gwyn cyn iddo erioed glywed am ymchwil Dr Moody. Roedd Peter yn dweud fod nifer o'r rhai oedd wedi dod ato am gymorth yn honni eu bod wedi byw bywyd o'r blaen ar y ddaear. Os oeddynt wedi byw bywyd o'r blaen, doedd ond yn deg disgwyl eu bod hefyd wedi marw yn eu bywyd cyntaf. Dan hypnosis roedd nifer o'r rhain yn gallu disgrifio'r profiad o gau llygaid mewn un bywyd a'u hagor mewn un arall, a dweud beth oeddynt wedi ei weld. Ond dyma'r gwahaniaeth. Roedd Dr Moody wedi cael ei wybodaeth gan rai oedd dim ond wedi hanner croesi, rhai oedd dim ond wedi mynd drwy'r twnnel a chyfarfod y golau gwyn, a gweld eu hanwyliaid yn sefyll wrth y ffens. Doedd yr un ohonynt wedi croesi drosodd. Roedd pobl Dr Moody i gyd wedi troi'n ôl ar hanner ffordd. Ond roedd y rhai oedd wedi dweud yr hanes wrthyf fi, ac wrth fy ffrind Peter, yn rhai oedd wedi byw yma ar y ddaear, wedi marw, wedi croesi, wedi mynd drwy giât y ffens, a bellach yn byw neu wedi byw yn yr ochr draw yr oeddynt yn sôn amdano.

Ac mae hyn yn dod â ni unwaith eto at arbrofion Arnall Bloxham. Rhaid fuasai i Jane Evans yn gyntaf farw fel gwraig i swyddog Rhufeinig, mynd drwy'r twnnel, clywed y miwsig, cyfarfod y golau gwyn a chroesi'r ffens cyn cael ei hadeni i fod yn Rebecca, gwraig Joseff yr Iddew, yn Efrog. Os oedd Jane Evans wedi byw chwe bywyd gwahanol ar y ddaear, fel roedd Bloxham a hithau'n honni, yna mae'n rhaid ei bod wedi marw ym mhump o'r bywydau yma. Ac eto, er fod nifer fawr wedi tystio i Bloxham eu bod wedi byw ar y ddaear sawl gwaith o'r blaen, nid oes yr un ohonynt, cyn belled ag y gwn, yn dweud gair am sut y bu iddynt hefyd farw sawl gwaith a pha fath brofiad ydoedd.

Mae un o'r gwragedd tu ôl i'r soffa, yn y fan yma, newydd ofyn cwestiwn digon creulon i mi. 'Doedd y bobl yma y bu i Dr Moody eu holi,' meddai, 'ddim ond wedi marw am ychydig funudau, ac eto yn y byr amser yna roedd nifer ohonynt wedi mynd drwy'r twnnel ac wedi gweld y golau gwyn, yn ogystal â'u teuluoedd yn eu croesawu wrth y ffens. Sut ydych chi,' meddai, 'sydd wedi marw ers tri diwrnod, yn dal i hofran yn y fan yma yn y Ficerdy?'

Fy ateb iddi ydi hyn: 'Rydw i, madam, yn dal i hofran yn y fan yma, nid am nad oes croeso i mi yn y byd arall nac ychwaith oherwydd bod fy nheulu a'm cyfeillion ymadawedig yn gyndyn i ddod i 'nghyfarfod wrth y ffens. Rydw i a phobl Dr Moody, ar ôl i ni farw, wedi mynd drosodd i'r "presennol tragwyddol". Dim ond person hollol ddiwybod fuasai'n ceisio cymharu pymtheg munud o amser y ddaear efo tri diwrnod o amser y ddaear o fewn y fodolaeth ysbrydol.'

Ar hyd fy oes rwyf wedi credu fod yna fywyd ar ôl marwolaeth. Ond fel roeddwn yn mynd yn hŷn, roeddwn yn dysgu mwy am y bywyd arall hwn. Fe euthum ati i ysgrifennu'r llyfr yma gan obeithio rhoi i eraill ran o'r llawenydd mae sicrwydd o'r atgyfodiad wedi ei roi i mi. Ond ddaru mi ddim meddwl y buasai sgwennu'r llyfr hefyd yn dod â rhagor o wybodaeth i mi fy hunan; yn cryfhau fy ffydd, a thynnu i ffwrdd golyn angau o'r syniad o farw.

Rwyf wedi derbyn erioed nad ydi marwolaeth yn torri ar draws cysylltiadau teuluol. Yn y rhan fwyaf o dai lle rydym wedi cael ein galw am fod ysbryd yn aflonyddu, nain neu fam-gu'r teulu ei hun sydd yn mynd drwy'i phethau, ac nid nain neu fam-gu neb arall. Mae'r cwlwm teulu yma'n rhywbeth sydd yn peri syndod i mi. Mae fy rhieni wedi marw ers dros hanner can mlynedd. Yn ystod y cyfnod yma rydw i wedi priodi, wedi cael plant ac wedi gwneud llu o gyfeillion newydd. Ond fe fu farw fy rhieni cyn cael cyfarfod yr un o'm plant, na hyd yn oed fy ngwraig. Mae fy mywyd i heddiw, a'm cefndir, yn hollol wahanol i 'mywyd a'm cefndir yn blentyn ac yn ŵr ifanc ym Mlaenau Ffestiniog. Ond mae'r ddolen gydiol rhyngof fi a 'nheulu cynnar yn dal mor gadarn ag erioed.

Mae'r Beibl yn dweud y byddaf, rhyw ddydd, yn mynd i le 'lle bo llawer o drigfannau'. Mae'r rhan fwyaf o grefyddau'r byd yn dweud y bydd gen i, ar ôl cyrraedd, ddewis pa drigfan i breswylio ynddi.

'A gaf fi wneud fy nhrigfan ymhlith yr enwog a'r cyfoethog?' meddwn wrth geidwad y porth.

'Mae gennyt hawl i ddewis gwneud dy drigfan yn y lle y mynnot ti dy hun,' meddai'r ceidwad. Ond tydw i erioed wedi bod yn enwog nac yn gyfoethog. Gwn eisoes mai teimlo'n annifyr anniddan y buaswn yn y fath amgylchedd.

'You will gravitate to where you rightfully belong,' meddai fy nghyfeillion, yr ysbrydegwyr. Mae'r eog yn tynnu at y fan lle y'i ganed, yn yr un afon, i ddodwy ei wyau. Ac rwyf wedi canfod fod yr atynfa ryfedd yma yn dechrau mewn dyn ymhell cyn iddo farw. Rydw i'n gwybod rhywsut fy mod yn dal i ddisgwyl yma, yn y ficerdy, i'm nain ddod i'm nôl a'm helpu i groesi. Yn ddiweddar, rwyf wedi bod yn meddwl mwy a mwy am fy rhieni ac am eu cariad. Mae llawer o hen ymadroddion fy nhad, ac wyneb a gwên fy mam, yn dod yn ôl i mi yn gliriach ac yn amlach. Yn union fel mae baban yn troi yn y groth cyn dechrau ar ei siwrnai o fywyd daearol, felly hefyd mae'r hen ŵr yn y ficerdy yn dechrau teimlo'r atynfa tuag at drigfan Kate a William, ei rieni, yng Ngwlad yr Hafau.

Pan oeddwn yn y coleg diwinyddol, rwy'n cofio hen offeiriad

doeth yn dod i siarad â ni ar nos Sul. 'Ar ôl gorffen y frawddeg olaf yn eich pregeth at y Sul,' meddai, 'gofynnwch i'ch hunain y cwestiwn, "I ba bwrpas y bu'r bregeth hon?" ' A dyna un o'r pethau pwysicaf a ddysgais mewn coleg. Pa beth bynnag mae dyn yn ei ddweud, neu'n ei ysgrifennu, boed bregeth neu sgwrs radio neu araith Gŵyl Ddewi, mae'n bwysig gofyn 'Pam?' ac 'I ba bwrpas?' mae rhywun yn defnyddio geiriau.

Rwyf bellach yn tynnu tua therfyn fy llyfr, llyfr yr wyf yn edrych arno fel helaethiad o'r syniadau a gynhwysais yn fy llyfr arall, *Yr Anhygoel*. Dyma'r amser i minnau ofyn, 'Pam?' ac 'I ba bwrpas y bu i mi dreulio amser yn ysgrifennu?' 'Pa neges ydw i'n geisio ei chyfleu i chi sydd yn darllen fy llyfr? A'r tro hwn, rwy'n meddwl fod yr ateb yn un syml. Y neges ydi fy mod i bellach, fel fy nghyfeillion yr ysbrydegwyr, wedi dod i wybod fod yna fywyd ar ôl marwolaeth. Roeddwn yn gwybod hyn pan ysgrifennais y llyfr *Yr Anhygoel* dros ddeng mlynedd yn ôl. Ond ers hynny mae f'ymchwiliadau i grefyddau mawr y byd, a nifer fawr o sgyrsiau efo pobl ddoe ac ysbrydegwyr, wedi fy mherswadio fod yna nid yn unig atgyfodiad, ond fod yr atgyfodiad yna yn arwain i fywyd newydd hapus a thangnefeddus. Lle llawen lle clywir chwerthin ydi Gwlad yr Hafau. Rhywbeth rhamantus, gwefreiddiol o anturiaethus ydi marw. Felly, i ba bwrpas y bu i mi ysgrifennu? Wel! er mwyn rhannu fy newyddion da am y byd sydd i ddod efo eraill.

All yr un gweinidog yr efengyl, wrth edrych yn ôl ar ei yrfa, byth fesur faint o lawenydd y gair y mae wedi gallu ei drosglwyddo i eraill. Bu i mi fetio unwaith ac ennill 50c oddi wrth un o 'mhlwyfolion oedd yn marw. Arferwn alw i'w gweld, a byddai'r ddau ohonom yn sôn ac yn trafod ei marwolaeth a fyddai'n digwydd unrhyw ddiwrnod. Roedd hi'n gymeriad hyfryd, ond yn anffyddwraig. Dyna lle roeddwn innau wedyn yn ceisio disgrifio iddi y lle hyfryd roedd hi am fynd iddo ryw dro yn ystod yr wythnosau nesaf. Dweud wrthi am y twnnel, y miwsig a'r golau gwyn. Hithau wedyn yn gwenu arnaf ac yn dweud, 'Wel, mi fuasai'n neis meddwl eich bod yn iawn, ond fy nghred i ydi unwaith yr ydach wedi marw, dyna'r diwedd. Capŵt!'

'Mi fetia i 50c eich bod yn siarad drwy'ch het,' meddwn wrthi un diwrnod.

'Reit,' meddai hithau. 'Mi gymra i chi am 50c; rŵan rydw i'n mynd i wneud cwpanaid o de i ni.'

Bythefnos yn ddiweddarach, mewn gwasanaeth yn yr amlosgfa, dywedais wrth ei chyfeillion oedd wedi dod ynghyd fod Helen wedi marw yn fy nyled o 50c a 'mod i'n sicr fod yr hen anffyddwraig bengaled wedi dod i sylweddoli erbyn hyn mai y fi oedd wedi ennill y bet. Pan oedd ei brawd yn mynd allan ar ôl y gwasanaeth, dyma fo'n stwffio 50c i'm llaw. 'Roedd Helen mor onest â'r dydd,' meddai. 'Alla i ddim meddwl amdani yn setlo i lawr yn ei lle newydd a hithau'n gwybod fod ganddi ddyled heb ei thalu ar y ddaear – yn enwedig pres bwci.'

Fuasai'r llyfr yma, mwy na fy llyfr arall, ddim yn gyflawn heb i mi gael ailadrodd ynddo hanes Sis Jones. Un o 'mhlwyfolion oedd Sis. Gwraig swil ydoedd, yn byw ar ei phen ei hun. Y fi, mae'n debyg, oedd yr unig un oedd yn cael codi cliciad ei drws. Roedd ei chymdogion yn dweud fod ganddi ddigon o arian ond ei bod yn byw yn hollol gybyddlyd. Doedd iddi na theulu na chyfeillion, a'r unig adeg y byddai'n gadael ei chartref oedd i ddod i'r eglwys fore a hwyr bob Sul. Hi, bob amser, fyddai'r olaf i gyrraedd a'r gyntaf i adael.

Pan oedd yn tynnu at ei saithdegau, fe ddywedwyd wrthi gan feddyg ei bod yn dioddef o gancr. Fe fynnodd Miss Jones gael y ffeithiau ac fe dywedodd yntau, 'Chwe mis fan bellaf.' Roedd hi'n dewr ond roedd arni ofn hefyd. Un peth ydi i rywun fyw ar ei ben ei hun, peth arall ydi i rywun farw ar ei ben ei hun – marw o gancr. Pan glywodd y pentref am ei salwch, aeth y merched ati i lunio math o raglen ddyletswyddau fel bod un o'r cymdogion, yn eu tro, yn gyfrifol am gadw llygad ar Miss Jones ddydd a nos. Rwy'n dal i feddwl mai'r wythnosau olaf yma oedd yr wythnosau mwyaf hapus ym mywyd Sis Jones. Doedd hi erioed wedi gwybod beth oedd rhoi na derbyn cariad. Ond welsoch chi erioed mor gyflym y dysgodd hi. Roedd yna fwy o chwerthin, a rhialtwch, a thynnu coes yn dod o fwthyn Miss Jones nag o'r un bwthyn arall yn y pentref, a Sis ei hun yn uwch ei chloch na neb. Ac eto roedd mewn poen difrifol. Am ei fod yn gwybod beth oedd i ddod, roedd y meddyg wedi dal yn ôl rhag rhoi cyffuriau iddi. Pan ddaeth yr amser i leddfu'r poenau mawr, fe aeth un noson â'i flwch morffin gydag o. Ond gwrthod ei gymryd a wnaeth Miss Jones. Roedd yna boenau dirdynnol yn dod drosti sawl gwaith y dydd a'r nos, ond doedd Sis ddim yn fodlon cymryd hyd yn oed asbirin i'w lleddfu. Fe ofynnodd y meddyg

167

tybed a allwn i ei pherswadio i dderbyn cyffuriau. 'Rydych chi'n wirion iawn, Sis, yn gwrthod y ffisig 'ma gan y meddyg,' meddwn wrthi. 'Mi fuasai hwn yn lladd y boen i chi; dyna beth mae o'n dda.' Dim ateb, felly dyma fi'n ceisio eilwaith. 'Dwedwch wrtha i, ynte, pam rydych chi'n gwrthod.' Y tro yma, dyma hi'n troi ac yn edrych arnaf.

'Rydw i'n synnu atoch chi, o bawb, yn gofyn y fath gwestiwn,' meddai. 'Ydych chi'n cofio ar Sul y Pasg, ddwy flynedd yn ôl, i chi bregethu am yr atgyfodiad a dweud fel yr ydym yn cau ein llygaid yn y byd yma ac yn eu hagor mewn byd newydd, ac fel y bu i chi sôn am fynd drwy'r twnnel a chlywed y miwsig, a chael cyfarfod â golau gwyn cariad, ac fel y buasem yn gweld ein rhieni a'n teulu erstalwm yn sefyll wrth y ffens i'n croesawu? Ydych chi'n cofio i chi ddweud hynna i gyd?'

'Ydw,' meddwn innau. 'Sôn oeddwn i am lyfr Dr Moody . . .'

Ond dyma Sis yn torri ar fy nhraws. 'Wel,' meddai, 'os ydi'r holl bethau hyfryd yma'n mynd i ddigwydd i mi, mi fuaswn i'n ffŵl yn cymryd cyffuriau a thabledi gan y meddyg i wneud i mi gysgu. Pan ddaw fy amser i gychwyn ar y siwrnai hapus yma, rydw i eisiau bod yn hollol effro i gael mwynhau, a gweld, gwrando a theimlo pob mymryn o bopeth sydd yn digwydd i mi.'

Llyfryddiaeth

Campbell, Eileen and Brennan, J. H., *Dictionary of Mind, Body and Spirit*, Aquarian Press, London, 1990.

Doctrinal Commission of the General Synod of the Church of England, *The Mystery of Salvation*, Church House Publications, London, 1995.

Evans-Wentz, *The Tibetan Book of the Dead*, Oxford University Press, Oxford.

Iverson, Jeffrey, *More Lives than One*, Souvenir Press, London, 1976.

Moody, Raymond, *Life After Life*, Bantam Press, New York.

Muldoon, Sylvan and Carrington, Hereward, *Projection of the Astral Body*, Rider, London, 1929.

Ramster, Peter, *The Search for Lives Past*, Somerset Film Company, Sydney, 1990.

Rees, Dewi W., 'The Hallucination of Widowhood,' *British Medical Journal*, British Medical Association, London, 1971.
'The Hallucinatory Reactions of Bereavement' (MD thesis), University of London, 1971.

Zodiac, *Truths Concerning Reincarnation*, Greater World Association.